徹底攻略

第3版

ディープラーニング

G検定

ジェネラリスト 問題集

著
株式会社スキルアップNeXt
小縣信也　田澤賢　安藤遼哉
斉藤翔汰　小宮寛季
森田大樹　山田弦太朗

監修 杉山将　編 株式会社 ソキウス・ジャパン

インプレス

本書は、JDLA試験「G検定（JDLA Deep Learning for GENERAL）」試験の受験対策用の教材です。株式会社インプレスおよび著者は、本書の使用による「G検定（JDLA Deep Learning for GENERAL）」試験への合格を一切保証しません。

本書の内容については正確な記述につとめましたが、著者、株式会社インプレスは本書の内容に基づく試験の結果にも一切責任を負いません。

本文中の製品名およびサービス名は、一般に各開発メーカーおよびサービス提供元の商標および登録商標です。なお、本文中には™、®、©は明記していません。

インプレスの書籍ホームページ

書籍の新刊や正誤表など最新情報を随時更新しております。

https://book.impress.co.jp/

はじめに

ディープラーニングは、学問領域の枠を超え、さまざまな業界に大きな変革をもたらしています。例えば、製造業界では製品の品質管理に畳み込みニューラルネットワークが用いられていますし、製薬業界では新薬の開発にグラフニューラルネットワークが用いられています。また、昨今注目されている生成AIも、ディープラーニングの一領域です。

ディープラーニングの基礎知識をもち、適切な活用方針を決定して事業に応用する能力を有しているかどうかを検定するのが、日本ディープラーニング協会（JDLA）が実施しているG検定（ジェネラリスト検定）です。ディープラーニングを実装するエンジニアを対象にしたE資格に対して、このG検定は、ジェネラリスト向け、つまりAI導入を推進する立場のビジネスパーソン向けの検定です。

G検定に合格するには、高度な数学力やプログラミング力は必要ありません。この試験で問われるのは、幅広い分野における基礎的な知識です。G検定で問われるような基礎的な知識を身につけておくことで、AI導入を円滑に進めることができるようになります。

本書は、G検定を受験する方のための対策問題集です。本書の特徴は以下のとおりです。

・章ごとにストーリー性をもたせて執筆しているため、順に問題を解き、解説を読み進めていくことで、自然と体系的な知識が身につく
・解説が充実しているため、参考書としても活用できる
・G検定公式テキストに準拠しているため、知識をさらに補強したい場合は、G検定公式テキストと併用して学習を進めることができる
・単に資格取得のための知識だけではなく、ディープラーニングを理解し、活用する力を身につけることができる

本書を手にとられた方がG検定に合格するだけでなく、本書を通して習得した知識を業務に活かし、AI人材として活躍されることを願っています。

最後に、本書をご監修くださった理化学研究所革新知能統合研究センターのセンター長で東京大学大学院教授の杉山将先生、データサイエンティストとして数多くの実績をおもちの宮下仁さん、多大なるサポートを提供してくださったソキウス・ジャパンとインプレスのみなさま、そして執筆に関わってくださったすべての方々に心よりお礼を申し上げます。

2024年8月
著者一同

JDLA試験の概要

JDLA試験は、一般社団法人日本ディープラーニング協会（JDLA：Japan Deep Learning Association）が、ディープラーニングに関わる人材の育成を目的に主催する検定試験です。ディープラーニングに関する知識を事業に活用する人材（ジェネラリスト）向けのG検定と、ディープラーニングを実装する人材（エンジニア）向けのE資格の2種類の試験があります。2024年には、G検定の試験は6回、E資格の試験は2回の実施が予定されています。

絶え間なく進化する技術分野の試験であるため、検定・資格の名称には実施年が付記されます。たとえば、2024年に行われた1回目のG検定の正式名称は「JDLA Deep Learning for GENERAL 2024 #1」、E資格の正式名称は「JDLA Deep Learning for ENGINEER 2024 #1」となります。

G検定ジェネラリスト試験について

G検定ジェネラリストは、ディープラーニングを事業に活かすための知識を有しているかを検定する試験です。受験資格に制限はなく、誰でも受験することができます。

■試験要項

試験名称：JDLA Deep Learning for GENERAL（略称：G検定）
試験時間：120分
試験形式：コンピュータを使って行うオンライン試験（自宅受験）
出題形式：多肢選択式の知識問題
出題数　：200問程度
出題問題：シラバスより出題
受験料　：一般：13,200円（税込）／学生：5,500円（税込）

■試験範囲

問題は、JDLAが公開しているシラバスから出題されます。2024年11月実施のJDLA Deep Learning for GENERAL 2024 #6から適用されるシラバスは、以下のとおりです。

【技術要素】

● 人工知能とは
　人工知能の定義、人工知能分野で議論される問題
● 人工知能をめぐる動向
　探索・推論、知識表現とエキスパートシステム、機械学習、ディープラーニング
● 機械学習の概要
　教師あり学習、教師なし学習、強化学習、モデルの選択・評価
● ディープラーニングの概要
　ニューラルネットワークとディープラーニング、活性化関数、誤差関数、正則化、

誤差逆伝播法、最適化手法

●ディープラーニングの要素技術

全結合層、畳み込み層、正則化層、プーリング層、スキップ結合、回帰結合層、Attention、オートエンコーダ、データ拡張

●ディープラーニングの応用例

画像認識、自然言語処理、音声処理、深層強化学習、データ生成、転移学習・ファインチューニング、マルチモーダル、モデルの解釈性、モデルの軽量化

●AIの社会実装に向けて

AIプロジェクトの進め方、データの収集・加工・分析・学習

●AIに必要な数理・統計知識

AIに必要な数理・統計知識

【法律・倫理分野】

●AIに関する法律と契約

個人情報保護法、著作権法、特許法、不正競争防止法、独占禁止法、AI開発委託契約、AIサービス提供契約

●AI倫理・AIガバナンス

国内外のガイドライン、プライバシー、公平性、安全性とセキュリティ、悪用、透明性、民主主義、環境保護、労働政策、その他の重要な価値、AIガバナンス

受験に際しては、以下のURLより、最新のシラバスで出題範囲を確認してください。

URL： https://www.jdla.org/certificate/general/

■ 出題形式

試験は、コンピュータのディスプレイに表示される問題に、コンピュータを使用して解答する形式で行われます。

設問に対して選択肢から正解を選択する多肢選択式の試験です。120分の試験時間で、200問程度の問が出題されます。

■ 受験環境

G検定はコンピュータを使って行うオンライン試験です。試験会場に集合して受験するのではなく、自宅や職場などのコンピュータで受験することができます。

受験に使用するコンピュータの推奨環境は次のとおりです。

・Windows、macOSのPC環境
- Win10およびWin11
- macOS10.13以上macOS12.0まで

・ブラウザのバージョン
- Google Chrome 最新版

- Mozilla Firefox 最新版
- Safari 最新版
- Microsoft Edge 最新版

・画面解像度：1,024×758以上
・接続回線：1Mbps以上の安定した回線
・その他
- 使用するブラウザにかかわらず、JavascriptとCookieを有効にする
- ポップアップブロックを設定している場合は解除する

受験申し込みおよび受験方法

受験の手続きは、以下の「G検定 ジェネラリスト検定 受験日程予約サイト」（以下、「サイト」と表記）で行います。

URL：https://www.jdla-exam.org/d/

受験までのフローは以下のとおりです。

① 受験チケットの購入

2023年7月以降、受験申込には受験チケットが必要になりました。受験チケットの有効期限は、購入から1年間です。

② 受験予約

G検定を初めて受験する場合は、まずアカウントの作成が必要です。その後、受験希望の開催日を予約します。受験日程が確定すると、申込内容をマイページで確認することができます。

③ 受験

試験当日は、開始までにサイトの「試験当日の流れ」から「動作確認」と「操作マニュアル」をクリックして、コンピュータの動作および受験時の操作を確認しておきます。

受験ページ（マイページ）の「受験する」をクリックすると試験が始まります。

④ 結果発表

試験の2〜3週間以内に登録したメールアドレス宛てに結果が送信されます。

本書の活用方法

本書は、「G検定ジェネラリスト」試験の合格を目指す方を対象とした問題集です。本文は、出題範囲に沿った問題と解答で構成されています。第1章から第10章までは、出題範囲のカテゴリをベースに構成された章立てになっています。第11章は、模擬試験の位置付けとなる「総仕上げ問題」です。各章の問題・解説で学習したのちに、実戦形式の総仕上げ問題で受験対策の仕上げをしましょう。第1章から第11章までのすべての問題を解くことで、網羅的な受験対策ができます。

① 第1章～第10章まで順に取り組もう

第1章～第10章の問題は、解き進めていくとそのカテゴリに関する理解度が深まるように構成されています。各章において、まず問題を解き、問題を解いたら解説を読んで理解を深めましょう。解説内に太字で掲載されているキーワードや、「試験対策」欄の重要項目について理解していくことで、試験対策を効率的に行うことができます。

② 第11章の模擬試験に挑戦しよう

第11章には、本試験と同レベルの問題を掲載しています。第10章までの内容を一通り理解できたら、第11章の問題を本試験と同じ時間（目安は120分）で解いてみましょう。

本書の構成

■ 問題

本書の問題は、「G検定ジェネラリスト」試験への合格に必要な知識を効率的に学習することを目的に作成したものです。解答していくだけで、合格レベルの実力が身に付きます。

● 多岐選択問題

選択肢の中から、1つまたは指定された数の正解を選択する問題を想定したものです。

チェックボックス

確実に理解している問題のチェックボックスを塗り潰しながら問題を進めれば、2回目からは、不確かな問題だけを効率的に解くことができます。すべてのチェックボックスが塗り潰されれば、合格は目前です。

□ **2.** AI効果に関する説明として、最も適切なものを選べ。

A. AI効果とは、AIが普及することで、AIではなく人間にしかできないようなことや、本来の人間らしさといった特性こそが重要であると感じる心理効果のことである
B. AI効果とは、AIが実現しているのは自動化などの単純な処理であり、知能によるものではないと考える心理効果のことである
C. AI効果とは、周囲からの期待や関心があることで、人工知能のパフォーマンスを高く評価してしまう心理効果のことである
D. AI効果とは、AIロボットの容姿や動き、音声などが人間に非常に近くなることで、違和感や恐怖などの感情が芽生える効果のことである

➜ P17

解答ページ

問題の右下に、解答ページが表示されています。ランダムに問題を解くときも、解答ページ探しに手間取ることがありません。

● 穴埋め問題

（　ア　）、（　イ　）などで示された空欄に当てはまる事項を選択する穴埋め問題を想定したものです。

□ **6.** 以下の記述を読み、空欄（ア）～（ウ）に入る語句として最も適切な組み合わせを選べ。

機械翻訳とは、言語間の翻訳を自動化する技術である。1970年代後半は（　ア　）機械翻訳が主流であったが、1990年代以降は（　イ　）機械翻訳が主流となった。しかし、（　イ　）機械翻訳では一般常識をうまく扱うことができず、このことは知識獲得の（　ウ　）と呼ばれた。近年では、深層学習によるニューラル機械翻訳が誕生し、機械翻訳の性能が大きく向上してきている。

A. （ア）ルールベース　（イ）コーパス　（ウ）レイテンシ
B. （ア）エキスパート　（イ）コーパス　（ウ）レイテンシ
C. （ア）エキスパート　（イ）統計的　（ウ）ボトルネック
D. （ア）ルールベース　（イ）統計的　（ウ）ボトルネック

➜ P20

空欄が複数の場合は、組み合わせの正しい選択肢を選びます。

■ 解答

解説には、問題の正解および不正解の理由だけでなく、用語や重要事項などが説明されています。

問題ページ

問題文を参照したいときに便利です。

解説（用語）

重要な用語は、太字で表記されています。

解説（選択肢）

正解である選択肢は（**C**）のように太字で、不正解である選択肢は（A）のように表記し、それぞれの根拠を示しています。

7. C ➜ P26

意味ネットワークにおける継承関係の理解を問う問題です。
意味ネットワークとは、概念を1つのノードとし、それらを意味関係で関連づけたネットワークです。意味ネットワークにおける継承関係は、「is-a」の関係で表されます。たとえば、「動物は生物である」という関係は継承関係であり、生物は上位概念、動物は下位概念と呼ばれます（**C**）。
「part-of」の関係は属性を表します（A）。また、「has-a」の関係は所有を表します（B）。一方、「value-of」という関係は一般的ではありません（D）。

意味ネットワークにおける概念の関係を理解しておきましょう。

解説（穴埋め問題）

空欄が複数ある問題では、どの空欄に該当する解説かを示しています。

解説（参照）

より詳しく解説している章および解答番号を示しています（同じ章の場合は章番号を割愛）。

6. D ➜ P15

機械翻訳技術の歴史と用語について問う問題です。
機械翻訳の主流となる技術は、**ルールベース機械翻訳**から**統計的機械翻訳**、**ニューラル機械翻訳**へと変遷してきました（ア、イ）。
統計的機械翻訳の精度向上には、人間の一般常識に関する膨大な対訳データと、それらを知識として獲得できるコンピュータが必要です。しかし、それらを実現することは難しく、**知識獲得のボトルネック**と呼ばれています（ウ）。
ところが、近年登場したニューラル機械翻訳は、深層学習（ディープラーニング）［第2章 解答14を参照］により翻訳精度を飛躍的に高めることができ、知識獲得のボトルネックを超えつつあると注目されています。
以上のことから、（ア）にはルールベース、（イ）には統計的、（ウ）にはボトルネックが当てはまります（**D**）。

本文中で使用するマーク

解答ページには、以下のマークで重要事項や参考情報を示しています。

	試験対策のために理解しておかなければいけないことや、覚えておかなければいけない重要事項を示しています。		試験対策とは直接関係はありませんが、知っておくと有益な情報や補足情報を示しています。

※ 本書に記載されている情報は2024年8月時点のものです。
試験内容やURLは変更になる可能性があります。

目次

第1章

人工知能とは

■ 人工知能の定義

■ 人工知能分野で議論される問題

□ **1.** **2024年現在の人工知能に関する説明として、最も不適切なものを選べ。**

A. 現在の人工知能は、音声を認識することができる
B. 現在の人工知能は、データをその特徴にしたがって分類することができる
C. 現在の人工知能は、タスクの目的自体を理解した上での自律的な判断を行うことができる
D. 現在の人工知能は、データをもとにした数値予測を行うことができる

➡ P17

□ **2.** **AI効果に関する説明として、最も適切なものを選べ。**

A. AI効果とは、AIが普及することで、AIではなく人間にしかできないようなことや、本来の人間らしさといった特性こそが重要であると感じる心理効果のことである
B. AI効果とは、AIが実現しているのは自動化などの単純な処理であり、知能によるものではないと考える心理効果のことである
C. AI効果とは、周囲からの期待や関心があることで、人工知能のパフォーマンスを高く評価してしまう心理効果のことである
D. AI効果とは、AIロボットの容姿や動き、音声などが人間に非常に近くなることで、違和感や恐怖などの感情が芽生える効果のことである

➡ P17

□ **3.** **第一次AIブームにおいて解くことができたトイ・プロブレムの例として、最も不適切なものを選べ。**

A. 子供が学校で習うような簡単な代数の問題
B. チェスやオセロなどのようにルールや設定が決まっている問題
C. ハノイの塔など簡単な手続きで解くことができる問題
D. 特定の専門知識が必要な領域についての質問に回答する問題

➡ P18

□ **4.** 人工知能に対処させるべき事柄を決めるのは難しいということを表す用語として、最も適切なものを選べ。

A. シンボルグラウンディング問題
B. 次元の呪い
C. 知識獲得のボトルネック
D. フレーム問題

➡ P19

□ **5.** 強いAIと弱いAIの違いに関する記述として、最も適切なものを選べ。

A. 強いAIは正確な将来予測ができるが、弱いAIは正確な将来予測ができない
B. 強いAIは深層学習モデルによって構築されるが、弱いAIは統計モデルによって構築される
C. 強いAIは人間のような自意識を持って総合的な判断ができるが、弱いAIは特定のタスクのみを処理することに特化している
D. 強いAIの例として敵対的生成ネットワークのような画像生成AIが、弱いAIの例としてGoogLeNetのような画像認識AIがあげられる

➡ P19

□ **6.** 以下の記述を読み、空欄（ア）～（ウ）に入る語句として最も適切な組み合わせを選べ。

機械翻訳とは、言語間の翻訳を自動化する技術である。1970年代後半は（　ア　）機械翻訳が主流であったが、1990年代以降は（　イ　）機械翻訳が主流となった。しかし、（　イ　）機械翻訳では一般常識をうまく扱うことができず、このことは知識獲得の（　ウ　）と呼ばれた。近年では、深層学習によるニューラル機械翻訳が誕生し、機械翻訳の性能が大きく向上してきている。

A. （ア）ルールベース　（イ）コーパス　（ウ）レイテンシ
B. （ア）エキスパート　（イ）コーパス　（ウ）レイテンシ
C. （ア）エキスパート　（イ）統計的　（ウ）ボトルネック
D. （ア）ルールベース　（イ）統計的　（ウ）ボトルネック

➡ P20

□ **7.** あるコンピュータが人工知能であるか否かを判定するためのテストとして、チューリングテストが知られている。チューリングテストの具体的な方法として、最も適切なものを選べ。

A. 同じコンピュータをもう１つ用意し、コンピュータ同士での会話がどの程度成立するかを評価する

B. 人間の審査員に相手がコンピュータであることを伏せて対話させ、対話の相手が人間であると思わせることができるかを評価する

C. 人間とコンピュータに同じ問題を解かせて、正解率が同じくらいかどうかを評価する

D. コンピュータが作成した長い文章を人間の審査員に読んでもらい、その文章表現の人間らしさを評価する

➡ P21

第１章　人工知能とは
解　答

1.　C

➡ P14

人工知能（**AI**：Artificial Intelligence）に関する知識を問う問題です。

人工知能は、人間の知能が必要とされるタスクを実行できる機械（そのような機能を持つコンピュータや、情報処理システムなどを含む）の実現に取り組む、コンピュータサイエンスの一分野です。人工知能は、大量のデータを処理して、その中に潜むパターンや関係性を抽出します。**音声認識**、**画像認識**、**自然言語処理**、**ロボットの制御**など、さまざまな分野におけるタスクの実行方法をデータから学習することで、これまで困難であると考えられてきた問題の解決を目指しています。

音声認識とは、人間が発する言葉などの音声をデータとして入力し、その内容を認識させる技術のことです。たとえば、「文字起こし」のタスクでは、入力された音声を解析し、言語モデルによる単語変換を通してテキスト化を行います（A）。

人工知能の技術的な背景に、**機械学習**と呼ばれる分野があります。機械学習で用いられるアルゴリズムでは、データの特徴やパターンを自動的に抽出し、その結果をもとにデータを分類することが可能です（B）。

機械学習を用いた人工知能は、与えられたデータやアルゴリズムにもとづいてパターンを見出し、それに応じて判断を行います。少なくとも現在（2024年）の技術では、人工知能がタスクの目的自体を理解して自律的に判断を下すことはできません（**C**）。

機械学習の技術を用いることで、パターンや関係性をデータから抽出・学習し、未知のデータに対して数値予測を行うことが可能です（D）。

人工知能とは何か、どのようなことが技術的に可能なのかを確認しておきましょう。

2.　B

➡ P14

AI効果の意味を問う問題です。

人間は、AIで実現された技術に対し「AIが実現しているのは単純な処理であり、知能による処理ではない」と考える傾向があります。このような心理効果をAI効果と呼びます（**B**）。
「AI効果」という語に、以下のような意味は含まれません。
・AIではなく人間にしかできないようなことや、本来の人間らしさといった特性こそ重要であると感じる心理効果（A）
・AIのパフォーマンスを高く評価してしまう心理効果（C）
・AIロボットの容姿や動き、音声などに違和感や恐怖などの感情を抱く心理効果（D）

「AI効果」という言葉からは意味が連想しにくいため、まずは心理効果であることを押さえ、次いでどのような心理効果であるかを理解しておきましょう。

3. D

➡ P14

第一次AIブームにおいて解くことができた**トイ・プロブレム**（Toy problem：おもちゃの問題）に関する知識を問う問題です。
1956年の**ダートマス会議**以降、探索・推論を行うアルゴリズムによってタスクを解く人工知能が台頭しました。この時期（1950年代後半～1960年代）は、実際に迷路やチェスなどのゲームや「ハノイの塔」に関する手数の推論、簡単な代数の定理証明などが行われ、第一次AIブームと呼ばれています。ところが、第一次AIブームでAIと呼ばれたプログラムが解ける問題はかなり限定的であり、それらはトイ・プロブレムと呼ばれました。
子供が解くような代数や幾何の問題の一部は、当時のプログラムで解くことができました（A）。
また、当時のプログラムは、チェスやオセロ、迷路などのようにルールや設定が決まっている問題については、それほど手数を必要としない問題であれば扱うことができました（B）。
ハノイの塔は、大きさの違う円盤を、あるポールから別のポールに大小関係を保ったまま移動させるパズルです。ハノイの塔は簡単な再帰的アルゴリズムで解くことができ、当時のプログラムで扱うことができました（C）。
特定の専門領域に関する質問に答える問題は、**第二次AIブーム**における**エキスパートシステム**によって扱えるようになりました（**D**）。

第一次AIブームでどのような研究が行われたのかを整理し、トイ・プロブレムの例を答えられるようにしておきましょう。

4. D

➡ P15

フレーム問題についての理解を問う問題です。
AIが抱える本質的な課題に、フレーム問題があります。人間は何か問題を解決するときに、その問題に関連する考慮すべき事柄を、無意識に選択して抽出していきます。それは無限にある可能性からの探索であり、AIが同様のことを行うのは非常に困難です。このような問題をフレーム問題といいます（**D**）。フレーム問題は、人間と同様の知能を持つ汎用的なAIの実現を妨げる大きな要因です。
シンボルグラウンディング問題とは、1990年に認知科学者の**スティーブン・ハルナッド**（Stevan Harnad）によって提示された、記号（シンボル）とその対象を結び付けることが可能なのかを論じる問題です（A）。
また、**次元の呪い**は、次元の増加に伴って計算量などが指数的に増加する現象です（B）。
知識獲得のボトルネックとは、コンピュータが知識を獲得することの難しさを表した用語です（C）。

フレーム問題の内容について説明できるようにしておきましょう。

5. C

➡ P15

強いAIと**弱いAI**の違いについての理解を問う問題です。
「強いAI」「弱いAI」は、もともとはアメリカの哲学者ジョン・サールによって用いられた用語です。ジョン・サール自身は、人間の意識や心の研究の文脈で、「人間の認知機能を正確に再現（説明）したAI」を「強いAI」、そうでない、単なる道具としてのAIを「弱いAI」と定義しました。現在では、これらの語は、AI研究の文脈の中で、以下のようにより広い意味で使用されています。
「強いAI」とは、人間と同様に心や自意識を備え、総合的な判断ができるAIです。一方、「弱いAI」とは、特定のタスクを処理することに特化したAIです。弱いAIは、人間のような心や自意識は持っていませんが、特定の領域であれば、人間と同じような問題解決ができます（**C**）。現時点では、世の中で稼動しているAIはすべて弱いAIに該当しており、強いAIはまだ実現されていません。
予測精度は、強いAI・弱いAIの議論とは無関係です（A）。
また、深層学習モデルや統計モデルなどの技術は、強いAI・弱いAIの議論とは無関係です（B）。

画像生成や画像認識［第6章 解答9を参照］などのタスク種別は、強いAI・弱いAIの議論とは無関係です（D)。

現在活用されているAIはすべて弱いAIで、強いAIはまだ実現していない点を理解しておきましょう。

6. D

➡ P15

機械翻訳技術の歴史と用語について問う問題です。
機械翻訳の主流となる技術は、**ルールベース機械翻訳**から**統計的機械翻訳**、**ニューラル機械翻訳**へと変遷してきました（ア、イ)。
統計的機械翻訳の精度向上には、人間の一般常識に関する膨大な対訳データと、それらを知識として獲得できるコンピュータが必要です。しかし、これらを実現することは難しく、**知識獲得のボトルネック**と呼ばれています（ウ)。
ところが、近年登場したニューラル機械翻訳は、深層学習（ディープラーニング）［第2章 解答14を参照］により翻訳精度を飛躍的に高めることができ、知識獲得のボトルネックを超えつつあると注目されています。
以上のことから、（ア）にはルールベース、（イ）には統計的、（ウ）にはボトルネックが当てはまります（D)。

それぞれの機械翻訳について、登場した順番だけでなく、ベースとなっている技術の違いについても理解しておきましょう。

ニューラル機械翻訳では、ディープラーニングを用いて単語の生起確率を学習することによって訳文を生成します。グーグルが提供している「Google翻訳」サービスでは、2016年からニューラル機械翻訳の技術が採用されています。これにより機械翻訳の質が大きく向上し、話題となりました。

7. B

➡ P16

チューリングテスト（Turing test）について問う問題です。
チューリングテストは、**アラン・チューリング**（Alan Turing）によって考案された、コンピュータが人工知能かどうかを判定するためのテストです。1991年以降、チューリングテストによる評価を競う「ローブナーコンテスト」というイベントが毎年開催されています。
チューリングテストでは、知能の有無をそのコンピュータ内部のメカニズムから判定することは極めて難しいため、外から観察できる行動から判断するという立場をとります。具体的には、人間の審査員に相手がコンピュータであることを伏せて対話させ、どの程度の割合でそれを判定できるかを調べます。そして、審査員がコンピュータと人間を区別できなかった場合に、そのコンピュータはテストに合格したとみなされます（**B**）。
以下の記述は、チューリングテストの具体的な方法の説明としては不適切です。

・コンピュータを2つ用意して、コンピュータ同士での会話がどの程度成立するかを評価する（A）
・人間とコンピュータに同じ問題を解かせて、正解率が同じくらいかどうかを評価する（C）
・コンピュータが作成した文章を人間の審査員に読んでもらい、その文章表現の人間らしさを評価する（D）

試験対策

チューリングテストの発案者、目的、具体的な方法をセットで覚えておきましょう。

第2章

人工知能をめぐる動向

- ■ 探索・推論
- ■ 知識表現とエキスパートシステム
- ■ 機械学習
- ■ ディープラーニング

□ **1.** **人工知能の歴史に関する以下の記述を読み、空欄（ア）に入る語句として最も適切なものを選べ。**

1950年代に（　ア　）の研究が行われ、コンピュータが迷路や簡単なゲームを解くことができるようになった。これが契機となった第一次AIブームでは、実社会における複雑な問題に対してもコンピュータに解を提示させることへの期待が高まった。しかし、（　ア　）によって解くことができる問題はトイ・プロブレムに限られることが明らかになり、第一次AIブームは終焉を迎えた。

A.　エキスパートシステム
B.　ディープラーニング
C.　探索・推論
D.　知識ベース

➡ P31

□ **2.** **1つのスタートと2つのゴールが設定された迷路を、探索木のアルゴリズムで解くことを考える。このとき、探索木の幅優先探索に関する説明として、最も不適切なものを選べ。**

A.　幅優先探索では、各ノードをスタート地点に近い順番で探索する
B.　幅優先探索では、同じ探索木を探索する場合、一般に深さ優先探索よりもメモリ消費量が大きくなることが多い
C.　幅優先探索では、最短経路でゴールにたどり着く解を発見できないことがある
D.　幅優先探索では、解を必ず発見できる

➡ P32

□ **3.** **以下の（ア）～（エ）のうち、ロボットの行動計画に用いられるプランニング技術を採用したシステムとして、適切なものの組み合わせを選べ。**

（ア）イライザ　（イ）東ロボくん　（ウ）SHRDLU　（エ）STRIPS

A.　（ア）（イ）
B.　（イ）（ウ）
C.　（ア）（エ）
D.　（ウ）（エ）

➡ P33

☐ **4.** 完全情報ゲームに用いられるアルゴリズムに関する以下の記述を読み、空欄（ア）に入る語句として最も適切なものを選べ。

（　ア　）は、自分の手番で自分に最も有利な選択をし（スコア最大）、相手の手番では相手が最も有利な選択をする（スコア最小）と仮定して、次の手を網羅的に探索する手法である。

A.　Mini-Max法
B.　Mini-Mini法
C.　Max-Max法
D.　$\alpha\beta$法

➡ P33

☐ **5.** ボードゲームの盤面評価に利用されるモンテカルロ法に関する説明として、最も不適切なものを選べ。

A.　モンテカルロ法は、プレイアウトを繰り返して盤面を評価する手法である
B.　モンテカルロ法は、盤面の評価をブルートフォースで行う手法である
C.　モンテカルロ法は、盤面のスコアが明確に定義できない場合には適用することができない
D.　モンテカルロ法は、仮想的なプレイヤーを通じて盤面のシミュレーションを行う

➡ P34

☐ **6.** 第二次AIブームに関する説明として、最も不適切なものを選べ。

A.　第二次AIブーム初期に影響力の大きかったエキスパートシステムとして、マイシンがあげられる
B.　第二次AIブームでは、自然言語の知識ベースを用いて、対話型のAIであるイライザが開発された
C.　第二次AIブームで開発されたDENDRALは、未知の有機化合物を特定するエキスパートシステムである
D.　第二次AIブームで開発されたエキスパートシステムは、知識ベースと呼ばれるデータを取り込み、専門家のように振る舞うプログラムである

➡ P34

☐ **7. 意味ネットワークにおける継承関係の説明として、最も適切なものを選べ。**

A. 意味ネットワークにおける継承関係は、「part-of」の関係で表される
B. 意味ネットワークにおける継承関係は、「has-a」の関係で表される
C. 意味ネットワークにおける継承関係は、「is-a」の関係で表される
D. 意味ネットワークにおける継承関係は、「value-of」の関係で表される

➡ P35

☐ **8. ウェブサイトの情報リソースに意味を付与することで、より高度な意味処理をコンピュータに行わせるための技術が研究されている。この技術の名称として、最も適切なものを選べ。**

A. セマンティックウェブ
B. ウェブマイニング
C. LOD（Linked Open Data）
D. Cycプロジェクト

➡ P36

☐ **9. 以下の（ア）～（エ）に示した、IBM社が開発した人工知能「ワトソン」に関する説明のうち、最も適切なものの組み合わせを選べ。**

（ア）ワトソンは、Question-Answeringという技術研究の成果である
（イ）ワトソンは、米国のクイズ番組「Jeopardy!」でクイズチャンピオンに勝利した
（ウ）ワトソンは、ウェブ上の情報をもとにライトウェイトオントロジーを生成する
（エ）ワトソンは、質問の意味を理解して解答を提示することができる

A. （ア）（イ）（ウ）
B. （ア）（イ）（エ）
C. （イ）（ウ）（エ）
D. すべて適切

➡ P36

□ **10.** ライトウェイトオントロジーに関連する概念として、最も不適切なものを選べ。

A. データマイニング
B. LOD（Linked Open Data）
C. Cycプロジェクト
D. ウェブマイニング

➡ P37

□ **11.** 1964年から1966年にかけて開発されたコンピュータプログラムであるイライザに関する説明として、最も不適切なものを選べ。

A. イライザは、会話ボットの研究開発に影響を与えたコンピュータプログラムであり、人工無脳の元祖と呼ばれることがある
B. イライザは、相手の発言内容からパターンを抽出し、それをもとに返答を行う
C. イライザは、精神科医の専門知識をデータベースとして保持し、その分野の専門家と同等の対話ができる
D. イライザは、本物の人間だと信じてしまう人が現れるほどの対話能力を備えていた

➡ P38

□ **12.** 以下の記述を読み、空欄（ア）～（ウ）に入る語句として最も適切な組み合わせを選べ。

第二次AIブームでは知識表現の研究が行われ、さまざまなAIシステムが誕生した。（　ア　）は、自然言語を使用してユーザーと会話ができるAIシステムで、人工無脳の元祖と呼ばれている。（　イ　）は、有機化合物の構造決定を支援するために開発されたエキスパートシステムである。（　ウ　）は、血液中のバクテリアの診断支援を行うエキスパートシステムである。

A. （ア）DENDRAL　（イ）イライザ　（ウ）マイシン
B. （ア）イライザ　（イ）DENDRAL　（ウ）マイシン
C. （ア）SHRDLU　（イ）イライザ　（ウ）STRIPS
D. （ア）イライザ　（イ）SHRDLU　（ウ）STRIPS

➡ P38

□ **13.** 機械学習とルールベース手法の特徴に関する説明として、最も不適切なものを選べ。

A. 機械学習は、データの中のパターンを自動的に学習することで、予測や分類を行うための技術である
B. ルールベース手法は、人間がプログラムに明示的にルールを与えて行動を決定させる手法であり、学習データを必要としない
C. 機械学習は、一般に学習データが多いほど精度が向上する
D. ルールベース手法を適用した場合の予測精度は、機械学習に比べて常に低い

➡ P39

□ **14.** 以下の記述を読み、空欄（ア）（イ）に入る語句として最も適切な組み合わせを選べ。

第三次AIブームにおいて、ディープラーニング（深層学習）の研究が急速に進展した理由として、（　ア　）が利用できるようになったことがあげられる。（　ア　）は画像、音声、テキストなど、多様な形式のデータを大量に含んでおり、ディープラーニングの技術を活用して効果的に処理することができる。また、2012年には、画像認識の精度を競い合う競技会である（　イ　）において、トロント大学がディープラーニングを活用して圧勝したことにより、ディープラーニングへの注目度が一気に高まった。この出来事は、以後のディープラーニング研究を加速させた一因と考えられる。

A. （ア）ビッグデータ
（イ）ILSVRC（ImageNet Large Scale Visual Recognition Challenge）
B. （ア）LOD（Linked Open Data）
（イ）ILSVRC（ImageNet Large Scale Visual Recognition Challenge）
C. （ア）ビッグデータ
（イ）Kaggle
D. （ア）LOD（Linked Open Data）
（イ）Kaggle

➡ P39

□ **15.** 以下の記述を読み、空欄（ア）～（エ）に入る語句として最も適切な組み合わせを選べ。

画像認識において機械学習アルゴリズムの性能を競い合う競技会であるILSVRC（ImageNet Large Scale Visual Recognition Challenge）は、ディープラーニング技術の発展に大きく貢献した。ILSVRCで登場した著名なディープニューラルネットワークとして、以下があげられる。（　ア　）は、3層の畳み込みニューラルネットワークを利用することで、従来の手法を大きく超える高い精度を獲得し、2012年のILSVRCで優勝した。（　イ　）は、少ない層数で一度学習したのち、層を追加することで16層の深いネットワークを構築し、2014年に高い評価を受けた。（　ウ　）はInceptionモジュールを導入し、2014年に優勝した。（　エ　）はスキップ結合を採用することで従来より大幅に深いネットワークの学習に成功し、2015年に優勝した。

A.　（ア）AlexNet
（イ）MobileNet
（ウ）GoogLeNet
（エ）DenseNet

B.　（ア）SENet（Squeeze-and-Excitation Networks）
（イ）MobileNet
（ウ）DenseNet
（エ）ResNet（Residual Network）

C.　（ア）SENet（Squeeze-and-Excitation Networks）
（イ）VGG（Visual Geometry Group）
（ウ）GoogLeNet
（エ）DenseNet

D.　（ア）AlexNet
（イ）VGG（Visual Geometry Group）
（ウ）GoogLeNet
（エ）ResNet（Residual Network）

➡ P40

□ **16.** 以下の記述を読み、空欄に入る語句として最も適切な組み合わせを選べ。

ディープラーニング以外の一般的な機械学習では、データからの（　ア　）を人間が行い、（　ア　）の結果をもとにモデルが学習を行う。一方、ディープラーニングに用いられるモデルは人間の（　イ　）を模倣した構造を採用しており、最適な（　ア　）の方法が学習によって獲得される。

A.　（ア）特徴抽出　（イ）脳の神経回路網
B.　（ア）基礎統計量算出　（イ）意思決定プロセス
C.　（ア）基礎統計量算出　（イ）脳の神経回路網
D.　（ア）特徴抽出　（イ）意思決定プロセス

➡ P42

第2章　人工知能をめぐる動向
解　答

1.　C

➡ P24

第一次AIブームに関する知識を問う問題です。
第一次AIブームで主に研究されたのは「**探索・推論**」です（C）。これらの研究によって、トイ・プロブレムと呼ばれる簡単な問題に対して解を提示できるようになりました。
エキスパートシステムは、第二次AIブームにおける技術であり、専門家が持つような知識にもとづいた推論によって、複雑な問題を解くことができます（A）。
ディープラーニング（深層学習）は、多層化したニューラルネットワークを用いた技術であり、第三次AIブームにおいて研究されています（B）。
知識ベースは、第二次AIブームにおけるエキスパートシステムの推論の根拠となるデータベースです（D）。
各AIブームの変遷を図で表すと以下のようになります。

【AIブームの変遷】

第一次AIブーム	第二次AIブーム	第三次AIブーム
探索・推論	**知識表現**	**機械学習**
単純な問題に対する解を提示できるようになった	知識ベースなどコンピュータに知識を与える試みが行われた	ビッグデータや計算機の飛躍的な進展などで深層学習が台頭した

各AIブームにおける技術について覚えておきましょう。

2. C

➡ P24

探索木における**幅優先探索**の知識を問う問題です。
1つのスタートと2つのゴールが設定された迷路を、アルゴリズムによって解くことを考えます。スタートからゴールまでの間の分岐と行き止まりのパターンを線で繋ぐと、この迷路を木構造で表現できます。これを探索木と呼びます。
探索木を用いることで、スタートからゴールまでの到達可能な経路をアルゴリズムによって求めることができます。探索木の経路を探索する代表的な手法として、幅優先探索と**深さ優先探索**があります。
幅優先探索は、スタート地点に近いノード（探索木の要素）から順に探索を続け（A）、指定されたゴールが見つからなかった場合に次の階層に進む探索方法です。一方、深さ優先探索は、最も深いノードに達するまで、可能な限り深く探索する探索方法です。1つの経路を進み、それ以上進めなくなったところで引き返し、次の候補の経路を進みます。
幅優先探索では、最短距離でゴールにたどり着く解を必ず発見することができます（**C**、D）。ただし、同じ探索木の探索を行う場合、深さ優先探索と比較して計算量が大きくなりやすいことが知られています（B）。
一方、深さ優先探索では、計算量は比較的小さくなりやすいですが、発見した解が最短距離であるとは限りません。

【幅優先探索と深さ優先探索】

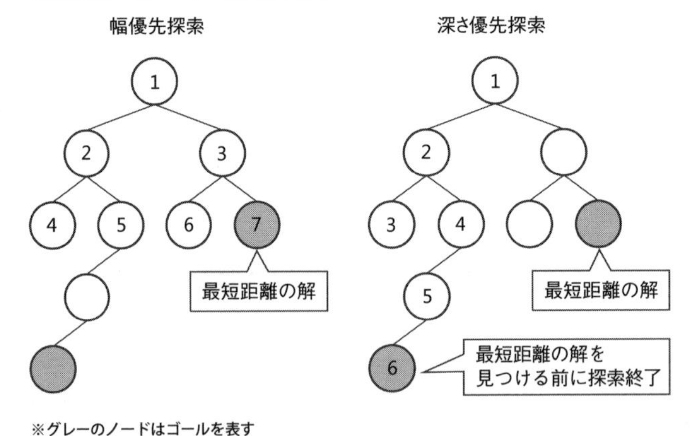

※グレーのノードはゴールを表す

探索木における探索手法の種類とその特徴を把握しておきましょう。

3. D

➡ P24

プランニングに関する知識を問う問題です。
プランニングは、ロボットの行動計画を探索によって作成する技術です。
イライザ（ELIZA）［解答11を参照］は、あらかじめ用意された回答パターンに従って、あたかも人間と対話しているかのように返答する**人工無脳**と呼ばれるシステムのひとつです。イライザにはプランニングの技術は用いられていません（ア）。
東ロボくんは、東京大学に合格できる能力の獲得を目指して開発された人工知能です。2016年にはほとんどの私立大学に合格できるレベルに達しましたが、読解力に問題があり、プロジェクトは凍結されました。東ロボくんにはプランニングの技術は用いられていません（イ）。
SHRDLUは、1968年から1970年にかけてテリー・ウィノグラード（Terry Winograd）によって開発されたシステムです。コンピュータ画面上に描かれた「積み木の世界」で、プランニングによって英語による指示で積み木を移動させたり並べ替えることができました（ウ）。
STRIPS（Stanford Research Institute Problem Solver）は、1971年にリチャード・ファイクス（Richard Fikes）とニルス・ニルソン（Nils Nilsson）によって開発されたプランニング研究における代表的なシステムです。STRIPSでは、前提条件、行動、結果の3つの組み合わせで行動計画を記述します（エ）。
以上のことから、（ウ）（エ）が適切な組み合わせです（**D**）。

試験対策

プランニング技術の概要と代表的な研究成果について覚えておきましょう。

4. A

➡ P25

Mini-Max法についての知識を問う問題です。
完全情報ゲームとは、任意の時点において、これまでの行動や状態に関する情報がすべて明らかになっているようなゲームのことです。
完全情報ゲームにおけるそれぞれの局面で、自分にとって有利である度合いを「スコア」として評価し、それをもとに次の手を決定する問題を考えます。
Mini-Max法は、このような問題を探索によって解くアルゴリズムです。
Mini-Max法では、自分の手番でスコア最大の手を選び、相手の手番でスコア最小の手が選ばれることを仮定して、次の手を網羅的に探索します（**A**）。
Mini-Mini法、Max-Max法は探索の手法として一般的ではありません（B、C）。

Mini-Max法では、実際に読む必要のない手まですべて探索します。しかし、探索の途中でそれ以上は読む必要がないと評価できれば、その時点で探索を打ち切り、計算を効率化できます。このような考え方を用いて、Mini-Max法を改善した手法を**αβ法**と呼びます。αβ法はMini-Max法と同じ考え方にもとづく手法ですが、網羅的に次の手を探索する手法ではありません（D）。

Mini-Max法やαβ法の考え方を理解しておきましょう。

5. C

➡ P25

ボードゲームの盤面評価に利用される**モンテカルロ法**について問う問題です。

ボードゲームにおいて、各盤面におけるスコアは次の手を探索するために非常に重要ですが、たとえば、囲碁のようなゲームでは、明確なスコアの設計が難しいという問題があります。

そこで、2人の仮想的なプレイヤーが、各盤面から終局までをランダムにシミュレートし（D）、その勝敗を記録することを考えます（これをプレイアウトと呼びます）。1回のプレイアウト結果は偶然ですが、これを何回も繰り返すことで各盤面の評価値を統計的に推測することができます。この評価値を盤面のスコアとして用います（A）。このような手法をモンテカルロ法と呼びます。

モンテカルロ法は、盤面の評価を**ブルートフォース**（力任せ）で行う手法です（B）。また、モンテカルロ法は、囲碁のように評価値を明確に定義できない場合にも適用することができます（C）。

モンテカルロ法の仕組みについて理解しておきましょう。

6. B

➡ P25

第二次AIブームで始まった、知識の蓄積をベースとした仕組みの活用について問う問題です。

1980年代に第二次AIブームが到来しました。第二次AIブームで中心的な役割を果たしたのは、**知識表現**とエキスパートシステムです。
エキスパートシステムは、ある専門分野の知識（知識ベース）にもとづいて推論する構造を備え、その分野の専門家のように振る舞うことができるプログラムです（D）。
第二次AIブームの初期に影響力の大きかったエキスパートシステムとして、1970年代にスタンフォード大学で開発された**マイシン**（MYCIN）があげられます（A）。このマイシンは、血液中のバクテリアの診断を支援するシステムです。
イライザ（ELIZA）は、あらかじめ用意されたパターンにもとづいて応答する会話プログラムです。イライザは「人工無脳」と呼ばれるシステムのひとつであり、知識ベースを有しておらず、エキスパートシステムではありません（B）。
DENDRALは、1960年代にスタンフォード大学のエドワード・ファイゲンバウムによって開発されたエキスパートシステムであり、知識ベースを利用して未知の有機化合物を特定することができます（C）。

第二次AIブームで中心的な役割を果たしたエキスパートシステムについて、その仕組みと代表的なシステムの名称を覚えておきましょう。

7. C

➡ P26

意味ネットワークにおける継承関係の理解を問う問題です。
意味ネットワークとは、概念を1つのノードとし、それらを意味関係で関連づけたネットワークです。意味ネットワークにおける継承関係は、「is-a」の関係で表されます。たとえば、「動物は生物である」という関係は継承関係であり、生物は上位概念、動物は下位概念と呼ばれます（C）。
「part-of」の関係は属性を表します（A）。また、「has-a」の関係は所有を表します（B）。一方、「value-of」という関係は一般的ではありません（D）。

意味ネットワークにおける概念の関係を理解しておきましょう。

8. A

➡ P26

セマンティックウェブ（Semantic Web）に関する理解を問う問題です。
セマンティックウェブとは、ウェブサイトの情報リソースに意味を付与することで、コンピュータによってより高度な意味処理を行うための技術のことです（**A**）。
ウェブマイニング（Web Mining）とは、ウェブデータを解析して知識を取り出す技術を指します（B）。
LOD（Linked Open Data）は、コンピュータ処理に適したデータを公開・共有するための技術です（C）。
Cycプロジェクトは、すべての一般常識をコンピュータに取り込むことを目的にスタートしたプロジェクトです（D）。

試験対策

セマンティックウェブを構築することで、どのような未来を目指そうとしているのか整理しておきましょう。

9. A

➡ P26

IBM社が開発した**ワトソン**（Watson）に関する知識を問う問題です。
ワトソンは、「Question-Answering（質問応答）」と呼ばれるタスクを解くことができる人工知能です（ア）。
ワトソンは、米国のクイズ番組「Jeopardy!」で、人類代表のチャンピオンと対戦し、勝利しました（イ）。
ライトウェイトオントロジーとは、さまざまな概念の間の関係を表現したものです［解答10を参照］。通常は、大量のデータを処理することによって構築されます。ワトソンは、ウィキペディアの情報をもとにライトウェイトオントロジーを生成し、解答に利用しています（ウ）。
ワトソンは、人間のように質問の意味を理解して問題を解いているわけではありません（エ）。
以上により、（ア）（イ）（ウ）が適切な組み合わせです（**A**）。

試験対策

ワトソンができることや、その仕組みを覚えておきましょう。

10. C

➡ P27

ライトウェイトオントロジーに関する理解を問う問題です。

オントロジーとは、ある分野で使われる用語や概念の関係を体系的に整理することを指す概念であり、コンピュータによる処理や検索性能を向上させるために用いられます。

ライトウェイトオントロジーでは、正確性よりも実用性を優先する考え方にもとづいてオントロジーを構築します。そのため、オントロジーの構成要素や意味的関係の正当性について深い考察は行いません。概念間の関係性をコンピュータで自動的に発見することによって、より実用的なオントロジーの構築を目指します。

これに対して**ヘビーウェイトオントロジー**は、知識をどのように記述すべきかを哲学的に考察してオントロジーを構築します。特に正確性が重視されるため、構築にあたっては人間が関与せざるを得ず、相応のコストを要します。

ライトウェイトオントロジーを構築するための方法として、データマイニング、LOD (Linked Open Data)、ウェブマイニングなどがあげられます。データマイニングは、ビッグデータを解析して知識を取り出す手法で、ライトウェイトオントロジーの考え方に合致します（A）。また、LODはコンピュータ処理に適したデータを公開・共有するための技術で、ライトウェイトオントロジーの考え方に合致します（B）。

Cycプロジェクトは、すべての一般常識をコンピュータに正確に取り込むことを目的としたプロジェクトであり、ヘビーウェイトオントロジーに関連します（**C**）。

ウェブマイニングはウェブデータを解析して知識を取り出す手法で、ライトウェイトオントロジーの考え方に合致します（D）。

試験対策

オントロジーを構築するそれぞれのアプローチについて理解しておきましょう。

11. C

➡ P27

イライザ（ELIZA）についての理解を問う問題です。
イライザは、1964年から1966 年にかけてジョセフ・ワイゼンバウム（Joseph Weizenbaum）によって開発されたコンピュータプログラムです。
イライザは、相手の発言をあらかじめ用意されたパターンと照合し、合致したパターンに応じて返答するという仕組みで動作します（B）。このように、あらかじめ人間が設定したパターンにもとづいて応答するプログラムは人工無脳と呼ばれます。イライザは人工無脳の元祖と呼ばれることもあり、以後の会話ボットの研究開発に影響を与えました（A）。
イライザは、セラピストのように振る舞うことはできましたが、専門知識をデータベースとして持つエキスパートシステムではありません（**C**）。
イライザには知性があると錯覚してしまう人が現れるほど高い対話能力を備えていました。このようなコンピュータに対する錯覚現象はイライザ効果と呼ばれます（D）。

イライザの特徴や社会的影響を、開発された時代と合わせて覚えておきましょう。

12. B

➡ P27

第二次AIブームで研究された人工無脳とエキスパートシステムの代表例について問う問題です。
イライザは、自然言語を使用してユーザーと会話ができる初期のAIシステムです。特定のルールに従って複数のパターンでユーザーの応答を処理する構造を備え、人工無脳の元祖とされています（ア）。
DENDRALは、未知の有機化合物を特定するために開発されたエキスパートシステムです（イ）。
マイシンは、1970年代にスタンフォード大学で開発された、血液中のバクテリアの診断を支援するエキスパートシステムです。質問に順番に答えていくことで、感染した細菌の特定と抗生物質の処方を行うことができます（ウ）。
なお、STRIPSとSHRDLUは、第一次AIブームで行われたプランニング研究における代表的なシステムです。
以上により、（ア）にはイライザ、（イ）にはDENDRAL、（ウ）にはマイシンが入ります（**B**）。

第二次AIブームでの研究成果を、具体的なシステム名とともに説明できるようにしておきましょう。

13. D

➡ P28

機械学習と**ルールベース手法**の特徴およびその差異を問う問題です。
機械学習は、大量のデータからパターンを自動的に抽出し、予測や分類を行う技術です（A）。人間が明示的にルールを与える必要がないため、従来のルールベースの人工知能とは性質が大きく異なります。
ルールベース手法では人間が与えたルールによってのみ行動が決定されるため、学習データは必要ありません（B）。
機械学習では、一般に学習データが多いほどより良い精度を実現できます（C）。また機械学習は、ルールベース手法を適用した場合と比較して常に良い精度を達成できるわけではありません。特に学習データが少ない場合などは、ルールベース手法が適している可能性があります（**D**）。

機械学習は、現在まで続いている第三次AIブームを支える中心的な技術です。また、近年特に注目されているディープラーニングも、機械学習の一分野です。

14. A

➡ P28

第三次AIブームにおいて、**ディープラーニング**（深層学習）の研究が急速に進展した背景を問う問題です。
ディープラーニングでは、大量のデータを処理することで、従来では難しかったタスクを実現することができます。また、**ビッグデータ**は、インターネット上に蓄積される大量のデータを指す用語です。インターネットの普及やデジタル技術の進展により、ビッグデータが利用可能になってきたことが、ディープラーニングが発展した大きな理由であると考えられます（ア）。
ILSVRC（ImageNet Large Scale Visual Recognition Challenge）は、画像認識の精度を競い合う競技会です。2012年にトロント大学のチーム「SuperVision」が初めてディープラーニングを活用し、圧倒的な勝利を収めました。この出来事は多くの研究者の注目を集め、以後のディープラーニング研究が盛り上がる一因になったと考えられます（イ）。
LODは、コンピュータ処理に適したデータを公開・共有するための技術で、

Kaggle（カグル）は、幅広いタスクを扱う機械学習コンペティションの国際的なプラットフォームです。
以上のことから、(ア）にはビッグデータ、(イ）にはILSVRCが入ります（**A**)。

第三次AIブームが到来した背景を理解しておきましょう。第三次AIブームは現在も終焉しておらず、その最中と考えられています。

15. D

➡ P29

ディープラーニングの発展の歴史に関する問題です。
ILSVRCは、画像認識の精度を競い合う競技会です。この競技会では、主に画像分類タスクにおいて機械学習アルゴリズムの性能を競い合います。2010年から2017年まで開催され、ディープラーニングの発展に大きく貢献しました。
ILSVRC 2012で優勝した**AlexNet**※1は、畳み込みニューラルネットワーク［第5章の解答1を参照］を利用することで、それまでの画像認識手法と比べて大幅に高い精度を達成しました。AlexNetの成功は、ディープラーニング分野におけるブレークスルーとなり、以降の研究や開発に大きな影響を与えました（ア)。
VGG（Visual Geometry Group）※2はILSVRC 2014で高い評価を受けたネットワークです。VGGでは、学習時に一度少ない層数で学習したのち、新たな層を追加することで層数を16層まで増やし、精度を向上しています（イ)。
GoogLeNet※3はILSVRC 2014で優勝したネットワークであり、**Inceptionモジュール**と呼ばれる独自の構造が導入されています［第6章 解答2を参照］。Inceptionモジュールは、異なるサイズの畳み込み層を並列に組み合わせることで、多様な特徴を捉えることができます（ウ)。
ResNet（Residual Network）※4はILSVRC 2015で優勝したネットワークであり、**スキップ結合**が導入されています［第5章 解答9を参照］。スキップ

【参考文献】

※1 Alex Krizhevsky, Ilya Sutskever, Geoffrey E. Hinton, "ImageNet Classification with Deep Convolutional Neural Networks" Advances in Neural Information Processing Systems 25 (NIPS 2012)
※2 Simonyan, Karen and Zisserman, Andrew. "Very Deep Convolutional Networks for Large-Scale Image Recognition." Paper presented at the meeting of the ICLR, 2015.
※3 C. Szegedy et al., "Going deeper with convolutions," 2015 IEEE Conference on Computer Vision and Pattern Recognition (CVPR)
※4 K. He, X. Zhang, S. Ren and J. Sun, "Deep Residual Learning for Image Recognition," 2016 IEEE Conference on Computer Vision and Pattern Recognition (CVPR)

結合は層を飛び越えた結合であり、これにより非常に深いネットワークでも効率的に学習を行うことができます（エ）。

MobileNet※5は、**Depthwise Separable Convolution**と呼ばれる畳み込みを行うことで、従来の画像認識精度を保ちつつ計算量を抑えることができるネットワークです［第6章 解答6を参照］。

DenseNet（Densely Connected Convolutional Networks）※6は、ResNetを改善したネットワークであり、スキップ結合を改良した**Denseブロック**が導入されています［第6章の解答3を参照］。

SENet（Squeeze-and-Excitation Networks）※7は、畳み込み層の出力に重みづけを行う**Attention**を採用したネットワークであり、ILSVRC 2017で優勝しています［第6章の解答4を参照］。

以上のことから、（ア）にはAlexNet、（イ）にはVGG、（ウ）にはGoogLeNet、（エ）にはResNetが入ります（**D**）。

ILSVRCで優勝したネットワークについて、名前と優勝年だけでなく、仕組みもセットで覚えておきましょう。

Visual Geometry GroupはVGGの開発チームの名称であり、それがそのままネットワークの名称になっています。

【参考文献】

※5 Andrew G. Howard, Menglong Zhu, Bo Chen, Dmitry Kalenichenko, Weijun Wang, Tobias Weyand, Marco Andreetto, Hartwig Adam, "MobileNets: Efficient Convolutional Neural Networks for Mobile Vision Applications" arXiv preprint arXiv:1704.04861 (2017)

※6 G. Huang, Z. Liu, L. Van Der Maaten and K. Q. Weinberger, "Densely Connected Convolutional Networks," 2017 IEEE Conference on Computer Vision and Pattern Recognition (CVPR)

※7 J. Hu, L. Shen and G. Sun, "Squeeze-and-Excitation Networks," 2018 IEEE/CVF Conference on Computer Vision and Pattern Recognition

16. A

➡ P30

ディープラーニングとそれ以外の機械学習の差異について問う問題です。
ディープラーニング以外の一般的な機械学習では、データからの**特徴抽出**を人間が行い、その結果をもとにモデルが学習を行います（ア）。一方、ディープラーニングで用いられるモデルは、人間の脳の神経回路網に類似した構造を備えており、特徴抽出をデータから直接行うことができます（イ）。特に画像や文章といった非構造化データも扱うことができるため、今日の人工知能研究において非常に注目されています。
このように、最適な特徴量の抽出方法が学習によって獲得されることを、**特徴表現学習**と呼びます。ただし、ディープラーニングで用いられるモデルは、人間の意思決定プロセスを模倣した構造を備えているわけではありません。
以上のことから、(ア) には特徴抽出、(イ) には脳の神経回路網が入ります (**A**)。

ディープラーニングでは、最適な特徴量の抽出方法が学習によって獲得されることを覚えておきましょう。また、画像や音声などの非構造化データを扱うことができる点も重要です。

第3章

機械学習の概要

- 教師あり学習
- 教師なし学習
- 強化学習
- モデルの選択・評価

□ **1.** 教師あり学習に関する説明として、最も不適切なものを選べ。

A. 教師あり学習は、多数の特徴量と教師データのペアから学習を行う
B. 教師あり学習では、推論時に特徴量のみを入力して予測を行う
C. 教師あり学習は、特徴量のみを使用して学習することも可能である
D. 教師あり学習では、一般に学習で使用するデータ量が多ければ多いほど精度が高くなる

➡ P61

□ **2.** 分類タスクに関する以下の説明（ア）～（エ）のうち、適切なものの組み合わせを選べ。

（ア）分類タスクは、与えられた入力に対して連続的な数値を予測するタスクである
（イ）多クラス分類においてニューラルネットワークを利用する場合、出力層の活性化関数としてソフトマックス関数が使用される
（ウ）分類タスクは、事前に設定された複数のカテゴリに入力データを適切に振り分けるタスクである
（エ）分類タスクに用いられる手法として、ロジスティック回帰があげられる

A. （イ）（ウ）（エ）
B. （ア）（ウ）（エ）
C. （ア）（イ）（エ）
D. すべて適切

➡ P61

□ **3.** 以下の記述を読み、空欄（ア）～（ウ）に入る語句として最も適切な組み合わせを選べ。

（　ア　）とは、説明変数と目的変数の線形的な数値関係をモデル化し、回帰係数を求める手法である。通常は実測値と予測値の平均二乗誤差を損失関数に設定する。また、（　ア　）の損失関数にL1正則化項を加えた手法が（　イ　）であり、L2正則化項を加えた手法が（　ウ　）である。

A.　（ア）線形回帰
（イ）リッジ回帰
（ウ）ラッソ回帰

B.　（ア）ロジスティック回帰
（イ）リッジ回帰
（ウ）ラッソ回帰

C.　（ア）線形回帰
（イ）ラッソ回帰
（ウ）リッジ回帰

D.　（ア）ロジスティック回帰
（イ）ラッソ回帰
（ウ）リッジ回帰

➡ P62

□ **4.** 以下の記述を読み、空欄（ア）～（ウ）に入る語句として最も適切な組み合わせを選べ。

線形回帰を2クラス分類に応用した（　ア　）では、（　イ　）を使用することで予測値を確率とみなすことができ、分類タスクを解くことができる。学習の際の損失関数としては、通常は（　ウ　）が使用される。

A.　（ア）ロジスティック回帰
（イ）シグモイド関数
（ウ）平均二乗誤差

B.　（ア）パーセプトロン
（イ）線形関数
（ウ）平均二乗誤差

C.　（ア）パーセプトロン
（イ）線形関数
（ウ）交差エントロピー

D.　（ア）ロジスティック回帰
（イ）シグモイド関数
（ウ）交差エントロピー

➡ P63

□ **5.** 以下の記述を読み、空欄（ア）～（ウ）に入る語句として最も適切な組み合わせを選べ。

ランダムフォレストは、複数の（　ア　）による出力を多数決や平均によって統合する手法であり、分類や回帰に利用される。このように、弱学習器を複数組み合わせて予測性能を高めることを（　イ　）と呼ぶ。

A.　（ア）ニューラルネットワーク　（イ）ブースティング
B.　（ア）ニューラルネットワーク　（イ）アンサンブル学習
C.　（ア）決定木　（イ）アンサンブル学習
D.　（ア）決定木　（イ）ブースティング

➡ P63

□ **6.** データ全体から一部を抽出して複数の弱学習器を並列に学習させ、出力を多数決や平均で決定するアンサンブル学習の方法として、最も適切なものを選べ。

A. バギング
B. ブートストラップサンプリング
C. ブースティング
D. パディング

➡ P64

□ **7.** 「サポートベクターマシン（SVM）」に関する以下の記述を読み、空欄（ア）（イ）に入る語句として最も適切な組み合わせを選べ。

2次元の特徴量をもつデータの2クラス分類タスクを考える。2つのクラスを分離する直線を引いたとき、この境界線に最も近い各クラスのデータをサポートベクターと呼ぶ。サポートベクターと境界線との距離をマージンと呼ぶ。SVMは、このマージンが（　ア　）となるような境界線を求めることで、2クラス分類タスクを解くことができる手法である。この境界線は直線であるが、SVMでは直線で分類できない問題についても（　イ　）関数や（　イ　）トリックを利用して解くことが可能である。

A. （ア）最大　（イ）マージン
B. （ア）最大　（イ）カーネル
C. （ア）最小　（イ）マージン
D. （ア）最小　（イ）カーネル

➡ P65

□ **8.** 自己回帰モデル（AR：AutoRegressive model）で分析を行うのに適した事例として、最も不適切なものを選べ。

A. 過去の気温データから、数時間先の気温を予測する
B. 失業率のデータから、これまでの傾向と異なる異常値を検出する
C. 世界人口の長期的な推移を予測する
D. GDPと為替レートのデータを利用し、日経平均株価を予測する

➡ P66

□ **9.** 以下の記述を読み、空欄（ア）（イ）に入る語句として最も適切な組み合わせを選べ。

異なる特徴量の値の範囲を揃えることで、モデルの精度改善が見込める場合がある。その手法として、特徴量を最小値0、最大値1の範囲に変換する（　ア　）や、特徴量の平均が0、標準偏差が1となるように変換する（　イ　）があげられる。

A.　（ア）標準化　（イ）正規化
B.　（ア）正規化　（イ）標準化
C.　（ア）標準化　（イ）白色化
D.　（ア）白色化　（イ）標準化

➡ P66

□ **10.** 以下の記述を読み、空欄（ア）～（ウ）に入る語句として最も適切な組み合わせを選べ。

分析を行う前に得られている生データは多くの場合、そのまま機械学習アルゴリズムを適用することができない。そのため、生データを何らかの方法で分析に適した形に整形する必要がある。（　ア　）は、そのようなプロセスで生成された数値的な表現のことであり、そのプロセスのことを（　イ　）と呼ぶ。特に（　ウ　）を扱う場合には、構造化されていないさまざまな形式のデータを扱うケースも多く、機械学習アルゴリズムを適用するうえで適切な（　イ　）を行うことが重要である。

A.　（ア）ハイパーパラメータ
　　（イ）特徴抽出
　　（ウ）ビッグデータ

B.　（ア）特徴量
　　（イ）特徴量選択
　　（ウ）教師データ

C.　（ア）ハイパーパラメータ
　　（イ）特徴量選択
　　（ウ）教師データ

D.　（ア）特徴量
　　（イ）特徴抽出
　　（ウ）ビッグデータ

➡ P67

11. 以下の（ア）～（エ）のうち、教師なし学習の手法として適切な組み合わせを選べ。

（ア）主成分分析（PCA）　（イ）k-means
（ウ）ランダムフォレスト　（エ）サポートベクターマシン（SVM）

A. （ア）（イ）
B. （ア）（ウ）
C. （イ）（ウ）
D. （イ）（エ）

➡ P68

12. 以下の（ア）～（エ）に示したクラスタリングに関する説明のうち、適切なものの組み合わせを選べ。

（ア）クラスタリングのアルゴリズムを実行する際は、クラスタの個数を事前に決めておかなければならない
（イ）クラスタリングの一手法であるk-meansは、教師なし学習の一種である
（ウ）クラスタリングとは、データ間の類似度をもとにデータ集合を分割することである
（エ）クラスタリングの一手法であるウォード法ではクラスタ数を客観的に決定することができる

A. （ア）（イ）
B. （イ）（ウ）
C. （ウ）（エ）
D. （ア）（エ）

➡ P68

□ **13.** 以下は、ある手法でクラスタリングを行うアルゴリズムである。この手法の名称として、最も適切なものを選べ。

1. クラスタの数nをあらかじめ決定しておき、n個のクラスタの中心をランダムに決める
2. 各データを最も近い中心に対応するクラスタに振り分ける
3. 各クラスタの重心を計算し、中心を重心に移動する
4. クラスタの割り当てが収束するまで、上記の2〜3を繰り返す

A. k-means
B. 主成分分析（PCA）
C. ウォード法
D. 特異値分解（SVD）

➡ P69

□ **14.** 階層ありクラスタリングの手法であるウォード法に関する説明として、最も適切なものを選べ。

A. ウォード法において、クラスタの階層関係を表した樹形図を決定木と呼ぶ
B. ウォード法では、分割するクラスタの個数をあらかじめ決定しておく必要がある
C. ウォード法は、最も距離の近いデータやクラスタをまとめ、逐次的に新たなクラスタを形成する手法である
D. ウォード法では、得られた階層関係からクラスタの数を一意に特定できる

➡ P70

☐ **15.** レコメンデーションの一手法である協調フィルタリングに関する説明として、最も適切なものを選べ。

A. 協調フィルタリングは、ユーザーAと好みが似ているユーザーBを抽出し、ユーザーBが購入した商品をユーザーAに推薦する手法である
B. 協調フィルタリングは、よく検索される商品を優先的に推薦する手法である
C. 協調フィルタリングは、ユーザーが検索した商品に関連する商品を推薦する手法である
D. 協調フィルタリングは、商品情報をもとに新商品を推薦する手法である

➡ P70

☐ **16.** 以下の記述を読み、空欄（ア）～（ウ）に入る語句として最も適切な組み合わせを選べ。

強化学習は、特定の環境において、エージェントが現在の状態からとるべき行動の系列を決定する問題を取り扱う。エージェントは（　ア　）を選択することで新しい状態を観測し、環境から新しい状態に依存した（　イ　）を獲得する。強化学習では、即時的な（　イ　）ではなく、長期的（　イ　）の総和が最も多く得られるような（　ア　）を学習する。ただし、将来の（　イ　）を計算する際は、（　ウ　）を加味する場合が多い。

A. （ア）状態　（イ）報酬　（ウ）割引率
B. （ア）行動　（イ）報酬　（ウ）割引率
C. （ア）状態　（イ）結果　（ウ）期待値
D. （ア）行動　（イ）結果　（ウ）期待値

➡ P71

□ **17.** 当たりの出る確率がわからない複数のスロットマシンがある。このとき、決められた回数内で当たりを多く引くにはどのように行動すればよいか考える問題を、多腕バンディット問題という。以下の（ア）～（エ）のうち、多腕バンディット問題を直接的に解くアルゴリズム（バンディットアルゴリズム）に該当するものとして適切な組み合わせを選べ。

（ア）方策勾配法　（イ）ε-greedy方策
（ウ）REINFORCE　（エ）UCB方策

A. （ア）（イ）
B. （ア）（ウ）
C. （イ）（エ）
D. （イ）（ウ）

➡ P72

□ **18.** 強化学習では、「現在の状態から一時刻先の状態に遷移する確率は、現在の状態と取った行動のみに依存する」という仮定を置くことが多い。このような仮定を置く手法の名称として、最も適切なものを選べ。

A. カーネルトリック
B. マルコフ決定過程
C. k-means
D. アンサンブル学習

➡ P72

□ **19.** 以下の記述を読み、空欄（ア）（イ）に入る語句として最も適切な組み合わせを選べ。

強化学習では、将来の累積報酬を（　ア　）と呼ぶ。状態（　ア　）関数と行動（　ア　）関数は、状態と行動それぞれの（　ア　）を表す関数である。また、行動（　ア　）関数は（　イ　）と呼ばれることがある。行動（　ア　）関数を最適化することにより、最適な行動を選択できるようになる。

A.　（ア）方策　（イ）Q値
B.　（ア）価値　（イ）Q値
C.　（ア）方策　（イ）価値
D.　（ア）価値　（イ）方策

➡ P73

□ **20.** 以下の記述を読み、空欄（ア）に入る語句として最も適切なものを選べ。

（　ア　）は、あるパラメータを使用した関数で方策を表し、状態価値を最大化するようにそのパラメータを学習することで、最適な方策を求める手法である。

A.　方策勾配法
B.　Q学習
C.　方策改善法
D.　ε-greedy方策

➡ P73

□ **21.** 方策勾配法に関連するアルゴリズムとして、最も不適切なものを選べ。

A.　REINFORCE
B.　Actor-Critic
C.　SVM（Support Vector Machine）
D.　A3C（Asynchronous Advantage Actor-Critic）

➡ P74

□ **22.** Actor-Criticに関する説明として、最も不適切なものを選べ。

A. Actor-Criticは、方策勾配法を用いた手法であり、学習に価値関数は使用されない
B. Actor-Criticの応用手法として、A3Cがあげられる
C. Actor-Criticに使用される方策勾配法は、ロボット制御などに適用される手法である
D. Actor-Criticは、行動を決定するActorと方策を評価するCriticから構成される手法である

➡ P74

□ **23.** 教師あり学習におけるデータの分割方法に関する以下の記述を読み、空欄（ア）～（ウ）に入る語句として、最も適切な組み合わせを選べ。

（　ア　）は、モデルの学習に用いられるデータである。（　ア　）のみを使用して学習を行ったのち、（　イ　）のみを使用してモデルの性能を評価する。なお、モデルのハイパーパラメータなどを調整する目的で、さらに（　ア　）を分割することがある。このデータは（　ウ　）と呼ばれる。

A. （ア）訓練データ　（イ）テストデータ　（ウ）検証データ
B. （ア）検証データ　（イ）訓練データ　（ウ）テストデータ
C. （ア）訓練データ　（イ）検証データ　（ウ）テストデータ
D. （ア）検証データ　（イ）テストデータ　（ウ）訓練データ

➡ P75

24. 機械学習におけるモデルの性能評価を行う手法のひとつとして、ホールドアウト検証があげられる。ホールドアウト検証に関する説明として、最も適切なものを選べ。

A. ホールドアウト検証は、データをk個のブロックに分割してそのうちの1つをテストデータとし、残りのブロックを訓練データとして学習・評価を繰り返す手法である
B. ホールドアウト検証は、データを訓練用とテスト用に分割し、訓練データでモデルを学習し、テストデータでモデルの性能を評価する方法である
C. ホールドアウト検証は、ある観測時点を境にデータを訓練用とテスト用に分割し、これを複数の時点で行うことで評価を繰り返す手法である
D. ホールドアウト検証は、データ全体を学習に使用し、同じデータでモデルの性能を評価する方法である

➡ P75

25. 以下の記述を読み、空欄（ア）（イ）に入る語句として最も適切な組み合わせを選べ。

機械学習モデルの性能評価において、（　ア　）は訓練データに対するモデルの予測誤差であり、（　イ　）は未知のデータに対するモデルの予測誤差の期待値である。

A. （ア）期待誤差　（イ）汎化誤差
B. （ア）訓練誤差　（イ）汎化誤差
C. （ア）汎化誤差　（イ）期待誤差
D. （ア）訓練誤差　（イ）期待誤差

➡ P76

☐ **26.** 以下の記述を読み、空欄（ア）（イ）に入る語句として、最も適切な組み合わせを選べ。

（　ア　）とは、機械学習モデルが十分に学習できておらず、訓練誤差と汎化誤差がともに大きい状態のことである。（　イ　）とは、モデルが訓練データに対して過剰に適合した結果、訓練誤差は小さいが、汎化誤差は大きい状態のことである。

A.　（ア）高バリアンス　（イ）高バイアス
B.　（ア）低バイアス　（イ）低バリアンス
C.　（ア）未学習　（イ）過学習
D.　（ア）過学習　（イ）未学習

➡ P77

☐ **27.** 機械学習では、過学習と呼ばれる問題が発生することがある。過学習の原因と状態に関する説明として、最も適切なものを選べ。

A.　正則化項の影響が大きいために、未知のデータに対する性能が低い状態
B.　正則化項の影響が小さいために、未知のデータに対する性能が高い状態
C.　モデルの学習が不十分であるために、未知のデータに対する性能が低い状態
D.　モデルが訓練データに過度に適合しているために、未知のデータに対する性能が低い状態

➡ P78

☐ **28.** 機械学習において発生する問題のひとつに未学習がある。未学習を引き起こす原因として、最も適切なものを選べ。

A.　訓練データの量が多い
B.　モデルの表現力が高すぎる
C.　正則化の影響が強すぎる
D.　訓練データにテストデータの一部が混入する

➡ P78

□ **29.** 回帰タスクにおいて用いられる評価指標として、最も不適切なものを選べ。

A. MSE（Mean Squared Error）
B. AUC（Area Under the Curve）
C. MAE（Mean Absolute Error）
D. RMSE（Root Mean Squared Error）

➡ P79

□ **30.** 以下の記述を読み、空欄（ア）～（ウ）に入る語句として、最も適切な組み合わせを選べ。

（　ア　）は、分類タスクにおいてモデルの性能を評価するために使用される。2クラス分類では、予測ラベルと正解ラベルの対応に応じてデータを4つに分類でき、（　ア　）はそれらを表にしたものである。（　イ　）は、実際には陽性であるにも関わらず、モデルが陰性と予測したデータのことである。また、（　ウ　）は、実際には陰性であるにも関わらず、モデルが陽性と予測したデータのことである。

A. （ア）混同行列
（イ）真陽性
（ウ）偽陰性

B. （ア）AUC（Area Under the Curve）
（イ）偽陰性
（ウ）偽陽性

C. （ア）AUC（Area Under the Curve）
（イ）真陽性
（ウ）真陰性

D. （ア）混同行列
（イ）偽陰性
（ウ）偽陽性

➡ P79

☐ **31**. 以下の数式では、TP、TN、FP、FNはそれぞれ真陽性、真陰性、偽陽性、偽陰性を示す。このとき、適合率の計算方法として、最も適切な数式を選べ。

A. $\dfrac{TP + TN}{TP + TN + FP + FN}$

B. $\dfrac{TP}{TP + FP}$

C. $\dfrac{TP}{TP + TN + FP + FN}$

D. $\dfrac{TP}{TP + FN}$

➡ P80

☐ **32**. 以下の数式では、Accuracy、Precision、Recallはそれぞれ正解率、適合率、再現率を示す。このとき、F値の計算方法として、最も適切な数式を選べ。

A. $\dfrac{2 \times \mathrm{Precision} \times \mathrm{Recall}}{\mathrm{Precision} + \mathrm{Recall}}$

B. $\dfrac{\mathrm{Precision} + \mathrm{Recall}}{2 \times \mathrm{Precision} \times \mathrm{Recall}}$

C. $\dfrac{2 \times \mathrm{Accuracy} \times \mathrm{Recall}}{\mathrm{Accuracy} + \mathrm{Recall}}$

D. $\dfrac{\mathrm{Accuracy} + \mathrm{Recall}}{2 \times \mathrm{Accuracy} \times \mathrm{Recall}}$

➡ P81

☐ **33**. 機械学習による病気の診断において、本当は病状がある（陽性）にもかかわらず健常（陰性）であると誤診しないことを重視したい場合に用いられる評価指標として、最も適切なものを選べ。

A. 正解率
B. 適合率
C. F値
D. 再現率

➡ P81

34. 以下のROC曲線（Receiver Operating Characteristic curve）から算出したAUC（Area Under the Curve）の値として、最も適切なものを選べ。

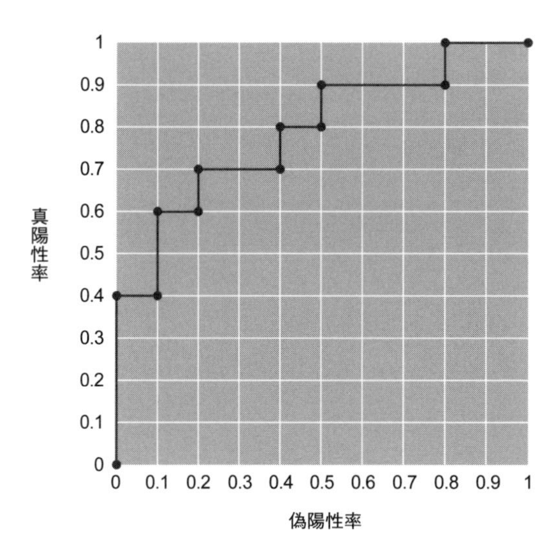

A.　0.21
B.　0.51
C.　0.79
D.　0.99

➡ P82

35. 「ある事柄を説明するためには、必要以上に多くを仮定するべきでない」というモデル構築の指針を示す用語として、最も適切なものを選べ。

A.　次元の呪い
B.　ノーフリーランチ定理
C.　オッカムの剃刀
D.　カーネルトリック

➡ P83

☐ **36.** モデル選定を行う際には、モデルの複雑さと予測性能のバランスを取ることが重要である。このようなことを考慮できる評価指標として、最も適切なものを選べ。

A.　F値
B.　赤池情報量基準（AIC）
C.　適合率
D.　平均二乗誤差

➡ P83

第3章　機械学習の概要
解　答

1.　C

➡ P44

教師あり学習の概要について問う問題です。
教師あり学習は、**特徴量**（説明変数）と**教師データ**（正解ラベル）の関係を多くのデータから学習し、その学習結果をもとに、教師データが未知のデータに対して予測を行う技術です（A）。
教師データとは、予測したい対象のことを指します。たとえば、明日の気温や、ある店舗における売上などがあげられます。また、特徴量とは、教師データを説明できるような変数群のことを指します。たとえば、売上を教師データとした場合、特徴量は降水量や曜日ごとの平均売上などが考えられます。
機械学習モデルを用いて、特徴量と教師データとの関係を学習することができます。学習済みモデルを使用して教師データが未知の特徴量を入力し、予測値を得ることを推論と呼びます（B）。
教師あり学習では、特徴量と教師データの間のパターンをできる限り多く学習することで、高い精度を実現できます（D）。
教師データを使用せず、特徴量のみを用いて学習を行うことを**教師なし学習**［解答11を参照］と呼びます（**C**）。

試験対策

教師あり学習における学習や推論の仕組みを理解しておきましょう。

2.　A

➡ P44

分類タスクの概要について問う問題です。
分類タスクは、教師あり学習におけるタスクのひとつです。事前に複数のカテゴリを設定し、入力データがどのカテゴリに振り分けられるかを考えます（ウ）。カテゴリが2つの場合は**2クラス分類**、3つ以上の場合は**多クラス分類**と呼ばれます。
分類タスクに用いられる代表的な手法として、**ロジスティック回帰**、**決定木**、**ランダムフォレスト**、**k近傍法**、**ニューラルネットワーク**などがあります（エ）。
一方、与えられた入力に対して連続的な数値を予測するタスクは、**回帰タスク**と呼ばれます。回帰タスクでは、学習アルゴリズムによって入力と出力の数値間の対応関係が学習されます（ア）。

多クラス分類においてニューラルネットワークを利用する場合、出力層の活性化関数として主にソフトマックス関数［第4章 解答12を参照］が用いられます。なお、2クラス分類の場合は、主にシグモイド関数が用いられます（イ）。
以上のことから、適切な記述は（イ）（ウ）（エ）です（**A**）。

分類と回帰の違いや、それぞれの手法について整理しておきましょう。

3. C

➡ P45

教師あり学習の一手法である**線形回帰**について問う問題です。
線形回帰は、説明変数と目的変数の線形（直線的）な数値関係をモデル化し、**回帰係数**を求める手法です（ア）。回帰係数は、最小二乗法を用いて予測値と目的変数との誤差（**損失関数**）を最小化することで求めます。
線形回帰は、説明変数と目的変数の関係が線形に近似可能である場合に有効な手法です。また、**正則化**とは、モデルのパラメータの取り得る値を制限することで、過学習［解答26を参照］を防ぎ、汎化性能［解答23を参照］を高めるための技術です。
ラッソ回帰は、線形回帰に**L1正則化**を加えた手法です（イ）。L1正則化とは、回帰係数における絶対値の総和に比例するペナルティを損失関数に加えて学習する手法です。これにより、説明力の低い回帰係数の一部が0になり、より単純なモデルが得られます。ラッソ回帰は、変数選択に有効な手法として知られています。
リッジ回帰は、線形回帰に**L2正則化**を加えた手法です（ウ）。L2正則化とは、回帰係数の二乗和に比例するペナルティを損失関数に加えて学習する手法です。これにより回帰係数がその大きさに応じて小さくなり、過学習が起こりづらくなることが期待されます（過学習が発生している場合は、回帰係数の絶対値が大きくなる傾向があります）。
なお、ロジスティック回帰［解答4を参照］は、線形回帰を応用した分類タスクを解く手法です。
以上のことから、（ア）に線形回帰、（イ）にラッソ回帰、（ウ）にリッジ回帰が入ります（**C**）。

線形回帰、ラッソ回帰、リッジ回帰のそれぞれの特徴を理解しておきましょう。

線形回帰は伝統的な統計学の枠組みで説明されることが多く、使用するデータとして説明変数、目的変数という用語が使われます。機械学習の文脈では、説明変数は特徴量、目的変数は教師やラベルなどと呼ばれます。これらは呼ばれ方が異なってもそれぞれ同じ意味を持つため、注意しましょう。

4. D

➡ P46

ロジスティック回帰に関する知識を問う問題です。
ロジスティック回帰は、線形回帰を分類タスクに応用した手法です。線形回帰の出力に**シグモイド関数**を適用することで、出力値が0から1の間に調整され、予測値を確率とみなすことができるようになります（ア、イ）。この予測確率に閾値を設定することで、分類タスクを解くことができます。
ロジスティック回帰では、損失関数として通常は**交差エントロピー**が使用されます（ウ）。交差エントロピーは、分類タスクにおいて広く利用される損失関数です。
平均二乗誤差は、線形回帰で使用される損失関数です。また、**パーセプトロン**は、神経細胞を模倣したニューラルネットワークの基礎となるネットワークです。
以上のことから、（ア）にロジスティック回帰、（イ）にシグモイド関数、（ウ）に交差エントロピーが入ります（**D**）。

ロジスティック回帰の仕組みについて理解しておきましょう。

5. C

➡ P46

ランダムフォレストに関する知識を問う問題です。
ランダムフォレストは、多数の**決定木**を用いて予測を行う**アンサンブル学習**の代表的な手法です（ア、イ）。決定木とは、特徴量の値に応じて分岐路を作っていき、最終的な予測値を決定するアルゴリズムです。
ランダムフォレストは、複数の決定木による予測を統合することで、汎化能力の向上を図ります。単一の決定木の予測性能が低くても、それぞれの予測を平均することで高い精度を実現できます。また、ランダムフォレストでは、決定木を作る際にデータと特徴量の双方をランダムに抽出します。こうすることで、個々の決定木の予測に多様性が生まれ、アンサンブル学習の効果が高まります。
アンサンブル学習に使用する決定木のような個々のモデルを**弱学習器**と呼びます。また、**ブースティング**は弱学習器を逐次的に学習し、予測値を修正していく手法です。まず1つの弱学習器を作成し、その予測値が正しくなるように新たな弱学習器を学習していきます。
なお、アンサンブル学習では弱学習器としてニューラルネットワークが使用されることもありますが、ランダムフォレストでは決定木が使用されます。
以上のことから、(ア) に決定木、(イ) にアンサンブル学習が入ります (C)。

試験対策

ランダムフォレストの構造や特徴を理解しておきましょう。

6. A

➡ P47

バギングに関する知識を問う問題です。
バギングはアンサンブル学習で用いられる方法であり、弱学習器を使用して並列に学習を行い、複数の弱学習器の出力から多数決 (分類タスクの場合)、あるいは平均 (回帰タスクの場合) によって最終的な出力を決定します。その代表的な手法がランダムフォレストです (**A**)。
バギングでは、個々の弱学習器による学習に全体から抽出した一部のデータを利用します。このような方法を**ブートストラップサンプリング**と呼びます (B)。
ブースティングは、アンサンブル学習で用いられるひとつの方法です。1つずつ直列に弱学習器を繋いでいき、前の弱学習器の誤差を補うように学習を行います。並列に学習させることができないため時間はかかりますが、バギングよりも良い精度を得られる傾向があります。代表的な手法として、**AdaBoost** (Adaptive Boosting) やXGBoost (eXtreme Gradient Boosting)※1などがあります。特にXGBoostは**勾配ブースティング**と呼ばれる技術を採用しており、高精度なモデルを構築しやすいため広く利用されています (C)。
パディングは、畳み込みニューラルネットワークで用いられるテクニックのひとつで、入力画像の周囲を0などの定数で補完することを指します (D)。

【参考文献】
※1 Tianqi Chen and Carlos Guestrin. "XGBoost: A Scalable Tree Boosting System." In Proceedings of the 22nd ACM SIGKDD International Conference on Knowledge Discovery and Data Mining (KDD '16). Association for Computing Machinery,785-794. 2016.

アンサンブル学習を行う代表的な方法とその特徴を理解しておきましょう。

7. B

➡ P47

サポートベクターマシン（SVM：Support Vector Machine）の仕組みについて問う問題です。

SVMは、教師あり学習の一手法です。線形分離可能な（データが直線で分類できる）2クラス分類のタスクを考えます。SVMは**マージン**と呼ばれる考え方を導入してこのタスクを解きます。マージンとは、分類境界に最も近い各クラスのデータ（サポートベクター）と分類境界との距離を指します。

SVMの分類境界の概念図を次に示します。

【SVMの分類境界の概念図】

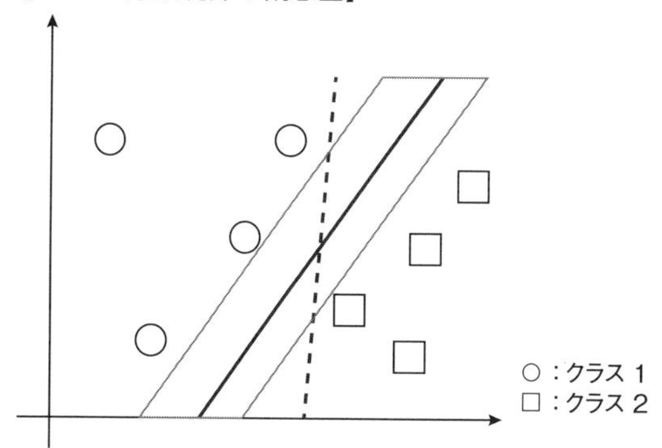

概念図において、各クラス（○と□）を分ける境界としては、たとえば、実線や破線を引くことができます。実線で引いた境界に着目すると、グレーの線で囲んだ範囲がマージンによって作られた領域です。破線で引いた境界で同じようにマージンを作ると、実線で引いた場合のマージンよりも明らかに小さくなることがわかります。SVMは、このマージンが最大になるような境界が、最適な分類境界であると考える手法です（ア）。

この境界線は線形（直線）であるため、このままでは線形分離不可能な（直線で分類できない）問題を扱うことができません。そこでSVMでは、**カーネル関数**と呼ばれる関数を使用して、データをあえて高次元に写像することで線形分離可能な問題として扱うというアプローチをとります。また、その際に高次元空間での計算が複雑化しないよう、**カーネルトリック**と呼ばれる数学的なテクニックが用いられます（イ）。

以上のことから、（ア）には最大、（イ）にはカーネルが入ります（B）。

サポートベクターマシン（SVM）の仕組みについて理解しておきましょう。

8. D

➡ P47

自己回帰モデル（AR:AutoRegressive model）に関する知識を問う問題です。
自己回帰モデルは、時系列データにおける回帰タスクを扱う手法です。時系列データとは、時間軸に沿って記録されるデータのことです。自己回帰モデルでは、時系列データを過去の各時点のデータの線形和とノイズによってモデル化します。
自己回帰モデルは、時系列を1種類だけ使用する単変量時系列解析の手法です。複数の時系列データを扱うには、**ベクトル自己回帰モデル**（VAR：Vector AutoRegressive model）を使用します。
過去の気温データや世界人口の推移はそれぞれ1種類の時系列データであるため、単変量時系列解析で扱えるタスクです（A、C）。また、失業率の推移も時系列データであり、自己回帰モデルで扱えます。時系列解析では、過去の挙動と異なる動きを検出することも可能です（B）。ただし、扱う時系列データが複数ある場合は、自己回帰モデルではなく、ベクトル自己回帰モデルを使用します（**D**）。

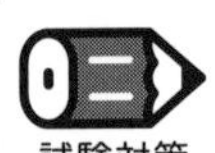

自己回帰モデルとベクトル自己回帰モデルの特徴と用途について確認しておきましょう。

9. B

➡ P48

特徴量［解答1を参照］の値を変換し、その範囲を揃える手法を問う問題です。
特徴量ごとに値の分布が大きく異なると、モデルの精度に悪影響を及ぼす場合があります。そこで、**正規化**や**標準化**といった特徴量の値の範囲を揃える手法が利用されることがあります。
正規化は、データを0から1の範囲に変換する手法です（ア）。また、標準化はデータの平均が0、標準偏差が1となるように変換する手法です（イ）。
白色化は、特徴量の間の相関を取り除いたあと、標準化を行う手法です。
以上のことから、（ア）に正規化、（イ）に標準化が入ります（**B**）。

試験対策

特徴量の値の範囲を揃える手法について理解しておきましょう。

近年では、正規化は標準化を含む概念として扱われるケースが増えています。たとえば、ニューラルネットワークでは、隠れ層の入出力に対して正規化を行う「バッチ正規化」という手法を使用することがありますが、この場合の「正規化」は標準化を指します。こうした背景から、本問題における正規化は「0-1正規化」と呼ばれることもあります。
ただし、G検定でデータに対する正規化を扱う場合は本問題の解説の定義が採用される可能性が高いため、こちらの定義で解答できるようにしておくとよいでしょう。また、バッチ正規化などの手法とデータに対する正規化を区別するため、本問題における正規化を「サンプル正規化」と呼ぶこともあります。

10. D

➡ P48

機械学習における**特徴抽出**についての理解を問う問題です。
分析を行う前に得られている生データは、多くの場合、分析に適した形になっていません。そのため、機械学習アルゴリズムを適用するために、何らかの方法で整形して分析に適した形にする必要があります。
特徴量とは、生データを加工して得られる、注目すべきデータの性質を量的に表したものです（ア）。また、特徴抽出とは、特徴量を生成する際の、生データの変形プロセスのことを指します（イ）。
特に**ビッグデータ**を扱う場合、画像やテキストなどのさまざまな非構造化データが含まれることがあります（ウ）。そのようなデータは多くの場合、機械学習アルゴリズムにそのまま入力することができないため、適切な特徴抽出が必要になります。
ハイパーパラメータ［第4章 解答29を参照］とは、モデルの挙動を制御する定数のことです。また、**特徴量選択**とは、何らかの基準や手法によって、得られた特徴量全体からその一部を抽出すること、あるいはそのための技術のことを指します。また、**教師データ**とは、予測の対象となるデータや変数のことです。
以上のことから、（ア）に特徴量、（イ）に特徴抽出、（ウ）にビッグデータが入ります（**D**）。

特徴抽出の重要性について理解しておきましょう。なお、近年注目されているディープラーニングでは、特徴抽出のプロセス自体を学習することができ、非構造化データを扱う画像認識などの分野で大きな成功を収めています。

11. A

➡ P49

教師なし学習の手法についての知識を問う問題です。

教師なし学習では、教師データを使用せず、データそのものの構造や特徴を学習します。**主成分分析**（PCA：Principal Component Analysis）は、多次元のデータをできるだけ情報を損なわないように次元圧縮する手法で、主に特徴量の次元削減に用いられます。教師データを必要としないため、教師なし学習に分類されます（ア）。

k-meansは、階層なしクラスタリングの手法のひとつであり、教師なし学習に分類されます（イ）。あらかじめクラスタ（グループ）の個数を決めておき、データを分割します。

ランダムフォレストとサポートベクターマシン（SVM）は、教師あり学習における代表的な手法です（ウ、エ）。

以上のことから、（ア）（イ）が適切な組み合わせです（**A**）。

教師なし学習の特徴とその代表的な手法について理解しておきましょう。

12. B

➡ P49

クラスタリング（クラスタ分析）に関する知識を問う問題です。

クラスタリングは、大量のデータから類似するデータを集めてグルーピングする手法であり、教師なし学習に分類されます。

クラスタリングは**階層なしクラスタリング**と**階層ありクラスタリング**に分類されます。階層なしクラスタリングは、k-meansのようにデータを複数のグループに分割する手法です。これに対して、階層ありクラスタリングは、分割した各クラスタの階層構造を決定する手法で、ウォード法［解答14を参照］が代表例です。

k-meansでは事前にクラスタ数を決定する必要がありますが、ウォード法のような階層ありクラスタリングではその必要はありません（ア）。

クラスタリングは教師なし学習に分類されます（イ）。また、クラスタリングでは、近い距離にあるデータを類似度が高いものと定義し、それらをグルーピングします（ウ）。
k-meansなどでは、クラスタの数を分析者が決定するため、主観が影響しやすいといえます。また、ウォード法のような階層なしクラスタリングでも、階層のどの部分を用いてグルーピングするかという点において、分析者の主観が含まれます（エ）。
以上のことから、（イ）（ウ）が適切な組み合わせです（**B**）。

試験対策

クラスタリングの分類とそれぞれの特徴、欠点について理解しておきましょう。

13. A

➡ P50

k-meansのアルゴリズムに関する知識を問う問題です。
k-meansは、階層なしクラスタリングの代表的な手法です。以下のアルゴリズムでクラスタの振り分けを行います（**A**）。

1. クラスタの数nをあらかじめ決定しておき、n個のクラスタの中心をランダムに決める
2. 各データを最も近い中心に対応するクラスタに振り分ける
3. 各クラスタの重心を計算し、中心を重心に移動する
4. 上記の2～3を繰り返す

主成分分析（PCA）と特異値分解（SVD：Singular Value Decomposition）は、次元削減で使用される手法です（B、D）。また、ウォード法は、最も距離の近いデータ点またはクラスタをまとめて1つのクラスタとし、この繰り返しによって逐次的にクラスタを構成する階層ありクラスタリングの手法です（C）。

試験対策

k-meansのアルゴリズムの流れを把握しておきましょう。

アルゴリズムが収束したかどうかは、主に閾値を使用して判定します。k-meansの場合は、中心の位置における変化の総和を算出し、これが一定の値以下になった時点で終了するなどの方法が考えられます。

14. C

➡ P50

階層ありクラスタリングの一手法である**ウォード法**に関する知識を問う問題です。

ウォード法は、距離の最も近いデータ点またはクラスタをまとめて1つのクラスタとし、この繰り返しによって逐次的にクラスタを構成する手法です(**C**)。

この作業の過程で、**デンドログラム**(Dendrogram)と呼ばれる樹形図が作成されます。デンドログラムを見ることで、クラスタ間の階層的な関係を視覚的に把握できます。なお、決定木は、特徴量の値に応じて分岐路を作成し、最終的な予測値を決定する教師あり学習のアルゴリズムです(A)。

k-meansなどではクラスタの個数をあらかじめ決定しておく必要がありますが、ウォード法ではその必要はありません(B)。また、ウォード法では、得られたデンドログラムのどの箇所でクラスタを区切るかによって、クラスタの数を含め多様な解釈が可能です(D)。

ウォード法の仕組みや結果の解釈方法について整理しておきましょう。

15. A

➡ P51

協調フィルタリングに関する知識を問う問題です。

協調フィルタリングは、複数のユーザーの過去の購買情報や評価情報を利用して、ユーザーの嗜好や関心にもとづく予測や推薦を行う手法です(**A**)。

一方、ユーザーではなく商品の特徴を利用して、ユーザーの購買履歴などから類似した商品を推薦する手法を**コンテンツベースフィルタリング**と呼びます。

よく検索されるデータを上位に表示する手法は、協調フィルタリングには該当しません(B)。

商品の情報を利用して推薦する手法は、コンテンツベースフィルタリングに該当します(C、D)。

なお、協調フィルタリングでは、ある特定の商品を推薦するために他のユーザーの購買履歴などが必要になるため、そうしたデータが蓄積していない新商品などが候補にあがりづらいという特性があります。このような現象は**コールドスタート問題**と呼ばれます。

レコメンデーションの代表的な手法とその特徴を理解しておきましょう。

16. B

➡ P51

強化学習のフレームワークに関する理解を問う問題です。
強化学習は機械学習の一分野であり、**エージェント**が環境と相互作用しながら、試行錯誤を通じて最適な行動を学習します（ア）。
エージェントは、環境との相互作用を通じて、将来にわたって得られる**報酬**の総和（累積報酬）が最大となるような行動を学習します（イ）。ここで、将来の累積報酬を計算する際には時刻に応じて**割引率**（Discount Rate）を乗じます（ウ）。割引率を導入することで、将来得られる報酬よりも、すぐに得られる報酬の方がより価値が高いことを、行動評価に組み入れることができます。
学習の主体であるエージェントは、環境と次のようなやり取りを行います。

1. 時刻tにおいて環境の状態sを観測し、行動aを出力する
2. 環境が状態s'へ遷移し、これに応じた報酬rをエージェントが獲得する
3. 得られた報酬rをもとに、行動aを評価して学習を行う
4. 時刻をt+1に進め、上記の1～3を繰り返す

以上のことから、（ア）に行動、（イ）に報酬、（ウ）に割引率が入ります（B）。

強化学習のフレームワークについて整理しておきましょう。

時刻tにおける将来の累積報酬の期待値は、割引率 γ ($0<\gamma<1$) を用いて以下のように表すことができます。

$$R_t = r_{t+1} + \gamma r_{t+2} + \gamma^2 r_{t+3} + + \gamma^3 r_{t+4} + \cdots$$
$$= \sum_{k=1}^{\infty} \gamma^{k-1} r_{t+k}$$

将来の累積報酬の期待値をこのように表記することで、現在時刻に近い報酬がより重視されるように学習を行うことができます。

17. C

➡ P52

多腕バンディット問題を解く際に用いられるアルゴリズムについて問う問題です。

多腕バンディット問題は、複数のスロットマシンから、決められた回数内で当たりを多く引くことを目指す問題です。この問題では、開始時にはどのスロットマシンも当たりが出る確率が不明なため、ある程度の回数を試行し、確率を推定する必要があります。一方、ある程度の試行を実施したあとは、過去の経験にもとづいてスロットマシンを選ぶ方が効率的かもしれません。

このような問題を、**探索**（Exploration）と**活用**（Exploitation）という考え方によって解くアルゴリズムがあります。代表的なものとして**ε-greedy方策**（Epsilon-greedy Policy）があげられますが（イ）、ほかにも**UCB方策**（Upper-Confidence Bound Policy）といったアルゴリズムがあります（エ）。

探索とは、未知の情報以外の情報を獲得するために行う行動であり、活用とは、既知の情報を利用して最大の報酬を得る行動を指します。ε-greedy方策では、確率εで探索を行い、確率1-εで活用を行います。探索ではすべてのスロットマシンからランダムに選択し、活用では過去の試行結果から最も当たりの多かったスロットマシンを選びます。なお、方策とは行動の選択肢を決定する戦略のことです。

方策勾配法［解答20を参照］は、方策をあるパラメータを使用した関数で表し、累積報酬を最大化するようにそのパラメータを学習することで、方策そのものを学習する手法です（ア）。

REINFORCE［解答21を参照］は、方策勾配法の計算を行うアルゴリズムです（ウ）。

以上のことから、（イ）（エ）が適切な組み合わせです（**C**）。

多腕バンディット問題を解く際に使用される代表的なアルゴリズムを覚えておきましょう。

18. B

➡ P52

マルコフ決定過程（MDP：Markov Decision Process）に関する知識を問う問題です。

強化学習では、「現在の状態から一時刻先の状態に遷移する確率は、現在の状態と取った行動のみに依存する」という仮定を置いて問題を扱うことが多くあります。このような考え方をマルコフ決定過程と呼びます（**B**）。こうした仮定を置くことで、現在の状態等を決定するために1つ前の時刻のみを考慮すればよいことになり、計算を簡略化することができます。
カーネルトリックは、教師あり学習の手法であるサポートベクターマシン（SVM）で使用される計算量を抑えるテクニックです（A）。
k-meansは、教師なし学習の手法です。あらかじめ分類するクラスタ（グループ）の個数を決め、データを類似したクラスタに分割します（C）。
アンサンブル学習は、複数の弱学習器を組み合わせて予測を行う手法の総称です（D）。

試験対策

マルコフ決定過程の考え方を理解しておきましょう。また、誤答の選択肢も重要です。内容を説明できるようにしておきましょう。

19. B ➡ P53

強化学習における**価値関数**について問う問題です。
強化学習では、行動の選択肢を決定する戦略のことを**方策**（Policy）と呼びます。一般に、最適な方策を直接見つけることは困難な場合が多いため、現在の状態や行動に**価値**という概念を導入し、その価値が最大になるよう学習を行うアプローチがあります。
価値とは、ある状態や行動によって得られる将来の累積報酬です（ア）。また、状態と行動それぞれの価値を表す関数として、**状態価値関数**（State-Value Function）と**行動価値関数**（Action-Value Function）があります。行動価値関数は**Q値**（Q-Value）とも呼ばれ、また単に価値関数と呼ばれることもあります（イ）。行動価値関数を最適化することで、適切な行動を学習できます。その手法として、**Q学習**（Q-Learning）や**SARSA**（State-Action-Reward-State-Action）があげられます。
以上のことから、（ア）に価値、（イ）にQ値が入ります（**B**）。

試験対策

強化学習で用いられる概念や用語について整理しておきましょう。

20. A ➡ P53

方策勾配法（Policy Gradient Method）に関する知識を問う問題です。
方策勾配法は、あるパラメータを使用した関数で方策を表し、状態価値を最大化するようにそのパラメータを学習することで、方策そのものを学習する手法です（**A**）。価値関数を使用して間接的に方策を最適化するアプローチと異なり、方策勾配法では方策を直接学習することができます。このようなアプローチは、行動の選択肢が膨大なロボット制御などのタスクに適しています。
Q学習は、Q値（行動価値関数）を最適化する手法です（B）。また、方策改善法と呼ばれる手法は一般的ではありません(C)。さらに、ε-greedy方策[解答17を参照］は、探索と活用のバランスを取ることで多腕バンディット問題などを解くことができるアルゴリズムです（D）。

方策勾配法の仕組みや価値関数を使用したアプローチとの差異について整理しておきましょう。

21. C

➡ P53

方策勾配法に関連するアルゴリズムについて問う問題です。
REINFORCEは、状態価値の近似として累積報酬を用いる方策勾配法のひとつです。AlphaGo［第6章 解答30を参照］に活用されていることで知られています。(A)。
Actor-Critic［解答22を参照］は、価値関数のアプローチと方策勾配法のアプローチを組み合わせた手法です（B）。
A3C（Asynchronous Advantage Actor-Critic）は、Actor-Criticの応用手法です（D）。
SVM（サポートベクターマシン）は、教師あり学習に用いられる手法であり、方策勾配法には関連しません（**C**）。

方策勾配法に関連する代表的な手法やアルゴリズムを覚えておきましょう。

22. A

➡ P54

Actor-Criticに関する知識を問う問題です。
Actor-Criticは、価値関数のアプローチと方策勾配法のアプローチを組み合わせた手法で(**A**)、行動を決定するActor(行動器)と方策を評価するCritic(評価器)から構成されます（D）。
Actor-CriticにはA3Cなどの応用手法が複数考えられています（B）。また、

Actor-Criticで採用されている方策勾配法によるアプローチは、ロボット制御など行動の選択肢が膨大なタスクに適しています（C）。

試験対策

Actor-Criticの特徴について理解を深めておきましょう。

23. A

➡ P54

教師あり学習における性能評価のためのデータ分割方法について問う問題です。

教師あり学習の目的は、未知のデータに対して良い予測を行うことです。そこで、手元のデータを分割し、疑似的に未知のデータを作成してモデルの評価を行います。このような未知のデータに対するモデルの性能を**汎化性能**と呼びます。

教師あり学習では、データを**訓練データ**、**テストデータ**に分割することが一般的です。訓練データはモデルの学習に使用します（ア）。このデータは学習のみに使用し、評価には使用しません。訓練データによる学習後は、テストデータを使用してモデルの汎化性能を見積もります（イ）。モデルの良し悪しは、必ずこの段階で評価する必要があります。

また、モデルの**ハイパーパラメータ**などをテストデータによる評価前に最適化する目的で、訓練データをさらに分割することがあります。このようなデータを**検証データ**と呼びます（ウ）。ハイパーパラメータとは、モデルを構築する際にあらかじめ決定しておく必要のある定数のことで、学習後に検証データに対する評価を行い、その評価結果をもとに調整を行います。

以上のことから、（ア）に訓練データ、（イ）にテストデータ、（ウ）に検証データが入ります（**A**）。

試験対策

訓練データ、検証データ、テストデータのそれぞれの役割を理解しておきましょう。

24. B

➡ P55

データの分割を行う代表的な手法について問う問題です。

モデルの汎化性能［解答23を参照］を評価するデータの分割手法の代表例として、**ホールドアウト検証**と**k-分割交差検証**があげられます。

ホールドアウト検証は、データを訓練用とテスト用に分割し、訓練データでモデルを学習させ、テストデータでモデルの性能を評価する方法です（B）。これに対してk-分割交差検証は、まずデータをk個のブロックに均等に分割し、そのうちの1個のブロックをテストデータ、残りのブロックを訓練用データとして学習・評価を行います。この過程をk回繰り返し、k回の評価結果の平均を最終的な評価とします（A）。

ホールドアウト検証は簡単な手法ですが、特にデータが少ない場合は、テストデータにおける評価が偶然高くなる可能性があります。一方、k-分割交差検証は計算負荷が大きいですが、データが少ない場合でも汎化性能を正確に見積もりやすくなります。

ホールドアウト検証では、評価を複数回にわたって繰り返すことはありません（C）。また、学習に使用したのと同じデータを評価に使用するのは、適切ではありません（D）。

汎化性能を正しく評価することは非常に重要です。そのためのデータ分割手法についてしっかり理解しておきましょう。

時系列データでは、選択肢Cの記述のように、訓練データよりも過去のデータがテストデータに紛れ込まないように、データを分割する手法が有効な場合があります。このような手法は**Time Series Split**とも呼ばれます。

25. B

➡ P55

機械学習モデルの誤差について問う問題です。

訓練データに対するモデルの予測値との誤差を**訓練誤差**と呼びます（ア）。機械学習モデルは、この訓練誤差を小さくするように学習を行います。

一方、学習済みモデルについて、これから入力される新しいデータに対する予測誤差の期待値を**汎化誤差**と呼びます（イ）。

期待値とは、ある分布に従って確率的に生成される変数の平均を指す概念です。汎化誤差の考え方では、これから入力される未知のデータが確率的であると捉え、それらとモデルの予測値との誤差についての平均を考えます。したがって、汎化誤差を見積もるためには未知データの情報が必要となりますが、通常これは手に入りません。そこで、学習に使わないテストデータを分離しておき、汎化誤差の推定に用います。

以上のことから、（ア）に訓練誤差、（イ）に汎化誤差が入ります（B）。

学習時に最適化するのは訓練誤差ですが、実際に求められるのは汎化誤差の小さいモデルであるため、ここにギャップが生じます。このことを理解しておくことは、汎化性能を向上させるために重要です。

26. C

➡ P56

未学習と**過学習**についての知識を問う問題です。
未学習とは、モデルが十分に学習できておらず、訓練誤差と汎化誤差がともに大きい状態を指します（ア)。また、過学習とは、モデルが訓練データに対して過度に適合し、訓練誤差は小さいが、汎化誤差は大きい（新しいデータに対する予測能力が低い）状態を指します（イ)。
過学習は、機械学習において最も注意すべき問題のひとつです。過学習に陥っているかどうかを正しく判断できるよう、訓練誤差と汎化誤差の両方をモニタリングする必要があります。
以上のことから、（ア）に未学習、（イ）に過学習が入ります（C)。

未学習と過学習の内容について、訓練誤差、汎化誤差と関連付けて説明できるようにしておきましょう。

未学習と過学習は、**バイアス**と**バリアンス**によって説明されることがあります。バイアスが高い状態とは、モデルの表現力が小さく、複雑なデータを説明しきれないことで予測値が制限され、偏った予測をしてしまう状態を指します。これは未学習によって引き起こされます。表現力が小さいモデルとして、線形回帰のような単純なモデルや、正則化を過度に適用したモデルなどがあげられます。
一方、バリアンスが高い状態とは、モデルの表現力がデータに対して大きすぎる場合に、予測に必要のないノイズまで学習してしまうことで、予測値が不安定になる状態を指します。このとき、モデルの訓練誤差は小さく、汎化誤差は大きくなるため、過学習に陥っているといえます。表現力が大きいモデルの代表例として、ディープニューラルネットワーク［第4章 解答1を参照］などがあげられます。

27. D

➡ P56

過学習の状態や原因について問う問題です。
過学習とは、訓練データに対しては予測精度が高い一方で、未知のデータに対する予測精度（汎化性能）が低い状態を表します（**D**）。
過学習は、モデルが訓練データのみに過剰に適合してしまうことにより発生します。過学習を抑制するために、モデルのパラメータに対して**正則化**を行うことがあります。正則化によってモデルのパラメータ値の範囲を制限することで、モデルが訓練データに過度に適合することを抑制することが可能です。ただし、正則化の影響が大きすぎる場合は適切に学習が進まず、未学習の問題が発生します（A）。
汎化性能が高い場合には、過学習が発生しているとはいえません（B）。また、モデルの学習が不十分なために未知のデータに対する性能が低い状態は、未学習であるといえます（C）。

過学習の状態や原因について整理しておきましょう。

28. C

➡ P56

未学習についての知識を問う問題です。
未学習とは、モデルの学習が不十分であり、訓練データと未知データ双方で予測精度が低い状態を表します。
未学習が発生する原因として、正則化の影響が強すぎること、データの複雑さに対してモデルの表現力が低いことなどがあげられます（**C**）。一方、モデルの表現力が高すぎる場合には、過学習が発生しやすくなります（B）。また、学習データの量は一般に多い方が汎化性能が高くなりやすく、未学習、過学習ともに発生しづらくなります（A）。
訓練データにテストデータの一部が混入することを、**データリーケージ**と呼びます。データリーケージが発生すると汎化性能が不当に高く評価されますが、このことは未学習とは関連がありません（D）。

未学習を引き起こす原因について理解しておきましょう。

29. B

➡ P57

回帰タスクにおける代表的な評価指標について問う問題です。

回帰タスク［解答2を参照］では、**MSE**（Mean Squared Error：平均二乗誤差）、**RMSE**（Root Mean Squared Error：平均平方二乗誤差）、**MAE**（Mean Absolute Error：平均絶対誤差）などのさまざまな評価指標が使用されます。

MSEは、予測値と正解値の誤差の二乗和を平均した値で、回帰タスクで使用される評価指標です（A）。

MAEは、予測値と正解値の誤差の絶対値を平均した評価指標であり、回帰タスクで使用されます。MSEよりも外れ値の影響を受けづらいため、外れ値を多く含むデータを扱う際に有効です（C）。

RMSEは、MSEの平方根を取った評価指標であり、回帰タスクで使用されます。平方根を取ることにより目的変数の元の尺度が再現されるため、よりモデルの評価を行いやすく、広く利用されている評価指標です（D）。

AUC（Area Under the Curve）は、ROC曲線（Receiver Operating Characteristic curve）［解答34を参照］と呼ばれる曲線の下部の面積によって計算される指標であり、分類タスクで使用されます（**B**）。

回帰タスクで使用される代表的な評価指標の計算方法と特徴について覚えておきましょう。

30. D

➡ P57

分類タスクにおけるモデルの性能評価に用いられる**混同行列**について問う問題です。

2クラス分類［解答2を参照］について考えるとき、各データの正解ラベルと予測値の組み合わせは、全部で4通りあります。これらを表にまとめたものを混同行列と呼びます（ア）。

【混同行列】

		予測	
		陽性（Positive）	陰性（Negative）
正解	陽性	真陽性 （True Positive : TP）	偽陰性 （False Negative : FN）
	陰性	偽陽性 （False Positive : FP）	真陰性 （True Negative : TN）

2クラス分類では、それぞれのクラスを**陽性**、**陰性**と呼びます。

偽陰性は、実際には陽性であるにも関わらず、モデルが間違って陰性と予測したデータです（イ）。また、偽陽性は、実際には陰性であるにも関わらず、モデルが間違って陽性と予測したデータです（ウ）。
真陽性は、実際に陽性であり、モデルも陽性と予測した場合に対応します。同様に真陰性は、実際に陰性であり、モデルも陰性と予測した場合に対応します。
また、AUCは分類タスクで使用される評価指標ですが、数値で良し悪しを測る指標であり、表形式をとるものではありません。
以上のことから、（ア）に混同行列、（イ）に偽陰性、（ウ）に偽陽性が入ります（**D**）。

混同行列の要素の名称は非常に覚えづらいですが、分類タスクにおける各評価指標を理解するうえで非常に重要です。しっかり覚えておきましょう。

31. B

➡ P58

分類タスクにおける代表的な評価指標の計算方法について問う問題です。
正解率（Accuracy）は、予測結果全体に対して、どれだけ正しく予測できたかを表す指標です（A）。

$$\text{Accuracy} = \frac{TP + TN}{TP + TN + FP + FN}$$

適合率（Precision）は、陽性と予測されたデータのうち、実際に陽性であった割合を表す指標です。偽陽性を避け、確信度の高い予測のみを陽性と判定したい場合に有効です（**B**）。

$$\text{Precision} = \frac{TP}{TP + FP}$$

再現率（Recall）は、実際に陽性であるデータのうち、陽性と予測された割合を表す指標です。実際に陽性であるデータの見逃しを防ぎたい場合に有効です（D）。

$$\text{Recall} = \frac{TP}{TP + FN}$$

Cの式を表す一般的な名称はありません。

代表的な評価指標の定義だけでなく、使い分けについても整理しておきましょう。

32. A

➡ P58

F値（F Measure）の計算方法について問う問題です。
F値は、分類タスクにおける代表的な評価指標のひとつであり、適合率（Precision）と再現率（Recall）の調和平均によって求めることができます（**A**）。

$$\text{F Measure} = \frac{2 \times \text{Precision} \times \text{Recall}}{\text{Precision} + \text{Recall}}$$

適合率と再現率はトレードオフの関係にあります。F値は両者のバランスを取った評価指標であり、広く使用されています。

F値の定義式や特徴について理解しておきましょう。

33. D

➡ P58

目的に応じて、適切な評価指標を選択できるかを問う問題です。
再現率は、実際に陽性であったデータのうち、モデルが陽性と予測した割合を指す評価指標です。医療現場における病気の発見など、陽性の見逃しをできる限り避けたい場面では、再現率を評価指標に設定するのが適切です（**D**）。
正解率は、たとえば、すべてのデータを健常（陰性）と予測するなど、非常に偏った予測を行う場合でも大きな値をとることがあります。特に病気の診断など、一般に陽性データが少ないようなタスクでは、このことは大きな問題になります（A）。
適合率は、モデルが陽性と予測したデータのうち、実際に陽性であった割合を指す評価指標です。適合率の値は、確信度の高いデータのみを陽性と予測するように調整することで高めることができますが、そうすると実際に陽性であるデータの見逃しが増えやすくなります（B）。
F値は、適合率と再現率の調和平均で表され、適合率と再現率のバランスを取った指標です。そのため本問のケースでは、再現率を使用する方がより適しています（C）。

実際のビジネス課題などに応じて評価指標を適切に選択することは、非常に重要です。それぞれの評価指標の特性を理解し、目的に応じて使い分けられるようにしておきましょう。

34. C

➡ P59

AUC（Area Under the Curve）の算出方法に関する知識を問う問題です。
ROC曲線（Receiver Operating Characteristic curve）は、分類タスクにおけるモデルの性能を評価する際に使われるツールのひとつです。
分類タスクにおいて、モデルの予測値は通常0～1の確率で与えられます。そのため、ある値（閾値）で予測値を区切り、陽性か陰性かを判定する必要があります。基本的には0.5を閾値としますが、この値を変えることで予測結果が変わってきます。
ROC曲線は、この閾値を0から1に変化させたとき、モデルの予測性能がどのように変化するかを描いた曲線です。具体的には、真陽性率（True Positive Rate：TPR）を縦軸に、偽陽性率（False Positive Rate：FPR）を横軸にとり、閾値ごとの両者の値をプロットしたグラフがROC曲線です。
真陽性率とは、実際に陽性のデータのうち、予測モデルも陽性と判断できた割合のことで、名称は違いますが再現率と同じ定義です［解答31を参照］。
また、偽陽性率とは、実際に陰性のデータのうち予測モデルが誤って陽性と判断した割合のことです。

$$\mathrm{TPR}=\frac{\mathrm{TP}}{\mathrm{TP}+\mathrm{FN}}$$

$$\mathrm{FPR}=\frac{\mathrm{FP}}{\mathrm{FP}+\mathrm{FN}}$$

AUCは分類タスクにおける評価指標のひとつであり、ROC曲線の下部の面積で表されます。モデルの予測性能が高いほどAUCの値は大きくなります。
AUCは0～1までの値で表され、予測がすべて正しい場合は1になります。完全にランダムな推測をした場合、ROC曲線は原点を通る傾き1の直線となり、AUCの値は0.5となります。
本問のグラフでは、1つのマス目の面積が0.01で、ROC曲線の下部にあるマス目の数は合計79なので、AUCは0.79となります（**C**）。

AUCとROC曲線の定義および関係性を覚えておきましょう。

35. C

➡ P59

オッカムの剃刀（Occam's Razor／Ockham's Razor）について問う問題です。
オッカムの剃刀は、「ある事柄を説明するためには、必要以上に多くを仮定するべきでない」というモデル構築の指針です。
機械学習モデルは数多く存在し、それぞれ複雑さが異なります。モデルが複雑であればあるほど、難しいタスクをこなせる可能性が高まりますが、同時に過学習のリスクも高まります。また、複雑なモデルはそれだけ計算コストも高い場合が多く、学習に時間がかかります。これらのことから、オッカムの剃刀の指針に従い、複数の選択肢から最も単純なモデルを選択することは合理的であると考えられます（**C**）。
次元の呪い［第1章 解答4を参照］は、次元の増加に伴い計算量などが指数的に増える現象です（A）。
ノーフリーランチ定理は、あらゆる問題において優れた汎化性能をもつモデルは存在しないということを示す定理です（B）。
カーネルトリックは、教師あり学習の手法であるサポートベクターマシン（SVM）において、線形分離不可能な問題を扱う際に用いられる数学的なテクニックです（D）。

機械学習モデルを選ぶ際には精度だけでなく、複雑さも考慮すべきであることを覚えておきましょう。

36. B

➡ P60

赤池情報量基準（Akaike's Information Criterion：AIC）についての知識を問う問題です。
モデル選定を行う際には、モデルの複雑さと予測性能のバランスを取ることが重要です。赤池情報量基準は、そうしたトレードオフを考慮できる評価指標であり、以下の式で表されます。

$$\mathrm{AIC} = -2\log L + 2k$$

※Lはモデルの尤度、kはモデルのパラメータ数

AICは、値が小さいほど良い評価指標です。AICの値はモデルの精度が高いほど小さくなりますが、モデルのパラメータが増える（複雑性が増す）ほど大きくなります。AICが最小となるモデルを選択することで、精度と複雑さのバランスを取ることができます（**B**）。なお、AICと同様の目的をもつ評価指標として**BIC**（Bayesian Information Criterion）という指標も存在します。

BICはAICと似ていますが、データ数も考慮した評価指標です。
F値［解答32を参照］は分類タスクにおける評価指標のひとつで、適合率と再現率の調和平均で表されます（A）。
適合率［解答31、33を参照］は分類タスクにおける評価指標のひとつで、陽性と予測されたデータのうち、実際に陽性であった割合を表す指標です（C）。
平均二乗誤差［解答29を参照］は回帰タスクにおける評価指標のひとつで、正解値と予測値の差の二乗和を平均した値です（D）。

モデルの複雑さを考慮した評価指標について覚えておきましょう。

第4章 ディープラーニングの概要

- ニューラルネットワークとディープラーニング
- 活性化関数
- 損失関数
- 正則化
- 誤差逆伝播法
- 最適化手法

□ **1. ニューラルネットワークに関する記述として、最も不適切なものを選べ。**

A. ニューラルネットワークは、脳の神経回路網に着想を得て考案された機械学習モデルである
B. ニューラルネットワークは、複数のニューロンの集合から構成される層をもつ
C. ニューラルネットワークの層の数を非常に大きくしたネットワークは、ディープニューラルネットワークと呼ばれる
D. ニューラルネットワークは、分類タスクのみを解くことができる機械学習モデルである

➡ P98

□ **2. ディープラーニングでは、学習によって最適な特徴量の抽出方法が獲得される。このことを表す用語として、最も適切なものを選べ。**

A. 能動学習
B. 特徴表現学習
C. 教師なし学習
D. 強化学習

➡ P99

□ **3. ディープラーニングに関する記述として、最も不適切なものを選べ。**

A. ディープラーニングは、ニューラルネットワークの層の数を非常に大きくしたディープニューラルネットワークを用いる機械学習手法である
B. ディープラーニングでは、ネットワークの複雑さに対して学習データが少ない場合、過学習が発生しやすい
C. ディープラーニングは、画像認識や自然言語処理など多くの分野で高い性能を実現し、各分野で技術的ブレークスルーをもたらしている
D. ディープラーニングは、予測の根拠を説明できるためホワイトボックスモデルと呼ばれている

➡ P99

□ **4.** 1958年に発表された単純パーセプトロンに関する説明として、最も不適切なものを選べ。

A. 単純パーセプトロンは、ニューラルネットワークの元祖と呼ばれることがある
B. 単純パーセプトロンは、線形分離不可能な問題を解くことができない
C. 単純パーセプトロンは、2層以上の隠れ層を備えている
D. 単純パーセプトロンは、2クラス分類を行うことができる

➡ P100

□ **5.** 以下の文章を読み、空欄（ア）（イ）に入る語句として最も適切な組み合わせを選べ。

多層パーセプトロンは、入力層と複数の隠れ層および出力層で構成されるニューラルネットワークである。各層のニューロンでは、前の層の各ニューロンからの入力に（　ア　）をかけて足し合わせ、（　イ　）を適用して出力を生成する。

A. （ア）パラメータ　（イ）損失関数
B. （ア）パラメータ　（イ）活性化関数
C. （ア）正則化項　（イ）損失関数
D. （ア）正則化項　（イ）活性化関数

➡ P100

□ **6.** ディープラーニングの学習に必要なデータに関する説明として、最も適切なものを選べ。

A. ディープラーニングにおける学習データで大切なのはデータの質であり、データの量は関係ない
B. ディープラーニングの学習では、必ずネットワークのパラメータ数と同等のデータ量を確保する必要がある
C. ディープラーニングの学習には大量のデータが必要となるが、必要なデータ量に関する共通の基準は存在しない
D. データ量が少なくても、ほかの手法を用いずにディープラーニングを用いる方がよい

➡ P101

□ **7**. コンピュータの演算処理装置のひとつとしてGPU（Graphics Processing Unit）がある。GPUに関する説明として、最も適切なものを選べ。

A.　GPUは、コンピュータ全般の作業を処理する役割を担う
B.　GPUは、大規模な並列演算処理に特化している
C.　GPUは、画像を扱うのが得意な一方、動画を扱うのは得意ではない
D.　GPUは、処理方法の異なる多様なタスクを同時に処理することが得意である

➡ P101

□ **8**. 以下の（ア）～（エ）に示した、ディープラーニングに使用される演算処理装置に関する説明のうち、適切なものの組み合わせを選べ。

（ア）画像処理以外の目的に最適化されたGPU（Graphics Processing Unit）をGPGPU（General-Purpose computing on GPU）と呼ぶ
（イ）TPU (Tensor Processing Unit) は、アマゾン社が開発したディープラーニング向けの演算処理装置である
（ウ）GPGPUを使用することで、ディープニューラルネットワークの学習を効率的に行うことができる
（エ）CPU（Central Processing Unit）では、ディープニューラルネットワークにおける学習をまったく行えない

A.　（ア）（ウ）
B.　（イ）（エ）
C.　（イ）（ウ）
D.　（ア）（エ）

➡ P102

☐ **9. ニューラルネットワークにおける活性化関数に関する説明として、最も適切なものを選べ。**

A. シグモイド関数は、ReLU（Rectified Linear Unit）と比較して勾配消失問題が発生しやすい
B. ReLU（Rectified Linear Unit）は、入力が0以上の領域では必ず0を出力する関数である
C. Leaky ReLU（Leaky Rectified Linear Unit）は、入力が0以上の領域で非線形な関数である
D. tanh関数は、ReLU（Rectified Linear Unit）と比較して勾配消失問題が発生しにくい

➡ P102

☐ **10. ニューラルネットワークを使用して線形分離不可能な問題を解く際に、隠れ層の活性化関数に必ず求められる条件として、最も適切なものを選べ。**

A. 線形であること
B. 出力値が0から1の範囲であること
C. 受け取れる入力値の範囲が0以上であること
D. 非線形であること

➡ P103

☐ **11. 活性化関数のひとつであるLeaky ReLU（Leaky Rectified Linear Unit）に関する説明として、最も適切なものを選べ。**

A. Leaky ReLUは、0以上の値の入力に対しては入力と同じ値を出力し、0未満の値の入力に対しては-1を出力する
B. Leaky ReLUは、勾配消失がまったく発生しない関数である
C. Leaky ReLUは、すべての範囲で一定の傾きをもつ線形関数である
D. Leaky ReLUは、入力が負の領域でもわずかな傾きをもっており、ReLUに比べて勾配消失が起きにくい

➡ P104

☐ **12.** 分類タスクを解くためのニューラルネットワークの出力層に適用する活性化関数として、最も適切なものを選べ。

A. 恒等写像関数
B. ReLU（Rectified Linear Unit)
C. ソフトマックス関数
D. Leaky ReLU（Leaky Rectified Linear Unit)

➡ P104

☐ **13.** 機械学習モデルの予測値と教師データとの誤差を計算するための関数として、最も適切なものを選べ。

A. 損失関数
B. 差分関数
C. 残差関数
D. 分散関数

➡ P105

□ **14.** 以下の文章を読み、空欄（ア）（イ）に入る語句として最も適切な組み合わせを選べ。

回帰タスクで損失関数としてよく用いられるのは（　ア　）である。一方、分類タスクで損失関数としてよく用いられるのは（　イ　）である。機械学習において（　イ　）を最小化することは、予測の分布と正解の分布の異なり具合を表す（　ウ　）を最小化することと等価である。

A.　（ア）交差エントロピー
　　（イ）平均二乗誤差
　　（ウ）赤池情報量基準

B.　（ア）平均二乗誤差
　　（イ）交差エントロピー
　　（ウ）カルバック・ライブラー情報量

C.　（ア）平均絶対誤差
　　（イ）平均二乗誤差
　　（ウ）赤池情報量基準

D.　（ア）平均二乗誤差
　　（イ）平均絶対誤差
　　（ウ）カルバック・ライブラー情報量

➡ P105

□ **15.** 深層距離学習で用いられる損失に関する以下の記述を読み、空欄（ア）（イ）に入る語句として最も適切な組み合わせを選べ。

（　ア　）は、ペアのデータ間の距離に関する損失であり、2005年に提案された。（　イ　）は、3つのデータ間の距離から計算される損失であり、2015年に提案された。

A.　（ア）Contrastive Loss　（イ）Dist Loss
B.　（ア）Contrastive Loss　（イ）Triplet Loss
C.　（ア）Controversial Loss　（イ）Dist Loss
D.　（ア）Controversial Loss　（イ）Triplet Loss

➡ P106

☐ **16.** **機械学習における正則化の主要な目的として、最も適切なものを選べ。**

A. 正則化の目的は、データの外れ値の影響を小さくすることである
B. 正則化の目的は、モデルの学習速度を上げることである
C. 正則化の目的は、モデルに入力する特徴量を作り出すことである
D. 正則化の目的は、過学習を防いで汎化性能を向上させることである

➡ P108

☐ **17.** **L1正則化に関する説明として、最も適切なものを選べ。**

A. L1正則化は、パラメータの大きさの2乗和を損失関数に加えることで、正則化を行う手法である
B. L1正則化は、パラメータの大きさの絶対値の総和を損失関数に加えることで、正則化を行う手法である
C. L1正則化は、0でない大きさをもつパラメータの総数を損失関数に加えることで、正則化を行う手法である
D. L1正則化は、パラメータの大きさをすべてかけ合わせた値を損失関数に加えることで、正則化を行う手法である

➡ P108

☐ **18.** **ニューラルネットワークの学習に用いられるドロップアウトに関する説明として、最も不適切なものを選べ。**

A. ドロップアウトは、学習時に訓練データをランダムに除外する手法である
B. ドロップアウトは、学習時にニューロンをランダムに除外する手法である
C. ドロップアウトは、過学習を抑制するテクニックである
D. ドロップアウトによる学習は、アンサンブル学習とみなすことができる

➡ P109

☐ **19.** 以下の文章を読み、空欄（ア）（イ）に入る語句として最も適切な組み合わせを選べ。

（　ア　）は、ニューラルネットワークの学習時に使用されるパラメータを最適化する手法である。それぞれのパラメータについて損失関数に対する勾配を求め、勾配を下る方向にパラメータの値を繰り返し更新することで、損失関数を最小化することを目指す。勾配を計算する際は、通常（　イ　）を用いる。（　イ　）は、出力層で計算した誤差を出力層から入力層に向けてフィードバックすることで、各パラメータの勾配を算出する手法である。

A.　（ア）勾配降下法　（イ）方策勾配法
B.　（ア）勾配降下法　（イ）誤差逆伝播法
C.　（ア）方策勾配法　（イ）勾配降下法
D　（ア）方策勾配法　（イ）誤差逆伝播法

➡ P109

☐ **20.** ニューラルネットワークの学習時に発生する問題に関する以下の文章を読み、空欄（ア）（イ）に入る語句として最も適切な組み合わせを選べ。

（　ア　）は、出力層における勾配が入力層まで伝わらず、入力層付近のパラメータの更新が滞ってしまう現象である。この現象は、隠れ層の数を増やすほど発生しやすくなる。逆に、（　イ　）は、学習の途中で勾配が大きくなり過ぎることで、安定的に学習を進められなくなる現象である。

A.　（ア）勾配消失問題　（イ）勾配爆発問題
B.　（ア）勾配消失問題　（イ）信用割当問題
C.　（ア）勾配損失問題　（イ）勾配爆発問題
D.　（ア）勾配損失問題　（イ）信用割当問題

➡ P110

☐ **21.** 以下の文章を読み、空欄（ア）（イ）に入る語句として最も適切な組み合わせを選べ。

確率的勾配降下法（SGD）は、訓練データ中の（　ア　）のデータを使用して勾配を推定することを繰り返す手法である。このSGDは、（　イ　）で用いられる。

A.　（ア）一部　（イ）バッチ学習
B.　（ア）一部　（イ）ミニバッチ学習
C.　（ア）すべて　（イ）バッチ学習
D.　（ア）すべて　（イ）ミニバッチ学習

➡ P110

☐ **22.** 勾配降下法の課題に関する以下の文章を読み、空欄（ア）に入る語句として最も適切なものを選べ。

（　ア　）は、ある次元では極小であるが、別のある次元では極大となるような点を指す。この（　ア　）に陥ると、学習が進みにくくなってしまう。

A.　局所最適解
B.　大域最適解
C.　鞍点
D.　原点

➡ P111

☐ **23.** 以下の文章を読み、空欄（ア）に入る用語として最も適切なものを選べ。

（　ア　）は勾配降下法の手法のひとつであり、勾配を効率的に下る手法である。この方法を用いると、鞍点などで学習が停滞することを防げる場合がある。

A.　ドロップアウト
B.　確率的勾配降下法
C.　モーメンタム
D.　早期終了

➡ P112

□ **24.** 勾配降下法にはさまざまな手法が存在する。それらのうち、AdaGrad以降に提案された手法として、最も不適切なものを選べ。

A. NAG
B. RMSprop
C. Adam
D. AMSBound

➡ P112

□ **25.** エポックは、ニューラルネットワークの学習を行う際に使用される概念である。エポックに関する説明として、最も適切なものを選べ。

A. 学習の繰り返し計算において、訓練データを一周すると1エポックと数える
B. 学習の繰り返し計算において、訓練データを十周すると1エポックと数える
C. 学習の繰り返し計算において、訓練データを百周すると1エポックと数える
D. 学習の繰り返し計算において、訓練データを千周すると1エポックと数える

➡ P113

□ **26.** 以下の記述を読み、空欄（ア）（イ）に入る語句として最も適切な組み合わせを選べ。

早期終了は、機械学習において（　ア　）を防ぐために使用される手法である。たとえば、ニューラルネットワークでは、学習時のエポックごとに（　イ　）に対する誤差を評価し、この誤差が改善しなくなった時点で学習を停止する。

A. （ア）未学習　（イ）検証データ
B. （ア）未学習　（イ）訓練データ
C. （ア）過学習　（イ）検証データ
D. （ア）過学習　（イ）訓練データ

➡ P113

□ **27.** **ニューラルネットワークの学習において、二重降下現象と呼ばれる現象が発生することがある。二重降下現象に関する説明として、最も適切なものを選べ。**

A.　二重降下現象とは、学習中に訓練データにおける誤差が減少し、テストデータにおける誤差が増加する現象である

B.　二重降下現象とは、学習中に訓練データとテストデータにおける誤差が共に減少する現象である

C.　二重降下現象とは、ニューラルネットワークの層が増えることで過学習が進む現象である

D.　二重降下現象とは、学習中に減少していたテストデータに対する誤差が一度増加したあと、再び減少する現象である

➡ P114

□ **28.** **ノーフリーランチ定理は、1995年に証明され、今日の機械学習においてもよく参照される定理である。ノーフリーランチ定理に関する説明として、最も適切なものを選べ。**

A.　ノーフリーランチ定理とは、単純なモデルが複雑なモデルよりも過学習しにくいことを示す定理である

B.　ノーフリーランチ定理とは、複雑なモデルによる推論の根拠を示すことが難しいことを示す定理である

C.　ノーフリーランチ定理とは、あらゆる問題において優れた汎化性能をもつモデルは存在しないことを示す定理である

D.　ノーフリーランチ定理とは、モデルの誤差をバイアスとバリアンスに分解することができるという定理である

➡ P115

□ **29.** 機械学習では、ハイパーパラメータと呼ばれる概念がある。ハイパーパラメータに関する説明として、最も適切なものを選べ。

A. ハイパーパラメータは、機械学習アルゴリズムそのものによって調整するものである
B. ハイパーパラメータは、モデルの学習前に設定するものである
C. ハイパーパラメータは、モデルが学習可能なパラメータのうち特に重視すべきものである
D. ハイパーパラメータは、モデルの精度に影響を与えないものである

➡ P115

□ **30.** ハイパーパラメータを探索する手法のひとつにグリッドサーチがある。グリッドサーチに関する説明として、最も適切なものを選べ。

A. グリッドサーチは、ハイパーパラメータの候補からランダムに選択しながら探索する手法である
B. グリッドサーチは、ハイパーパラメータの候補のすべての組み合わせを探索する手法である
C. グリッドサーチは、探索の過程において、その時点までの探索結果を踏まえて次の探索点を決定する手法である
D. グリッドサーチは、突然変異や世代交代といった概念を用いて探索を行う手法である

➡ P116

第4章　ディープラーニングの概要
解　答

1.　D

➡ P86

ニューラルネットワークの概要について問う問題です。

ニューラルネットワークは、人間の脳の神経回路網を模した機械学習モデルです。

基本的なニューラルネットワークである多層パーセプトロン［解答5を参照］の概念図を次に示します。入力層、隠れ層（中間層）、出力層を基本とした構造で、入力層から隠れ層を経て、出力層へ情報を伝達するネットワークを形成しています。各層は複数のユニットで構成されており、各ユニットが人間の脳のニューロンに対応します（A、B）。

【多層パーセプトロンの概念図】

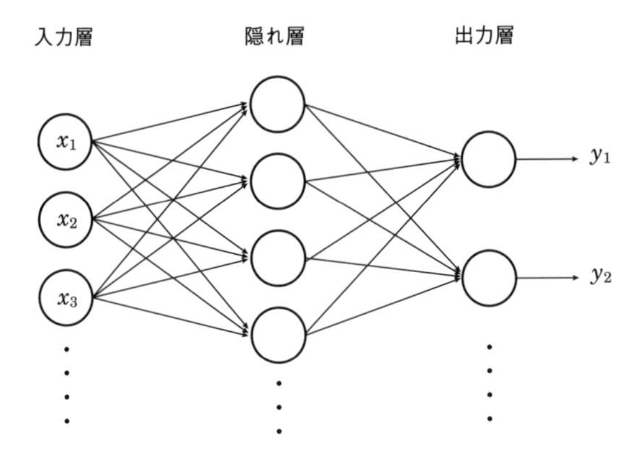

ニューラルネットワークの層の数を非常に大きくしたネットワークを**ディープニューラルネットワーク**と呼びます。なお、ディープニューラルネットワークを用いた機械学習手法をディープラーニング［解答3を参照］と呼びます（C）。

ニューラルネットワークは、回帰や分類などさまざまなタスクを解くことができます（**D**）。

ニューラルネットワークの概要や構造について理解しておきましょう。

2. B

➡ P86

ディープラーニング［解答3を参照］における学習の特徴について問う問題です。

ディープラーニング以外の一般的な機械学習では、特徴量（データの特徴を表す変数）を人の手によって抽出し、入力データを作成する必要がありました。一方、ディープラーニングでは、特徴量の抽出過程そのものを学習することが可能です。これを**特徴表現学習**と呼びます（**B**）。

能動学習は、アノテーション対象のデータの中から、学習することで性能向上が見込めるものを戦略に従って選び抜き、限られたコストで精度の高いモデルを開発することを狙う手法です（A）。

教師なし学習は、教師データを使用せずに行う学習の総称です（C）。

強化学習は、エージェントが環境と相互作用しながら、試行錯誤を通じて最適な行動を学習する機械学習の一分野です（D）。

特徴表現学習はディープラーニングの重要な特徴です。その内容を理解しておきましょう。

3. D

➡ P86

ディープラーニングに関する知識を問う問題です。

ディープラーニングは、ニューラルネットワークの層の数を非常に大きくすることで、複雑な問題を解けるようにした学習手法です。ディープラーニングに用いられる深いニューラルネットワークを**ディープニューラルネットワーク**と呼びます（A）。

ディープラーニングは複雑な問題を扱うことができますが、多くの場合、学習には大量のデータが必要になります。データが少ない場合はネットワークが学習データに過剰に適合し、過学習が発生しやすくなります（B）。

また、ディープラーニングは、画像認識や自然言語処理など多くの分野で従来手法を超える高い精度を実現し、技術的ブレークスルーをもたらしました（C）。

さらに、ディープラーニングはアルゴリズムが非常に複雑であり、判断の理由を明確に示すことが難しいことから、ブラックボックスモデルと呼ばれています（**D**）。

ディープラーニングとニューラルネットワークの関係について整理しておきましょう。

4. C

➡ P87

単純パーセプトロンに関する知識を問う問題です。
単純パーセプトロンは、入力層と出力層のみを備え、隠れ層を持たないニューラルネットワークです（**C**）。複数の隠れ層を備えたニューラルネットワークは、多層パーセプトロン［解答5を参照］と呼ばれます。単純パーセプトロンは1958年に米国の心理学者であるフランク・ローゼンブラットにより提案されたもので、ニューラルネットワークの元祖と呼ばれることがあります（A）。
単純パーセプトロンは、その単純な構造から**線形分離不可能**な問題を扱うことができません（B）。線形分離不可能とは、直線によってデータを分離できないことを指します。また、単純パーセプトロンは、線形分離可能な2クラス分類タスクを解くことができます（D）。

単純パーセプトロンの仕組みや概要を理解しておきましょう。

5. B

➡ P87

多層パーセプトロンの構造に関する知識を問う問題です。
多層パーセプトロンは、入力層と1層以上の隠れ層および出力層で構成されるニューラルネットワークです。
多層パーセプトロンにおける各ニューロンでは、前の層の各ニューロンからの入力にパラメータをかけて足し合わせ（ア）、**活性化関数**［解答9を参照］を適用して出力を生成します（イ）。このパラメータを学習することで、さまざまなタスクを解くことができます。
活性化関数として、シグモイド関数やReLU（Rectified Linear Unit）［解答9を参照］など、非線形な関数が用いられます。これにより、単純パーセプトロンでは解けなかった非線形な問題も扱うことができます。
損失関数（誤差関数）とは、教師データとモデルの予測値との差を評価した関数のことです［解答13を参照］。また、正則化項とは、モデルが過学習に陥ることを防ぐために、損失関数に追加される項のことです。パラメータの大きさにペナルティを与えるような項を加えることで、一部のパラメータの値が過大にならないようにする効果があります。
以上のことから、（ア）にパラメータ、（イ）に活性化関数が入ります（**B**）。

多層パーセプトロンの構成要素を確認しておきましょう。

正確には、パラメータとは重みとバイアスを指すことが多く、各ニューロンでは前の層からの入力に重みをかけ、バイアスを足し合わせて出力を行います。ただし、G検定では、パラメータのことを重みと表現する可能性が高いため、注意しましょう。

6. C

➡ P87

ディープラーニングにおいて必要となるデータ量について問う問題です。
ディープラーニングを含む機械学習ではさまざまなタスクを扱いますが、タスクによってデータの複雑さが異なるため、事前に必要なデータ量を正確に見積もることは一般に難しいとされています（**C**）。
ただし、ディープラーニングでは膨大な数のパラメータを最適化する必要があり、大量のデータが必要になることは間違いありません（A）。たとえば、画像認識の分野で使用されるデータセットであるImageNet［第7章 解答12を参照］は、およそ1,400万枚の画像で構成されます。このデータ数はひとつの目安にしかなりませんが、ディープラーニングがいかに大量のデータを必要とするか理解できるでしょう。
ディープラーニングの学習では、パラメータ数と同等のデータ量が必要になるとは限りません（B）。また、データ量が少ない場合は、ほかの機械学習手法を検討する方がよい場合があります（D）。

7. B

➡ P88

コンピュータの演算処理装置に関する知識を問う問題です。
コンピュータの代表的な演算処理装置として、**CPU**（Central Processing Unit）と**GPU**（Graphics Processing Unit）があります。
CPUは、コンピュータ全般に関わる作業を順に処理するための演算処理装置です（A）。一方、GPUは並列処理を得意とする演算処理装置であり、画像や動画の処理に長けています（**B**、C）。
ディープラーニングでは、大規模な行列演算が必要になります。そこで、GPUの並列処理の技術を応用し、その演算を効率化することができます。
ただし、GPUは一定の演算を並列処理することは得意ですが、条件分岐を含むなどして処理方法が異なるような演算を同時に対処することは不得意です（D）。

GPUはディープラーニングにおいて欠かせない存在です。その特徴を説明できるようにしておきましょう。

8. A

➡ P88

ディープラーニングに使用される演算処理装置に関する知識を問う問題です。
GPU(Graphics Processing Unit)は並列演算機能に長けており、主に画像処理に応用されている演算処理装置です。
GPUの並列演算機能をディープラーニングに活かせるように、画像処理以外の目的（主に行列演算）に最適化されたGPUが開発されています。それが**GPGPU**（General-Purpose computing on GPU）です（ア）。GPGPUを利用することで、ディープニューラルネットワークの学習を効率的に行うことができます（ウ）。
また、グーグルは、テンソル（行列やベクトル）の計算処理に最適化された**TPU**（Tensor Processing Unit）と呼ばれる演算処理装置を独自に開発しています（イ）。
CPU（Central Processing Unit）は大規模な並列演算を行うには不向きであり、ディープラーニングの学習では通常は使用されません。ただし、学習ができないということではありません（エ）。
以上のことから、（ア）（ウ）が適切な組み合わせです（**A**）。

ディープラーニングに使用される代表的な演算処理装置の概要を覚えておきましょう。

9. A

➡ P89

ニューラルネットワークにおける**活性化関数**と**勾配消失問題**について問う問題です。
活性化関数は、ニューラルネットワークの各ニューロンにおいて、入力を出力に変換する関数です。また、ニューラルネットワークの学習では、ネットワークの出力と教師データとの誤差を、出力層から入力層にかけてフィードバックしてパラメータを学習します。これを**誤差逆伝播法**と呼びます。
誤差逆伝播法では、その過程で活性化関数の勾配の値を必要とします。ニューラルネットワークの隠れ層（中間層）において勾配の最大値が1未満となる活性化関数を使用した場合、伝播すべき誤差の情報が入力層まで伝わらなくなりパラメータが正常に更新されにくくなります。この問題は勾配消失問題と呼ばれます。

シグモイド関数はこれまで広く使用されてきた活性化関数でしたが、勾配消失問題が発生しやすいことがわかり、昨今のニューラルネットワークの実装ではほとんど使われなくなりました（**A**）。

ReLU（Rectified Linear Unit）は、入力が負のときに0を出力し、0以上のときは入力をそのまま出力する関数です。勾配消失問題が発生しにくい関数として、広く使用されています（B）。

Leaky ReLU（Leaky Rectified Linear Unit）［解答11を参照］はReLUに少し改変を施した関数で、入力が負の場合にはその入力に0.01などの小さな値を乗じて出力します。入力が0以上の場合はReLUと同様に入力の値をそのまま出力するため、その領域で非線形な出力はしません（C）。

tanh（ハイパボリックタンジェント）関数は、シグモイド関数よりは勾配消失問題が発生しにくいですが、ReLUと比べると発生しやすいとされています（D）。

活性化関数の役割や代表的な関数について理解しておきましょう。

ReLUとLeaky ReLUは、現在も広く使用されている活性化関数ですが、タスクによって有効性が異なり、どちらがよいか一概にはいえません。実際に実験を行い、より高い精度を実現できる方を選ぶとよいでしょう。

10. D

➡ P89

隠れ層の活性化関数に求められる条件を問う問題です。

ニューラルネットワークの隠れ層における活性化関数は通常、非線形な（直線でない）関数を使用します（A、**D**）。ニューラルネットワークでは、隠れ層で非線形変換を繰り返すことで、線形分離不可能な複雑な問題を解くことができます。なお、隠れ層における活性化関数では、入力や出力に関する特段の制約はありません（B、C）。

ニューラルネットワークにおける活性化関数の役割について整理しておきましょう。

11. D

➡ P89

Leaky ReLU（Leaky Rectified Linear Unit）に関する知識を問う問題です。
通常のReLUでは、入力が0未満の場合に微分が0となり、学習が進みづらくなることがあるという問題がありました。それを解決するために、0未満の入力に対してもわずかな傾きをもつように改良した関数がLeaky ReLUです。そのため、入力が負の領域に対しても微分値が0にならず、勾配消失が生じにくいといえます（**D**）。
Leaky ReLUは、入力が0以上の場合にはReLUと同様に入力と同じ値を出力し、入力が0未満の場合には入力に定数を乗じた値を出力します。よって、入力が0未満の場合に-1を定数として出力する関数ではありません（A）。
また、Leaky ReLUは勾配消失がまったく発生しないわけではなく（B）、傾きが一定の線形関数でもありません（C）。

Leaky ReLUの特徴を覚えておきましょう。

Leaky ReLUにおける負の入力に対する傾きはハイパーパラメータ［解答29を参照］ですが、一般に0.01程度の値が使用されることが多いです。

12. C

➡ P90

ニューラルネットワークの出力層に適用する活性化関数に関する問題です。
出力層では、タスクに応じて適切に活性化関数を設定する必要があります。
回帰タスクでは、予測値をそのまま出力するため、通常は活性化関数として恒等写像関数を使用します（A）。
一方、分類タスクでは、予測値を各クラスが属する確率に変換する必要があります。この変換を実現する関数として、シグモイド関数と**ソフトマックス関数**があげられます。シグモイド関数は2クラス分類、ソフトマックス関数は多クラス分類に使用される活性化関数です。これらの関数は、分類タスクにおいて出力層で使用されます（**C**）。

また、ReLUやLeaky ReLUは通常、隠れ層で使用される活性化関数です（B、D）。

出力層で使用される活性化関数について整理しておきましょう。

恒等写像関数とは、入力と同じ値を返す関数のことです。回帰タスクでは出力値を変換する必要がないため、出力層の活性化関数として使用されます。G検定ではこの関数を指して線形関数と呼ぶ可能性があるので、注意しておきましょう。

13. A

➡ P90

損失関数（誤差関数）に関する知識を問う問題です。
機械学習モデルの予測値と教師データとの誤差を、損失関数といいます。機械学習では、訓練データを使用して損失関数を最小化するようにパラメータを更新していきます（**A**）。
差分関数、残差関数、分散関数という用語はいずれも一般的ではありません（B、C、D）。

損失関数の概要と役割を覚えておきましょう。

損失関数を誤差関数と呼ぶ場合があるため、注意しましょう。

14. B

➡ P91

タスクに応じた損失関数の選択について問う問題です。
平均二乗誤差（**MSE**：Mean Squared Error）は、回帰タスクにおける損失関数として広く使用されています（ア）。これはモデルの予測値と教師データとの差（誤差）の二乗を平均するもので、誤差が大きい場合にペナルティがより大きくなるという性質があります。

交差エントロピー（Cross-Entropy）は、分類タスクにおける損失関数として広く使用されています（イ）。モデルが出力するクラスの確率分布と真のクラスの確率分布との間の異なり具合を測る尺度で、モデルの予測確率が真のクラスからどれだけ離れているかを示します。

このほかにも、2つの確率分布の異なり具合を測る指標として、**カルバック・ライブラー情報量**（Kullback-Leibler（KL）Divergence）があります。機械学習において交差エントロピーを最小化することと、カルバック・ライブラー情報量を最小化することは等価です（ウ）。

平均絶対誤差（**MAE**：Mean Absolute Error）は、予測値と教師データの差の絶対値を平均する関数です。回帰タスクで使用され、平均二乗誤差と比較して外れ値に強いという性質があります。また、**赤池情報量基準**（AIC）は、モデルの複雑さと予測精度のバランスを取るための評価指標です。

以上のことから、（ア）に平均二乗誤差、（イ）に交差エントロピー、（ウ）にカルバック・ライブラー情報量が入ります（**B**）。

タスクに応じた代表的な損失関数について覚えておきましょう。

15. B

➡ P91

深層距離学習に用いられる損失について問う問題です。

データのペアに対し、ニューラルネットワークを用いてその類似度（距離）を学習する手法を、深層距離学習といいます。

深層距離学習では、2つ以上のデータの組みに対して、距離の情報を考慮した損失を計算します。代表的な損失として、**Contrastive Loss**[※1]と**Triplet Loss**[※2]があげられます。

以下では画像データを例に説明します。

ニューラルネットワークを用いて画像データをベクトルに変換することで、画像データ間の距離を求めることができます。このベクトルを埋め込みベクトルなどと呼びます。

Contrastive Lossは、2つのデータの組みを用いて計算される損失です（ア）。

【参考文献】
※1 S. Chopra, R. Hadsell and Y. LeCun, "Learning a similarity metric discriminatively, with application to face verification," 2005 IEEE Computer Society Conference on Computer Vision and Pattern Recognition (CVPR'05), 2005, pp. 539-546 vol. 1
※2 "Schroff, Florian, Dmitry Kalenichenko, and James Philbin. ""Facenet: A unified embedding for face recognition and clustering."" Proceedings of the IEEE conference on computer vision and pattern recognition. 2015.

この損失を用いると、同じクラス同士の組みはそれらの距離が小さくなり、異なるクラス同士の組みは距離が大きくなるように学習が進みます。画像データの場合、ペアの画像が異なるクラスに属する場合は、下図に示すm-dに基づいて損失が計算され、ペアの画像が同じクラスに属する場合は、dに基づいて損失が計算されます。この損失を用いると、異なるクラスに属するペア画像のm-dが小さくなり、同じクラスに属するペアの画像のdが小さくなるように学習が進みます。なお、mはハイパーパラメータ［解答29を参照］です。

【Contrastive Loss】

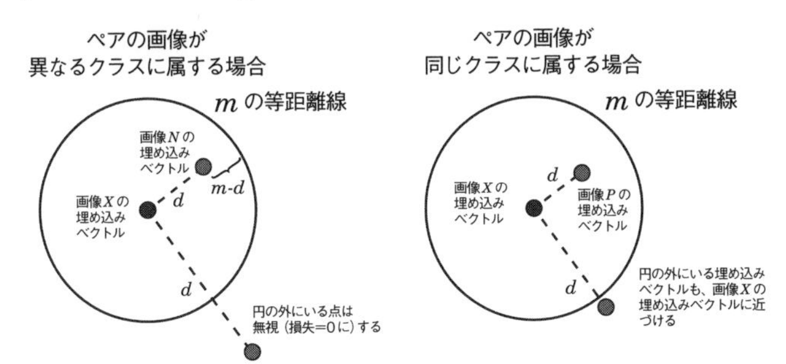

N：Xと異なるクラスの画像
P：Xと同じクラスの画像
d：画像の埋め込みベクトル間の距離
m：マージン

Triplet Lossは、3つのデータの組みを使用して計算される損失です（イ）。この損失を用いると、下図に示す$d_{\mathrm{pos}} + \alpha - d_{\mathrm{neg}}$を小さくするように学習が進みます。$d_{\mathrm{pos}} + \alpha - d_{\mathrm{neg}}$が小さいということは、画像$X$と画像$P$が近く、画像$X$と画像$N$が遠いということです。画像$P$は画像$X$と同じクラスの画像です。画像$N$は画像$X$と異なるクラスの画像です。$\alpha$はハイパーパラメータ［解答29を参照］です。

【Triplet Loss】

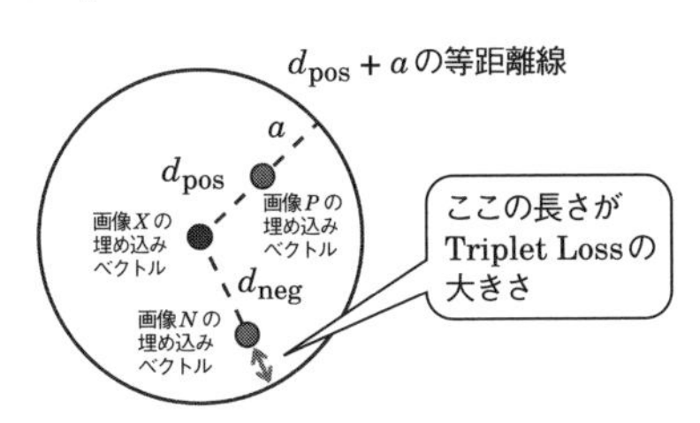

N：Xと異なるクラスの画像
P：Xと同じクラスの画像
d_{neg}：XとNの埋め込みベクトル間の距離
d_{pos}：XとPの埋め込みベクトル間の距離
a：マージンの大きさを決める定数

Controversial Loss、Dist Lossという損失は一般的ではありません。
以上のことから、(ア) にContrastive Loss、(イ) にTriplet Lossが入ります (**B**)。

タスクに応じてさまざまな損失関数を定義することができます。代表的なものを覚えておきましょう。

16. D

➡ P92

正則化に関する知識を問う問題です。
正則化は、モデルの複雑さにペナルティを与えるテクニックであり、これによりモデルが訓練データに過剰に適合すること (過学習) を防ぎます。
過学習は、訓練データに対しては高い予測性能を発揮する一方で、未知のデータに対する予測性能 (汎化性能) が低くなる現象です。したがって、正則化の主な目的は、過学習を防いで汎化性能を向上させることにあります (**D**)。
正則化の主目的は、データの外れ値の影響を小さくすることや、モデルの学習速度を上げることではありません (A、B)。さらに、正則化は、モデルに入力する特徴量を作り出すこととは関連しません (C)。正則化を応用すると特徴量の削減を行うことは可能です。

正則化について、過学習や汎化といった単語を使用して説明できるようにしておきましょう。

17. B

➡ P92

モデルのパラメータを正則化する具体的な手法について問う問題です。
正則化は、損失関数にパラメータの取り得る値を制限するような項を加えることで、過学習を抑えるテクニックです。代表的なものに、L0正則化やL1正則化、L2正則化と呼ばれる手法があります。
L0正則化は、0でない大きさを持つパラメータの総数を損失関数に加える手法です (C)。
L1正則化は、パラメータの大きさの絶対値の総和を損失関数に加える手法で (**B**)、パラメータの数を削減することによって、過学習を抑える効果があります。
L2正則化は、パラメータの大きさの2乗和を損失関数に加える手法です。パラメータの値を原点に近づけることによって、過学習を抑える効果があります(A)。パラメータの大きさをすべてかけ合わせた値を損失関数に加える手法は、正則化を行う手法として一般的ではありません（D)。

正則化を行う代表的な手法について理解しておきましょう。

18. A

➡ P92

ニューラルネットワークの学習に用いられる**ドロップアウト**に関する知識を問う問題です。
ドロップアウトは、ニューラルネットワークの訓練時にランダムにニューロンを除外する手法です（B)。訓練時、ランダムに選ばれたいくつかのニューロンの重みを0として計算します。ドロップアウトを適用することで、過学習を抑制しやすくなることが知られています（C)。
ドロップアウトでは、学習を繰り返すたびに除外されるニューロンがランダムに決定されるため、毎回異なる構造のネットワークを学習していることになります。したがって、ドロップアウトを用いた学習はアンサンブル学習とみなすことができます（D)。
なお、ドロップアウトは、学習時に訓練データを除外する手法ではありません（**A**)。

ドロップアウトは過学習を抑制する重要な手法です。その仕組みを覚えておきましょう。

19. B

➡ P93

ニューラルネットワークの学習の仕組みについて問う問題です。
勾配降下法は、目的とする関数の現在の入力値における勾配（接線の傾き）を求め、勾配を下る方向（関数の値が小さくなる方向）に入力値を補正することを繰り返して、関数の最小値を探索する手法です（ア)。
ニューラルネットワークでは、それぞれのパラメータに対して勾配降下法を適用し、パラメータの更新を繰り返すことによって学習を行います。
勾配を計算する際には、一般に**誤差逆伝播法**を使用します。誤差逆伝播法は、出力層で計算した誤差を出力層から入力層にかけて伝播させ、各パラメータの勾配を算出する手法です（イ）。誤差逆伝播法の中では、偏微分の連鎖律という性質が用いられており、パラメータの更新に必要な勾配の算出を効率的に実施することができます。
なお、方策勾配法は、強化学習において方策を直接学習する手法です。
以上のことから、（ア）に勾配降下法、（イ）に誤差逆伝播法が入ります（**B**）。

ニューラルネットワークの学習の仕組みについて説明できるようにしておきましょう。

20. A

➡ P93

ニューラルネットワークの学習時における課題について問う問題です。
誤差逆伝播法を用いてパラメータを更新する際に、ネットワークの出力層から遠ざかるにつれて勾配が小さくなり、入力層付近でパラメータが正常に更新できなくなることがあります。このような現象を**勾配消失問題**と呼びます（ア）。
一方、学習の途中で勾配が大きくなり過ぎることで、パラメータの更新幅が非常に大きくなり、学習が安定しなくなる現象を**勾配爆発問題**と呼びます（イ）。
なお、ニューラルネットワークにおいて、各ニューロンが出力を改善するために、予測結果からどのようにフィードバックを受ければよいかという問いに答えるのは簡単ではありません。このような問題を**信用割当問題**と呼びます。誤差逆伝播法は、出力層から勾配を順にフィードバックすることで、信用割当問題を解決していると考えることができます。また、勾配損失問題という名称は一般的に使用されません。
以上のことから、（ア）に勾配消失問題、（イ）に勾配爆発問題が入ります（**A**）。

ニューラルネットワークの学習における課題について整理しておきましょう。

21. B

➡ P94

確率的勾配降下法（SGD：Stochastic Gradient Descent）に関する知識を問う問題です。
勾配降下法は、勾配の計算にすべての訓練データを使用するため、訓練データ量が増えるにつれて計算量が増大するという問題があります。そこで、確率的勾配降下法が考案されました。確率的勾配降下法は、訓練データからランダムに抽出した一部のデータを使用して勾配を推定することで、学習を高速化できるアルゴリズムです（ア）。
このように、訓練データから一部のデータをランダムに抽出して学習する手法を**ミニバッチ学習**と呼びます（イ）。また、訓練データから一度に1つのデータのみを取り出して学習する手法を**オンライン学習**と呼びます。一方、勾配降下法のように、訓練データすべてを使用して学習する手法を**バッチ学習**と呼びます。
以上のことから、（ア）に一部、（イ）にミニバッチ学習が入ります（B）。

確率的勾配降下法がミニバッチ学習の一手法であることを覚えておきましょう。

22. C

➡ P94

勾配降下法の課題に関する知識を問う問題です。
鞍点は、次の図に示すように、ある次元では極小となる一方で、別のある次元では極大となる点を指します。

【鞍点】

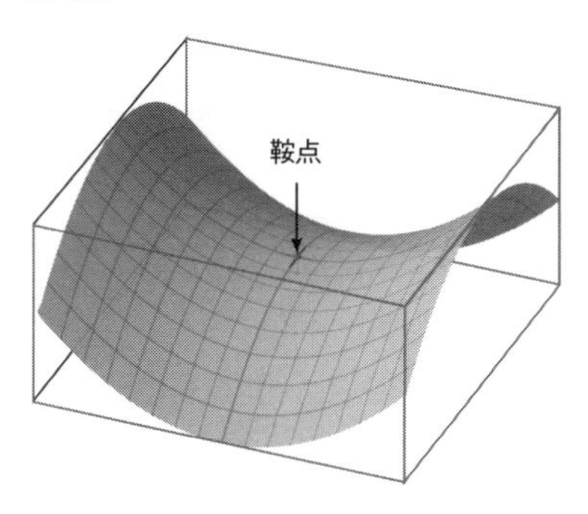

鞍点は勾配の小さな領域に囲まれていることが多いため、その周辺で学習が停滞し、パラメータがほとんど更新されなくなることがあります。
一方、**局所最適解**とは、その周辺では最小値（極小）となるものの、定義域全体を見た場合の最適解（大域最適解）ではない解のことです（A、B）。また、原点とは座標軸が交わる点を指します（D）。
以上のことから、（ア）には鞍点が入ります（C）。

勾配降下法の課題である局所最適解や鞍点について整理しておきましょう。単純な勾配降下法では、一度局所最適解や鞍点に陥ると、そこから抜け出すことは困難です。

23. C

➡ P94

勾配降下法の一手法である**モーメンタム**に関する知識を問う問題です。
モーメンタムは、勾配降下法における**学習率**を学習中に適切に調整することで、鞍点などでの学習の停滞を回避する手法です（**C**）。なお、学習率とは、勾配降下法において、求めた勾配に従ってどの程度パラメータを更新するかを決定する定数（ハイパーパラメータ［解答29を参照］）のことです。
ドロップアウト［解答18を参照］は、ニューラルネットワークの訓練時にランダムにニューロンを除外するテクニックです（A）。
確率的勾配降下法［解答21を参照］は、訓練データからランダムに抽出した一部のデータを用いて勾配を推定する手法です（B）。
早期終了［解答26を参照］は、過学習を抑制するために学習を途中で打ち切る手法です（D）。

勾配降下法の一手法であるモーメンタムの概要を覚えておきましょう。

24. A

➡ P95

勾配降下法の代表的な手法について問う問題です。
勾配降下法では、学習を効率的に進めるために工夫されたさまざまな手法が提案されています。代表的な手法として、発表の古い順に**モーメンタム**、**NAG**、**AdaGrad**、**AdaDelta**、**RMSprop**、**Adam**、**AdaBound**、**AMSBound**などがあげられます（B、C、D）。なお、AdaBoundとAMSBoundは同じ論文で提案されたものです。
なお、NAG（Nesterov's Accelerated Gradient）は1983年に提案された手法で、2011年に提案されたAdaGradよりも古典的な手法です（**A**）。

勾配降下法の代表的な手法を覚えておきましょう。

どの手法が最適かはタスクによって異なるため一概にはいえませんが、一般に新しい手法ほどよく使用される傾向があります。

25. A

➡ P95

ニューラルネットワークの学習の繰り返しに関する用語を問う問題です。
エポックは、訓練データ全体に対する学習の反復回数を表す概念です。一般に、すべての訓練データを一度ずつ使用してパラメータを更新したときに、1エポックと数えます（A）。
なお、パラメータの更新は主に確率的勾配降下法により行われるため、実際のパラメータの更新は訓練データからサンプリングした一部のデータによって行われます。このパラメータの更新の単位は**イテレーション**と呼ばれます。複数回のイテレーションによってパラメータの更新を繰り返し、すべての訓練データを一巡した段階が1エポックということになります。

ニューラルネットワークの学習を行う具体的な方法について理解しておきましょう。

26. C

➡ P95

機械学習における**早期終了**（Early Stopping）に関する知識を問う問題です。
早期終了とは、機械学習においてモデルの学習を途中で打ち切る手法です。
ニューラルネットワークにおける早期終了では、学習時のエポックごとに検証データにおける誤差を評価し、この誤差がエポックを進めても改善しなくなった時点で学習を打ち切ります（イ）。
多くの場合、エポックを進めるにつれて訓練誤差は減少し続けますが、テストデータにおける誤差（汎化誤差の推定値）は、ある時点を境に増加してしまいます。これは過学習が発生している場合に観測される現象です（ア）。早期終了は、このような過学習の予兆を察知し、学習を打ち切ることで汎化性能を向上するテクニックであるといえます。
以上のことから、（ア）に過学習、（イ）に検証データが入ります（C）。

早期終了は、ニューラルネットワークを含むさまざまな機械学習モデルに適用できる強力な手法です。覚えておきましょう。

テストデータは最終的にモデルの汎化性能を評価する際に使用するため、早期終了のために使用するのは適切ではありません。

27. D ➜ P96

二重降下現象に関する知識を問う問題です。
二重降下現象は、学習中に減少していたテストデータに対する誤差が一度増加したあと、再び減少する現象です（**D**）。
学習中に訓練データにおける誤差が減少し、テストデータにおける誤差が増加している場合、過学習が発生しているといえます。ただし、この現象は二重降下現象とは呼びません（A）。また、学習中に訓練データとテストデータにおける誤差が共に減少している現象は二重降下現象とは呼びません（B）。この場合は適切に学習が進んでいると考えられます。さらに、ニューラルネットワークの層数が増えるとネットワーク構造が複雑になり、過学習のリスクが高まりますが、この現象は二重降下現象とは呼びません（C）。

二重降下現象について理解しておきましょう。

二重降下現象は、汎化誤差を縦軸に、イテレーションやエポックを横軸にとったグラフによって表現できます。ただし、二重降下現象が最初に提案された論文では、横軸はモデルの複雑さでした。近年では、横軸にイテレーションやエポックをとって二重降下現象を議論することが増えており、本問ではこちらの定義を扱っています。G検定でも、本問の定義で二重降下現象が出題される可能性が高いため、注意しましょう。

28. C

➡ P96

ノーフリーランチ定理に関する知識を問う問題です。
ノーフリーランチ定理とは、あらゆる問題において優れた汎化性能を持つモデルは存在しないことを示す定理です（**C**）。
あるモデルが特定の問題に対して優れた性能を示したとしても、別の問題で同様に優れた性能を発揮できるとは限りません。問題に応じて適切なモデルを選択することが重要になります。
ノーフリーランチ定理は、モデルの複雑さや推論の根拠、予測誤差に関する定理ではありません（A、B、D）。

ノーフリーランチ定理の内容を理解しておきましょう。

29. B

➡ P97

ハイパーパラメータに関する知識を問う問題です。
機械学習モデルには、学習によって最適化できるパラメータと、そうでないパラメータがあります。後者のパラメータのことをハイパーパラメータといいます。
ハイパーパラメータは、モデルの構造などを決定する定数であり、学習前にあらかじめ設定するものです（**B**）。たとえば、ニューラルネットワークでは、隠れ層の数や正則化の係数などが該当します。ハイパーパラメータは通常学習によって最適化できませんが、学習の効率やモデルの性能に大きな影響を与えます。
ハイパーパラメータは、機械学習アルゴリズムそのものによって調整されるものではありません（A）。また、ハイパーパラメータはモデルが学習可能なパラメータではありません（C）。さらに、ハイパーパラメータはモデルの性能に大きな影響を与えます（D）。

ハイパーパラメータと学習可能なパラメータを区別できるようにしておきましょう。

30. B ➜ P97

ハイパーパラメータの探索手法について問う問題です。

ハイパーパラメータは一般的に学習によって最適化できないため、パラメータの候補に対して学習と汎化誤差の評価を繰り返すことで、最適な組み合わせを探索します。この過程は**チューニング**とも呼ばれます。

ハイパーパラメータをチューニングする代表的な手法として、**グリッドサーチ**と**ランダムサーチ**があげられます。

グリッドサーチは、指定されたハイパーパラメータの候補について、すべての組み合わせを網羅的に探索する手法です（**B**）。

ランダムサーチは、ハイパーパラメータの候補からランダムに選択して探索する手法です（A）。グリッドサーチよりも少ない回数で最適な組み合わせを見つけられる場合がありますが、すべての組み合わせを探索するわけではないため、最適な組み合わせが見つかるとは限りません。

グリッドサーチは、その時点までの探索結果を利用する探索手法ではありません（C）。

突然変異や世代交代といった概念を用いる手法として遺伝的アルゴリズムがありますが、グリッドサーチとは関連しません（D）。

モデルの構造やハイパーパラメータへの理解が深い場合、問題やデータの特性に応じて手動で調整するのが有効な場合もあります。

第5章

ディープラーニングの要素技術

- ■ 全結合層
- ■ 畳み込み層
- ■ プーリング層
- ■ 正規化層
- ■ スキップ結合
- ■ 回帰結合層
- ■ Attention（注意機構）
- ■ オートエンコーダ
- ■ データ拡張

□ **1**. 一般的な畳み込みニューラルネットワーク（CNN：Convolutional Neural Network）は、画像などから多次元の特徴マップを抽出し、その特徴マップを1次元に変換したのち、後続の層で出力ノード数の次元を持つベクトルへの変換を行う。このように、ある長さの1次元配列を出力ノード数の次元を持つベクトルに変換する処理を行う層の名称として、最も適切なものを選べ。

A. 畳み込み層
B. プーリング層
C. 全結合層
D. 疎結合層

➡ P130

□ **2**. 以下の文章を読み、空欄（ア）～（ウ）に入る語句として最も適切な組み合わせを選べ。

畳み込みニューラルネットワーク（CNN）では、一般に（　ア　）層と（　イ　）層が使用される。（　ア　）層では、フィルタを利用して（　ア　）操作を行い、次の層への入力データに対して特徴抽出を行う。フィルタ中の数値は学習によって最適な値を求める。一方、（　イ　）層では窓を移動させながら、その窓内の平均値や最大値を出力することで、次の層への入力データのサイズを小さくする。（　イ　）層を用いることで、ネットワークへの入力データに対する（　ウ　）を獲得できる。

A.	（ア）プーリング	（イ）畳み込み	（ウ）位置不変性
B.	（ア）畳み込み	（イ）プーリング	（ウ）位置不変性
C.	（ア）プーリング	（イ）畳み込み	（ウ）定常性
D.	（ア）畳み込み	（イ）プーリング	（ウ）定常性

➡ P130

☐ **3.** **畳み込み操作に関する以下の文章を読み、空欄（ア）～（ウ）に入る語句として最も適切な組み合わせを選べ。**

（　ア　）は、ある層への入力データの周囲を適当な数値で埋める処理である。必要に応じてある層への入力データに（　ア　）を行ったあと、（　イ　）を一定間隔でスライドさせながら畳み込みを行う。この間隔のことを（　ウ　）という。

A.　（ア）パディング　（イ）フィルタ　（ウ）ストライド
B.　（ア）プーリング　（イ）フィルタ　（ウ）ストライド
C.　（ア）パディング　（イ）ストライド　（ウ）エポック
D.　（ア）プーリング　（イ）ストライド　（ウ）エポック

➡ P132

☐ **4.** **畳み込み層やプーリング層の特徴に関する説明として、最も不適切なものを選べ。**

A.　畳み込み層は、同じノード数間の全結合層と比較してパラメータ数が少なく、疎結合である
B.　プーリング層は、入力されたデータを集約する層であり、この層をネットワークに配置することで、計算が効率化される
C.　プーリング層は、入力のサイズが可変であっても、窓の大きさを変えることで、出力の大きさを一定に保つことができる
D.　畳み込み層やプーリング層を持つネットワークは、画像データのみをネットワークの入力として扱うことができる

➡ P132

□ **5.** 畳み込みニューラルネットワーク（CNN）における平均値プーリングの演算について、次の図で（　ア　）と（　イ　）に入る数値として最も適切な組み合わせを選べ。ただし、プーリングを行う領域は2×2でストライドは2とする。

【平均値プーリングの演算】

3	4	1	1
1	4	0	2
0	2	5	0
6	0	0	3

➡

(ア)	1
2	(イ)

A.　(ア)4　(イ)0
B.　(ア)3　(イ)2
C.　(ア)1　(イ)3
D.　(ア)4　(イ)5

➡ P133

□ **6.** 畳み込みニューラルネットワーク（CNN）において、畳み込み層やプーリング層の出力を特徴マップと呼ぶ。この特徴マップの各チャンネルに対し、全体の平均値を1つの値にするプーリング手法がある。この手法の名称として最も適切なものを選べ。

A.　グローバルアベレージプーリング
B.　ローカルアベレージプーリング
C.　トータルアベレージプーリング
D.　ディープアベレージプーリング

➡ P134

□ **7.** ニューラルネットワークで使用されるバッチ正規化に関する説明として、最も適切なものを選べ。

A. バッチ正規化は、学習前に訓練データ全体を正規化する手法である
B. バッチ正規化は、前層の出力を正規化する手法である
C. バッチ正規化は、ネットワークのパラメータの初期値を適切に決定する手法である
D. バッチ正規化は、ネットワークの最終層の出力を正規化する手法である

➡ P134

□ **8.** 畳み込みニューラルネットワーク（CNN）において、前層の出力に対して、ミニバッチ内のデータごとに特徴マップのすべてのチャンネルを用いて統計量を推定し、正規化する手法がある。この手法の名称として、最も適切なものを選べ。

A. バッチ正規化
B. レイヤー正規化
C. インスタンス正規化
D. グループ正規化

➡ P135

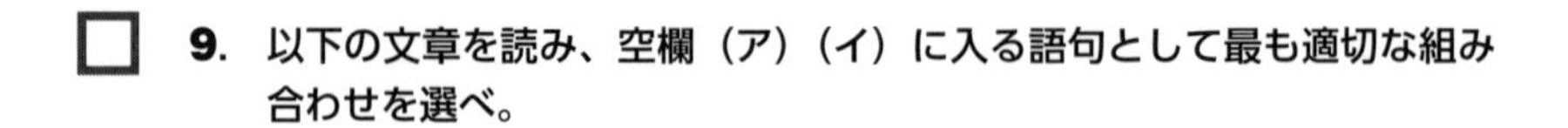

9. 以下の文章を読み、空欄（ア）（イ）に入る語句として最も適切な組み合わせを選べ。

ディープニューラルネットワークにおいて、層を追加すると、勾配消失問題とパラメータ数増加に伴う計算時間の増加が生じる。ResNet（Residual Network）では（　ア　）結合と（　イ　）構造を用いることで、この2つの問題をそれぞれ解決し、152層などの深いネットワーク構造の学習を可能とした。（　ア　）結合は、層を飛び越えた結合のことであり、出力層で計算された誤差が入力層側まで伝播しやすくなる効果がある。（　イ　）構造は、ある畳み込み層を、それより小さいフィルタサイズを持つ畳み込み層で挟み込んだ構造であり、大きなフィルタサイズを持つ畳み込み層に入力される特徴マップのチャンネル数を削減することで、計算の効率化を実現した。

A.　（ア）ワープ　（イ）ワイド
B.　（ア）ワープ　（イ）ボトルネック
C.　（ア）スキップ　（イ）ワイド
D.　（ア）スキップ　（イ）ボトルネック

➡ P136

10. 以下の文章を読み、空欄（ア）（イ）に入る語句として最も適切な組み合わせを選べ。

ニューラルネットワークにおける（　ア　）結合層は、時間ステップに応じた再帰的な結合を持つ層である。（　ア　）結合層をもち、言語データや時系列データを効果的に扱うことのできるニューラルネットワークを、リカレントニューラルネットワーク（RNN：Recurrent Neural Network）と呼ぶ。RNNにおいて勾配を計算する際は、時間軸に沿って誤差を伝播させる（　イ　）を使用する。

A.　（ア）反復　（イ）BackPropagation Through Time
B.　（ア）反復　（イ）Sequence-to-Sequence
C.　（ア）回帰　（イ）BackPropagation Through Time
D.　（ア）回帰　（イ）Sequence-to-Sequence

➡ P136

☐ **11.** 以下の (ア) ～ (エ) のうち､リカレントニューラルネットワーク (RNN) の構造を持つネットワークとして適切な組み合わせを選べ。

(ア) Transformer
(イ) ジョルダンネットワーク
(ウ) エルマンネットワーク
(エ) LSTM (Long Short-Term Memory)

A. (ア) (イ) (ウ)
B. (イ) (ウ) (エ)
C. (ア) (ウ) (エ)
D. すべて適切

➡ P137

☐ **12.** 以下の文章を読み、空欄 (ア) ～ (ウ) に入る語句として最も適切な組み合わせを選べ。

LSTM (Long Short-Term Memory) は、LSTMブロックと呼ばれる構造を採用することで、系列データの学習を効果的に行えるようにしたリカレントニューラルネットワーク (RNN) である。LSTMブロックは (ア) と (イ) によって構成される。また、LSTMの (イ) を簡略化したネットワークとして (ウ) がある。

A. (ア) GRU (Gated Recurrent Unit)
(イ) ゲート機構
(ウ) CEC (Constant Error Carousel)

B. (ア) CEC (Constant Error Carousel)
(イ) ゲート機構
(ウ) GRU (Gated Recurrent Unit)

C. (ア) GRU (Gated Recurrent Unit)
(イ) ボトルネック構造
(ウ) CEC (Constant Error Carousel)

D. (ア) CEC (Constant Error Carousel)
(イ) ボトルネック構造
(ウ) GRU (Gated Recurrent Unit)

➡ P138

☐ **13.** 過去から未来の方向だけでなく、未来から過去の方向についても考慮して学習を行うことができるリカレントニューラルネットワーク（RNN）の構造の名称として、最も適切なものを選べ。

A. 多方向RNN
B. 二方向RNN
C. 逆方向RNN
D. 双方向RNN

➡ P138

☐ **14.** リカレントニューラルネットワーク（RNN）のひとつであるSeq2Seq（Sequence-to-Sequence）に関する説明として、最も不適切なものを選べ。

A. Seq2Seqのエンコーダは、RNNによって構成される
B. Seq2Seqのエンコーダは、入力データを処理し符号化を行う
C. Seq2Seqのデコーダは、回帰結合層をもたない通常のニューラルネットワークで構成される
D. Seq2Seqのデコーダは、可変長の出力を扱うことができる

➡ P139

☐ **15.** リカレントニューラルネットワーク（RNN）における教師強制に関する説明として、最も適切なものを選べ。

A. 教師強制は、前の時刻の出力に対応する教師データを現在時刻の入力として使用する手法である
B. 教師強制は、教師なしデータをRNNで扱うための手法である
C. 教師強制は、過去の時刻のデータだけでなく、未来の時刻のデータも同時に考慮して学習を行う手法である
D. 教師強制とは、入力データと教師データの系列長が異なる場合に、その長さを揃える手法である

➡ P140

□ **16.** 自然言語処理に利用されるニューラルネットワークであるTransformerは、Attentionと呼ばれる機構を採用している。このAttentionに関する以下の説明を読み、空欄（ア）（イ）に入る語句として最も適切な組み合わせを選べ。

（　ア　）は、文章内の単語間の関連性を捉えることを目的とした機構である。Transformerのエンコーダおよびデコーダでは、（　ア　）が並列に複数設置されている。この機構は（　イ　）と呼ばれる。

A.　（ア）Self-Attention
　　（イ）Source-Target Attention
B.　（ア）Self-Attention
　　（イ）Multi-Head Attention
C.　（ア）Encoder-Decoder Attention
　　（イ）Source-Target Attention
D.　（ア）Encoder-Decoder Attention
　　（イ）Multi-Head Attention

➡ P141

□ **17.** 自然言語処理に利用されるニューラルネットワークであるTransformerは、query、key、valueという記号を使用して計算を行う。query、key、valueに関する説明として、最も適切なものを選べ。

A.　query、key、valueは、Self-Attentionの機構内で計算される
B.　queryはエンコーダの入力を、keyはエンコーダの出力を、valueはデコーダの入力を指す
C.　query、key、valueは、デコーダの出力層において出力を計算する際に使用される
D.　query、key、valueは、単語の位置情報を得るための位置エンコーディングの計算に使用される

➡ P141

☐ **18.** **Transformerは、自然言語処理に利用されるニューラルネットワークである。Transformerと従来のAttentionを使用しないSeq2Seq（Sequence-to-Sequence）を比較した説明として、最も不適切なものを選べ。**

A. TransformerのエンコーダはSeq2Seqのエンコーダと比べてGPUによる計算効率が高い

B. Transformerは、出力を行う際には従来のSeq2Seqと同様に、逐次的な処理を行う

C. Transformerは、従来のSeq2Seqと比べてより長い系列間の関係を捉えやすい

D. Transformerは、従来のSeq2Seqとは異なり、可変長の出力を扱うことができる

➡ P142

☐ **19.** **オートエンコーダは、エンコーダとデコーダで構成されるニューラルネットワークのアーキテクチャである。オートエンコーダのエンコーダによって入力データのある特徴を抽出することを考えた場合、エンコーダの最終層におけるノード数の設定方法として、最も適切なものを選べ。**

A. エンコーダの最終層のノード数は、デコーダの最終層のノード数と同じになるように設計する

B. エンコーダの最終層のノード数は、エンコーダの入力層のノード数と同じになるように設計する

C. エンコーダの最終層のノード数は、エンコーダの入力層のノード数より大きくなるように設計する

D. エンコーダの最終層のノード数は、エンコーダの入力層のノード数より小さくなるように設計する

➡ P142

□ **20**. ディープラーニングに関する以下の文章を読み、空欄（ア）（イ）に入る語句として最も適切な組み合わせを選べ。

（　ア　）は、目的とするタスクに関する学習を行う前に、あらかじめ別のタスクに関する学習を行う手法である。ニューラルネットワークにおいて（　ア　）を行う手法として、（　イ　）がある。（　イ　）は、入力層から逐次的に層を重ね、それぞれの層を順にオートエンコーダの仕組みを用いて学習することで、深いネットワークを構築する手法である。

A.　（ア）事前学習　（イ）変分オートエンコーダ
B.　（ア）事前学習　（イ）積層オートエンコーダ
C.　（ア）教師強制　（イ）変分オートエンコーダ
D.　（ア）教師強制　（イ）積層オートエンコーダ

➡ P143

□ **21**. 変分オートエンコーダ（VAE：Variational AutoEncoder）に関する説明として、最も不適切なものを選べ。

A.　VAEは、エンコーダとデコーダの2つのネットワークで構成される
B.　VAEでは、学習後にデータを生成する際はエンコーダのみを使用する
C.　VAEでは、学習が完了すると、入力データが確率分布上で表現されるようになる
D.　VAEは、生成ネットワークの一種であり、画像生成などのタスクに利用される

➡ P144

□ **22.** 以下の(ア)～(エ)のうち、変分オートエンコーダ(VAE)を応用したネットワークとして適切なものの組み合わせを選べ。

(ア) β-VAE　(イ) VAE/GAN　(ウ) InfoVAE　(エ) VQ-VAE

A. (ア) (イ) (ウ)
B. (イ) (ウ) (エ)
C. (ア) (ウ) (エ)
D. すべて適切

➡ P144

□ **23.** 機械学習では、汎化性能の向上を目的として、訓練データを加工してデータ量を増やすことがある。これをデータ拡張と呼ぶ。テキストデータに適用されるデータ拡張手法に関する説明として、最も不適切なものを選べ。

A. Paraphrasingは、単語を別の類似した単語で置き換える手法である
B. Noisingは、単語の入れ替え、削除、挿入、置換などをランダムに行う手法である
C. Samplingは、テキストデータの分布を推定し、新しいデータのサンプリングを行う手法である
D. Rotationは、ある文章の一部を別の文章に結合する手法である

➡ P145

□ **24.** 画像を反転させることでデータ拡張を行う手法の名称として、最も適切なものを選べ。

A. Random Erasing
B. Cutout
C. Random Flip
D. Random Crop

➡ P145

□ **25.** 以下の文章を読み、空欄（ア）（イ）に入る語句として最も適切な組み合わせを選べ。

2019年にグーグル社によって発表されたRandAugmentは、学習時に適用するデータ拡張手法を決定する戦略のひとつである。この手法では、ミニバッチごとに、適用するデータ拡張手法の候補から（　ア　）個数の手法を無作為に抽出し、（　イ　）強さでデータ拡張を行う。

A.　（ア）ランダムな　（イ）ランダムな
B.　（ア）ランダムな　（イ）一定の
C.　（ア）一定の　（イ）ランダムな
D.　（ア）一定の　（イ）一定の

➡ P146

第5章　ディープラーニングの要素技術
解　答

1. C

➡ P118

畳み込みニューラルネットワーク（CNN：Convolutional Neural Network）における**全結合層**について問う問題です。
CNNは、画像データなどを扱うニューラルネットワークです。通常のニューラルネットワーク（多層パーセプトロン）は、すべてのユニット同士を各層で連結させる全結合層のみで構成されます。多層パーセプトロンで画像を扱う場合、画像を1次元の配列に変換してから入力する必要があり、画像の位置情報が失われてしまいます。これに対してCNNでは、畳み込み層やプーリング層を導入することで、形状を保ったまま画像を入力することができます。
畳み込み層やプーリング層［解答2を参照］などによって抽出される数値表現を**特徴マップ**といいます。これらの層は、画像データのような多次元の入力をそのまま扱うため、特徴マップもまた多次元になります。CNNでは、この特徴マップを1次元配列に変換し、全結合層に入力して処理することで、最終的な予測値を出力します（C）。
畳み込み層やプーリング層は、画像データなどの多次元の入力を受け取って処理を行います（A、B）。また、疎結合層という用語は一般的に使用されません（D）。

全結合層の役割を覚えておきましょう。

2. B

➡ P118

CNNにおける**畳み込み層**と**プーリング層**の概要について問う問題です。
CNNは、主に畳み込み層とプーリング層を用いて構成されます。畳み込み層では、層への入力データに対してフィルタ（カーネル）を適用し、畳み込み操作（Convolution）［解答3を参照］を行います（ア）。フィルタとは、入力データに重ねるためのパラメータの集合のことを指します。入力が画像なら、フィルタは小さい画像であると考えればよいでしょう。畳み込み操作とは、フィルタをある層への入力データの領域に対して順に重ね合わせ、対応する入力とフィルタの値をかけ合わせて総和を取る処理のことです。

【畳み込み操作の例】

入力データ

1	2	3	0
0	1	2	3
3	0	1	2
2	3	0	1

×

フィルタ

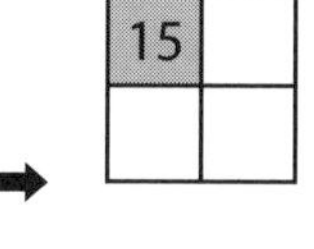

2	0	1
0	1	2
1	0	2

➡

15	

フィルタ中の各数値は学習可能なパラメータで構成されており、入力データからどのように特徴を抽出すればよいかを学習することができます。
一方、プーリング層では小領域（窓）を設定し、層への入力データに対して順に窓内のデータを小さくします（イ）。そうした方法には、窓内で最大値を取る**最大値プーリング**（Max Pooling）や、平均値を取る**平均値プーリング**（Average Pooling）などがあります［解答5を参照］。プーリング層は学習可能なパラメータをもちません。

【最大値プーリングの例】

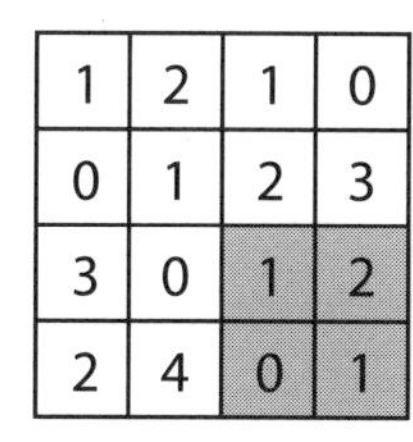

1	2	1	0
0	1	2	3
3	0	1	2
2	4	0	1

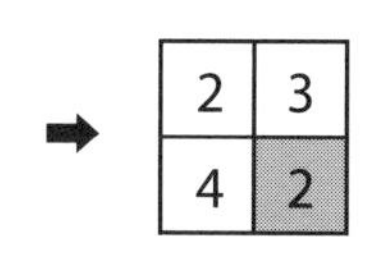

2	3
4	2

プーリング層を用いることで、入力データに対する位置不変性を獲得することができます（ウ）。たとえば、画像内に写っている猫の位置が変わっても人間は変わらず猫を認識できますが、通常の多層パーセプトロンでは、これをまったく異なるデータとして扱ってしまいます。畳み込み層やプーリング層による処理は位置のズレに対して頑健で、このような画像データの性質をうまく扱うことができます。
以上のことから、（ア）に畳み込み、（イ）にプーリング、（ウ）に位置不変性が入ります（B）。

試験対策

畳み込み層とプーリング層の役割や処理方法の概要を理解しましょう。また、フィルタのことをカーネルと呼ぶ場合もあります。どちらで問われても答えられるようにしておきましょう。

G検定では、位置不変性のことを移動不変性と呼ぶ場合がありますので、注意しましょう。また、定常性は主に時系列データに用いられる概念で、時刻によって確率変数の分布が変動しないことを指す性質です。

3. A

➡ P119

畳み込み操作の具体的な手順について問う問題です。
畳み込みでは、ある層への入力データに対してフィルタを一定間隔でスライドさせながら演算を行っていきます（イ）。このフィルタの適用間隔を**ストライド**と呼びます（ウ）。
また、畳み込みでは、フィルタとストライドの大きさに応じて出力のサイズが小さくなります。そこで、ある層への入力データの周囲を0などの値で埋め、出力のサイズが小さくならないように調整する場合があります。この操作を**パディング**と呼びます（ア）。
プーリングは、ある層への入力データを決められたルールに従って圧縮し、サイズを小さくする処理です。また、エポックはニューラルネットワークにおける学習の反復を表す単位です。
以上のことから、（ア）にパディング、（イ）にフィルタ、（ウ）にストライドが入ります（**A**）。

畳み込み操作の具体的な手順と、登場する用語を覚えておきましょう。

4. D

➡ P119

畳み込み層やプーリング層の特徴に関する知識を問う問題です。
畳み込み層は一般的に、少数の学習可能なパラメータで構成され、ある層への入力データ全体に対して同じパラメータの組み合わせを使用し、繰り返し畳み込み演算を行います。このため、同じノード数間の全結合層と比較すると各ニューロン同士の結合が疎であり、効率的に学習を行うことができます（A）。
プーリング層は、入力データを領域ごとに小さくすることで特徴集約を行うことができ、以降の層の計算を効率化できます。なお、これは特徴マップの次元を削減していると考えることもできます（B）。
プーリングは、可変サイズの入力データを扱う上で重要です。通常、CNNは出力層付近に全結合層を配置しますが、全結合層では層への入力データの次元を揃える必要があります。これに対してプーリングでは、窓の大きさを変えることで出力の大きさを一定に保つことができるため、特徴マップを適切に全結合層に接続することができます（C）。
畳み込み層やプーリング層は、画像以外にも時系列データなどに適用することができます（D）。

畳み込み層、プーリング層の特徴をその構造から説明できるようにしておきましょう。

一般に、時系列データなど1次元のデータに畳み込みを適用する場合は、フィルタも1次元にします。

5. B

➡ P120

平均値プーリングの計算方法を問う問題です。
平均値プーリングはプーリングの一手法です。窓内の数値を平均して1つの値を出力する処理を入力データ全体に順に適用し、特徴集約を行います。
ストライドは、畳み込みやプーリングを順に適用する際のフィルタや窓の移動幅を指します。本設問では、2×2の領域をストライド2で4×4のデータに適用するため、全部で4カ所の集約を行い、結果として出力は2×2となります。
出力の（ア）の部分は、入力データの左上の4マスの平均値で求められ、(3+4+1+4)/4=3となります。
出力の（イ）の部分は、入力データの右下の4マスの平均値で求められ、(5+0+0+3)/4=2となります。
以上のことから、（ア）に3、（イ）に2が入ります（B）。

ストライドを考慮した畳み込みやプーリングの計算ができるようにしておきましょう。

6. A

➡ P120

グローバルアベレージプーリング（GAP：Global Average Pooling）についての理解を問う問題です。

LeNet［第6章 解答1を参照］などの従来のCNNでは、畳み込み層などで抽出した特徴マップを1次元に変換し、全結合層に入力することで出力値を得ていました。一方で最近のCNNでは、グローバルアベレージプーリングと呼ばれる手法を使用することが多くなっています。

画像を扱うCNNでは、特徴マップは通常、3次元のデータで表現されます。縦横のサイズが同じ画像が、複数枚重なっているような状態をイメージするとわかりやすいでしょう。**チャンネル**は、このような画像方向の軸を表す概念です。

グローバルアベレージプーリングは、各チャンネルについて全体の平均を1つのニューロンの値とする手法です。たとえば、分類問題において、前段の層までに生成されるチャンネル数をクラス数と同じになるよう設計すれば、グローバルアベレージプーリングで全結合層を使用せずに、直接各クラスの確率を出力できます。こうすることでパラメータ数を大幅に削減でき、過学習を抑制できるといわれています（**A**）。

ローカルアベレージプーリングやトータルアベレージプーリング、ディープアベレージプーリングといった呼称は、いずれも一般的に使用されません（B、C、D）。

グローバルアベレージプーリングの仕組みを理解しておきましょう。

7. B

➡ P121

バッチ正規化に関する知識を問う問題です。

バッチ正規化は、ニューラルネットワークのある層への入力を正規化する手法のひとつです。ニューラルネットワークの学習において、各層に伝播するデータの分布を考慮することは重要です。そのため、訓練データ全体をあらかじめ正規化する手法がありますが、特に深いネットワークでは、層を伝播するにつれてデータの分布が崩れる傾向があります。そこで、層への入力自体を正規化することにより、この問題を回避することができます。

このような手法の代表例にバッチ正規化があります。バッチ正規化は、ミニバッチ（訓練データからサンプリングされた少数のデータ）内のすべてのデータを使用して、前層の出力をチャンネルごとに正規化する手法です（**B**）。

バッチ正規化を利用することで、より深いネットワークを学習しやすくなるほか、過学習を抑制しやすくなるといわれています。
学習前に訓練データ全体を正規化することがありますが、これはバッチ正規化の手続きではありません（A）。
各層に伝播する分布を調整するために、学習前のネットワークにおいてパラメータの初期値を工夫する手法がいくつか考案されていますが、これはバッチ正規化の手続きではありません（C）。また、バッチ正規化はネットワークの最終層の出力を正規化する手法ではありません（D）。

バッチ正規化の仕組みや特徴、目的について整理しておきましょう。

8. B

➡ P121

バッチ正規化の派生手法に関する知識を問う問題です。
バッチ正規化は、ミニバッチ内のすべてのデータを使用して、チャンネルごとに正規化を行う手法です（A）。バッチ正規化ではミニバッチ内のデータから平均と分散を推定して正規化を行うため、バッチサイズ（ミニバッチ内のデータ数）が小さい場合は学習に悪影響を及ぼすことがあります。そこで、バッチサイズに影響されないような正規化手法がいくつか提案されています。**レイヤー正規化**は、前層の出力に対して、ミニバッチ内のデータごとに正規化を行う手法です（**B**）。
また、**インスタンス正規化**は、チャンネルごと、データごとに正規化を行う手法です（C）。さらに、**グループ正規化**※1は、チャンネルをいくつかのグループに分割し、グループ内のチャンネルを使用してデータごとに正規化を行う手法です。これはインスタンス正規化とレイヤー正規化の両方の利点を取り入れた手法であるといえます（D）。

バッチ正規化の派生手法について整理しておきましょう。どのデータを用いて正規化を行うかが重要です。

【参考文献】
※1　Yuxin Wu, Kaiming He, "Group Normalization" arXiv preprint arXiv:1803.08494 (2018)

9. D ➡ P122

スキップ結合および**ResNet**（Residual Network）の構造についての理解を問う問題です。

通常のニューラルネットワークでは、誤差逆伝播法によって出力層から逐次的に情報を処理し、パラメータを更新していきます。特に深いネットワークでは、この過程で勾配消失問題が発生しやすいですが、これを解消する手法としてスキップ結合（Skip Connection）があります。

スキップ結合は、ネットワーク内の層間を飛び越えた結合を行うことで、出力層で計算された誤差が入力層側まで伝播しやすくなる手法です（ア）。

ResNetは、スキップ結合を導入した代表的なネットワークです。ResNetではスキップ結合に加えて、計算時間の効率化を行うために**ボトルネック構造**を組み入れることで、勾配消失問題と計算時間の問題をそれぞれ解決し、50層や152層などの深いネットワーク構造の学習を可能にしています（イ）。ボトルネック構造は、ある畳み込み層を、それより小さいフィルタサイズを持つ畳み込み層で挟み込んだ構造であり、大きなフィルタサイズを持つ畳み込み層に入力される特徴マップのチャンネル数を削減することで、計算の効率化を実現します。ResNetでは、3×3のフィルタを持つ畳み込み層を、1×1のフィルタを持つ畳み込み層で挟み込む構造を採用しています。

以上のことから、（ア）にスキップ、（イ）にボトルネックが入ります（D）。

スキップ結合とResNetの特徴について理解しておきましょう。

10. C ➡ P122

リカレントニューラルネットワーク（RNN：Recurrent Neural Network）に関する基礎的な知識を問う問題です。

RNNは、回帰結合層と呼ばれる再帰的な構造の隠れ層を持つネットワークで、主に言語データや時系列データなどの系列データの処理に使用されます（ア）。RNNは系列データを順に入力することができ、回帰結合層によって過去時点の隠れ層の状態を現時点に引き継ぐことが可能です。このような構造を利用することで、時間依存性のある一連のデータをうまく処理することができます。

RNNでは、時間軸に沿って過去に遡りながら誤差を伝播させることで学習を行います。これをBackPropagation Through Time（BPTT）と呼びます（イ）。

以上のことから、（ア）に回帰、（イ）にBackPropagation Through Timeが入ります（C）。

RNNの基本的な構造と特徴、学習方法を理解しておきましょう。

回帰結合層は再帰結合層と呼ばれることもあります。また、Recurrentをカナにしてリカレント層と呼ばれることもあります。

11. B

➡ P123

RNNの構造を持つ具体的なネットワークに関する知識を問う問題です。
Transformerは系列データを扱うことのできるニューラルネットワークですが、回帰結合層を有しておらず、RNNの構造はもちません［解答16を参照］（ア）。
エルマンネットワークは、1990年に発表されたシンプルな構造を持つ初期のRNNです。隠れ層の出力をコンテキスト層（Context Layer）と呼ばれる層に1対1で対応させ、これを隠れ層に再帰的に接続します（ウ）。
ジョルダンネットワークはエルマンネットワークと類似したRNNで、隠れ層の出力の代わりに出力層の値を隠れ層に接続する構造をもちます（イ）。
LSTM［解答12を参照］は、ゲート機構などを有するLSTMブロックを導入したRNNであり、現在も広く使われるネットワークです（エ）。
以上のことから、（イ）（ウ）（エ）が適切な組み合わせです（**B**）。

RNNの構造を持つ具体的なネットワークの名称と概要を覚えておきましょう。

12. B

➡ P123

LSTM（Long Short-Term Memory）※2や**GRU**（Gated Recurrent Unit）※3の構造に関する知識を問う問題です。

LSTMは、系列データの学習を効果的に行えるように従来のRNNを改良したネットワークです。LSTMブロックと呼ばれる構造を採用しており、ネットワーク内に系列データの情報をうまく保持することができます。

LSTMブロックは、**CEC**（Constant Error Carousel）とゲート機構を有するのが特徴です。CECは長期的な情報を蓄えておくための機構です（ア、イ）。一方、ゲート機構は入力ゲートと出力ゲート、忘却ゲートで構成され、必要な情報を適切なタイミングで保持または消去します。

LSTMは計算量が大きく、学習に時間を要します。そこで、LSTMのゲート機構を簡略化したGRUと呼ばれるネットワークが考案されています（ウ）。GRUのゲート機構はリセットゲートと更新ゲートで構成され、LSTMと比較して効率的に計算を行うことができます。

また、ボトルネック構造はResNetなどで使用されるボトルネック型の構造であり、通常はLSTMには使用されません。

以上のことから、(ア) にCEC、(イ) にゲート機構、(ウ) にGRUが入ります (**B**)。

LSTMやGRUの構造を説明できるようにしておきましょう。

13. D

➡ P124

双方向RNN（Bidirectional RNN）に関する知識を問う問題です。

通常、RNNは過去から未来への一方向の依存性のみを学習しますが、2つのRNNを組み合わせることで、未来から過去への方向の依存性も同時に学習することができるようになります。このようなネットワークを双方向RNNと呼びます。特に自然言語処理で文章を扱う場合などでは、次以降のデータ（単語）も参照できた方が良い場合があります。そのような場合に双方向RNNは効果的です（**D**）。

多方向RNN、二方向RNN、逆方向RNNといった呼称はいずれも一般的ではありません（A、B、C）。

【参考文献】

※2 Hochreiter, Sepp, and Jürgen Schmidhuber. "Long short-term memory." Neural computation 9.8 (1997): 1735-1780.

※3 Cho, Kyunghyun, et al. "On the properties of neural machine translation: Encoder-decoder approaches." arXiv preprint arXiv:1409.1259 (2014).

双方向RNNの構造を次の図に示します。xは入力、yはネットワークの出力、hは隠れ層の出力、tは時刻を表します。

【双方向RNNの構造】

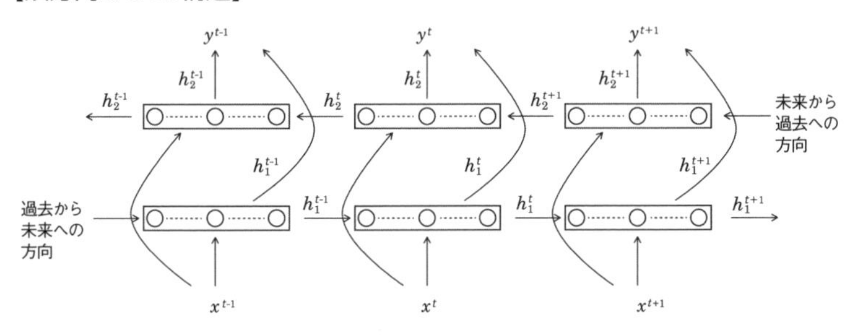

双方向RNNの特徴や利点を理解しておきましょう。

14. C

➡ P124

Seq2Seq（Sequence-to-Sequence）の仕組みについて問う問題です。
一般的なRNNは、固定長の系列を出力することができます。しかし、たとえば翻訳タスクなどのように、入力と出力の長さが異なるような系列を扱いたい場合がしばしばあります。このような問題を扱うことのできるRNNとして、Seq2Seqがあげられます（A）。
Seq2Seqは、次の図のように、**エンコーダ**（encoder）と**デコーダ**（decoder）と呼ばれる2つのネットワークを組み合わせることで、入力と出力の長さが異なるタスクを扱います。なお、図中の<EOS>は文章の終了を表します。

【Seq2Seqの仕組み】

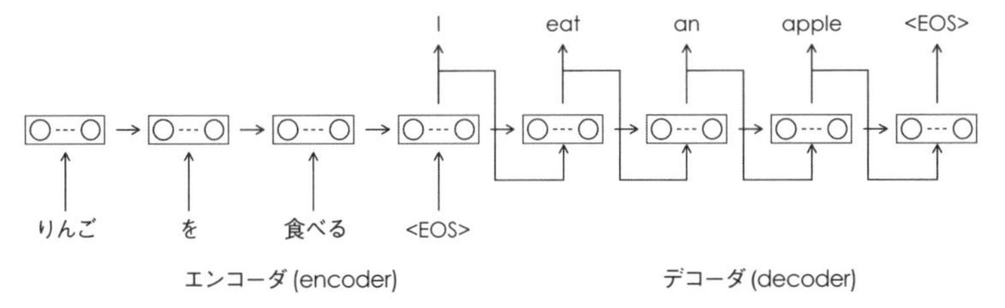

エンコーダは入力系列の符号化（エンコード）を行い（B）、デコーダはエンコーダが符号化した情報を使用して復号化（デコード）を行います。エンコーダ

とデコーダがともに回帰結合層を持つことで、Seq2Seqは系列の入出力を行うことができます。また、Seq2SeqのデコーダはRNNによって構成され（**C**）、可変長の出力を扱うことができます（D）。

試験対策

Seq2Seqの仕組みや特徴について理解しておきましょう。

15. A

➡ P124

教師強制に関する知識を問う問題です。

教師強制は、RNNの学習時に一時刻前の出力に対応する教師データを、現時刻の入力として使用する手法です（**A**）。教師強制によって、RNNの出力系列を教師データの系列に近づける効果があります。たとえば、Seq2Seqで機械翻訳タスクを学習する際に教師強制を適用する場合は、次の図のようになります。なお、予測時には前の時刻の教師データは未知であるため、その時刻の予測結果を使用することになります。

【教師強制の適用例】

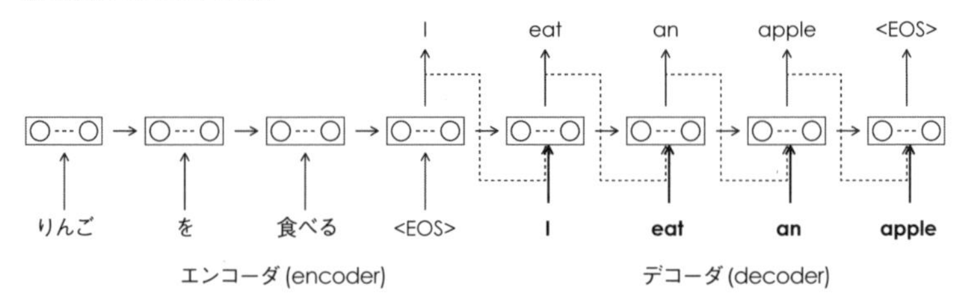

※教師強制を用いた訓練時には、破線の接続の代わりに、正解データ（太い矢印）が入力される

教師強制は、教師なしデータをRNNで扱う手法ではありません（B）。また、過去と未来の依存性を両方向から学習するネットワークは双方向RNNと呼ばれますが、教師強制とは無関係です（C）。さらに、入力データと教師データの系列長を揃える操作は、教師強制とは無関係です（D）。

試験対策

教師強制について正しく説明できるようにしておきましょう。

16. B

➡ P125

Transformerで使用される**Attention**（注意機構）についての理解を問う問題です。

機械翻訳における従来のRNNは、入力データを逐次的に扱うため処理速度が遅く、離れた単語間の関係を捉えにくいという問題点がありました。Transformerは、これらの問題をAttentionと呼ばれる機構で解決した手法です※4。

Attentionは、各時刻の状態に重み付けを行い、その総和を求めることで、広範囲の情報を高速に扱うことができます。Transformerでは、従来のSeq2SeqにおけるエンコーダとデコーダからRNNを排除し、Attentionのみを使用した構成を採用することで、従来のネットワークを大きく超える精度を実現しています。

Transformerでは、以下のようなさまざまなAttentionが使用されています。

- Self-Attention：文章内の単語間の関連性を捉えることを目的としたAttention
- Multi-Head Attention：Self-Attentionを並列に複数配置したAttention
- Source-Target Attention：2つの系列間の対応関係を捉えることを目的としたAttention

なお、Source-Target Attentionは、Encoder-Decoder Attentionと呼ばれることもあります。

以上のことから、（ア）にSelf-Attention、（イ）にMulti-Head Attentionが入ります（**B**）。

Transformerに用いられているさまざまなAttentionについて理解しておきましょう。

17. A

➡ P125

Transformerで使用されている技術や仕組みに関する知識を問う問題です。

Transformerで使用されるAttentionは、query（クエリ）、key（キー）、value（バリュー）という記号を使用して計算を行います。Self-Attentionでは、query、key、valueを入力文から計算し、文中の単語間の関係を捉えます（**A**）。

query、key、valueは、エンコーダやデコーダの入出力を表すものではあり

【参考文献】

※4 Ashish Vaswani, Noam Shazeer, Niki Parmar, Jakob Uszkoreit, Llion Jones, Aidan N. Gomez, Lukasz Kaiser, Illia Polosukhin, "Attention Is All You Need" Advances in Neural Information Processing Systems 30 (2017)

ません（B）。また、デコーダの出力層における出力を計算する際に使用されるものではありません（C）。
Self-Attention は、入力文内のすべての単語間の関係を並列に計算することができます。一方で、そのまま計算すると単語の順番に関する情報を保持することができません。そこで、単語の位置に固有な情報を入力に加えることで、この問題を回避できます。これを**位置エンコーディング**と呼びます。ただし、位置エンコーディングの計算にはquery、key、valueのいずれも使用されることはありません（D）。

Transformerを構成する個々の要素とその概要を理解しておきましょう。

18. D

➡ P126

従来のAttentionを使用しないSeq2Seqと比較した場合のTransformerの特徴に関する知識を問う問題です。
Transformerのエンコーダは、Attentionを採用することで並列計算を行うことができ、GPUを利用してより高速に学習することができます（A）。
一方、デコーダで出力を行う際には、まだ出力していない未来の情報が使用できないため、Transformerであっても並列計算はできず、逐次的に処理することになります（B）。また、TransformerはAttentionによって、より遠く離れた単語間の関係を学習することができます（C）。さらに、Transformerは可変長の出力を扱うことができますが、これは従来のSeq2Seqでも同様です（**D**）。

従来のSeq2Seqと比較したTransformerの特徴を説明できるようにしておきましょう。

19. D

➡ P126

オートエンコーダの構造に関する知識を問う問題です。
オートエンコーダは、エンコーダとデコーダで構成されるニューラルネットワークのアーキテクチャです。オートエンコーダでは、教師データとして入力データと同じデータを使用します。これにより、入力データをエンコーダによって処理し、エンコーダの出力からデコーダが元のデータを復元できるように学習することができます。その際に、エンコーダの最終層のノード数をエンコーダの入力層よりも小さく設計することで、元の入力データができるだけ復元可能な形で圧縮されることになります(**D**)。このような特性から、オートエンコーダは特徴抽出や次元削減などに利用されます。
隠れ層の次元を入力層の次元(=出力層の次元)以上になるよう設計すると、ネットワークが単に入力をコピーすることを学習してしまう可能性があり、特徴抽出を目的とするオートエンコーダの設計として適切ではありません(A、B、C)。

オートエンコーダの構造とその特徴について理解しておきましょう。

20. B

➡ P127

事前学習および**積層オートエンコーダ**に関する知識を問う問題です。
事前学習とは、目的とするタスクに関する学習を行う前に、あらかじめ別のタスクに関する学習を行う手法の総称です(ア)。単純なタスクを利用して事前学習を行うことで、より複雑なタスクを学習しやすくなる場合があります。
事前学習を行う手法のひとつとして、積層オートエンコーダがあげられます。積層オートエンコーダとは、入力層から逐次的に層を重ね、それぞれの層を順番にオートエンコーダの仕組みによって学習する手法です(イ)。このようにすることで、深いネットワークでも順に学習を行うことができます。
教師強制は、RNNにおいて前の時刻の教師データを現時刻の入力に用いる手法です。また、変分オートエンコーダ(VAE)は生成ネットワークの一種です。
以上のことから、(ア)に事前学習、(イ)に積層オートエンコーダが入ります(**B**)。

事前学習の概要とそれを実現する手法について覚えておきましょう。

21. B

➡ P127

変分オートエンコーダ（VAE：Variational AutoEncoder）※5に関する知識を問う問題です。VAEは、オートエンコーダを活用した生成ネットワークの一種であり、画像生成などのタスクに使用されます（D）。VAEでは、エンコーダによって入力データが確率分布上で表現され、その確率分布からサンプリングした値（潜在変数）をデコーダに入力することで元のデータを復元します。このように学習を行うことで、学習済みのデコーダに新たに確率分布からサンプリングした値を入力し、データを生成することができます（A、C）。学習済みのVAEを使用してデータ生成を行う場合は、デコーダを使用します（**B**）。

VAEの構造や、VAEが行うタスクについて理解しておきましょう。

22. D

➡ P128

変分オートエンコーダ（VAE）の派生手法に関する問題です。
VAEはエンコーダとデコーダで構成され、潜在変数を使用して画像生成などを行う生成ネットワークですが、さらにさまざまな派生手法が提案されています。**β-VAE**※6は、VAEの学習に潜在変数の分布を調整するハイパーパラメータβを導入することで、生成画像の質を高めたネットワークです（ア）。
VAE/GAN※7は、VAEとGAN（敵対的生成ネットワーク）［第6章 解答38を参照］を組み合わせた手法です（イ）。また、InfoVAE※8は、β-VAEをさらに拡張したネットワークです（ウ）。さらに、VQ-VAE※9は、潜在変数が離散的になるようにVAEを拡張したネットワークです。VAEでは、学習時に潜在変数を無視してしまう現象が発生することがありますが、VQ-VAEは潜在変

【参考文献】
※5 Kingma, Diederik P., and Max Welling. "Auto-encoding variational bayes." arXiv preprint arXiv:1312.6114 (2013).
※6 Irina Higgins, Loic Matthey, Arka Pal, Christopher Burgess, Xavier Glorot, Matthew Botvinick, Shakir Mohamed, Alexander Lerchner, "beta-VAE: Learning Basic Visual Concepts with a Constrained Variational Framework" Paper presented at the meeting of the ICLR, 2017.
※7 Larsen, A.B.L., Sønderby, S.K., Larochelle, H. & Winther, O.. (2016). "Autoencoding beyond pixels using a learned similarity metric." Proceedings of The 33rd International Conference on Machine Learning, in Proceedings of Machine Learning Research 48:1558-1566
※8 Zhao, S., Song, J., & Ermon, S. (2019)." InfoVAE: Balancing Learning and Inference in Variational Autoencoders. " Proceedings of the AAAI Conference on Artificial Intelligence, 33(01), 5885-5892.

数を工夫することでこの問題を解決しています（エ）。
以上のことから、（ア）（イ）（ウ）（エ）はすべて適切です（**D**）。

VAEの代表的な派生手法を覚えておきましょう。

23. D

➡ P128

テキストデータの**データ拡張**手法を問う問題です。
データ拡張は、訓練データを加工することでデータ量を増やす手法です。データ拡張の目的は、訓練データの多様性を向上し、未知のデータに対する汎化性能を高めることです。
テキストデータにおけるデータ拡張の手法として、**Paraphrasing**、**Noising**、**Sampling**などがあげられます。
Paraphrasingは、単語を別の類似した単語で置き換える手法です。たとえば、「服」を「セーター」に置き換えることができます（A）。また、Noisingは単語の入れ替え、削除、挿入、置換などをランダムに行うことでデータを増やす手法です（B）。さらに、Samplingは、テキストデータの分布を推定し、新しいデータのサンプリングを行う手法です（C）。
Rotation（Rotate）は、画像データを回転することでデータを増やす手法です（**D**）。また、画像データに対するデータ拡張には、**RandAugment**という手法もあります。この手法では、画像データに対して、さまざまなデータ拡張操作の中からランダムに操作を選び出し、画像データに適用します。

テキストデータのデータ拡張を行う具体的な手法を覚えておきましょう。

24. C

➡ P128

画像データにおけるデータ拡張の手法を問う問題です。
たとえば、画像認識においては、同じ物体でも角度や位置、明るさなどによっ

【参考文献】
※9 Aaron van den Oord, Oriol Vinyals, and Koray Kavukcuoglu. "Neural discrete representation learning." In Proceedings of the 31st International Conference on Neural Information Processing Systems (NIPS'17). 6309-6318. 2017.

てさまざまな見え方があり、このようなデータを網羅することは機械学習モデルの汎化性能を高めるうえで重要です。データ拡張を利用することで、1つのデータから条件の異なる多様なデータを生成することができます。

Random Flipは、画像を反転させることでデータを増やす手法です（C）。**Random Erasing**や**Cutout**は、画像の一部の画素値を0またはランダムな値にすることでデータを増やす手法です（A、B）。さらに、**Random Crop**は、画像を一部を切り取り、サイズの異なるデータを生成する手法です（D）。

以上のほかにも、次のような手法があります。

・Mixup：2枚の画像を合成する
・CutMix：Cutoutしてマスクした領域に別画像を組み合わせて生成を行う
・Random Rotation：画像をランダムに回転する
・明るさ（Brightness）を調整する
・コントラスト（Contrast）を調整する

画像のデータ拡張手法には多くの種類があります。代表的なものをしっかりと覚えておきましょう。

25. D

➡ P129

RandAugmentに関する理解を問う問題です。

データ拡張を行う手法は数多くあり、それぞれがハイパーパラメータを持つため、タスクに応じた最適なデータ拡張手法の組み合わせを探索することは非常に困難です。そうした探索を効率的に行うことができる手法として、RandAugmentが提案されています※10。

RandAugmentは、学習時に適用するデータ拡張手法を決定する戦略のひとつです。あらかじめデータ拡張を行う手法の候補を決めておき、ミニバッチごとに一定数の手法を無作為に選び、一定の強さで適用します（ア、イ）。強さとは、たとえば、Rotaionであれば角度の大きさを指します。

RandAugmentでは、ハイパーパラメータはミニバッチごとに選ぶ手法の数と適用する強さの2つだけであり、探索空間が非常に小さくなることで最適な戦略を見つけやすくなります。

以上のことから、（ア）と（イ）に「一定の」が入ります（**D**）。

RandAugmentの戦略について理解しておきましょう。

【参考文献】
※10　Ekin Dogus Cubuk, Barret Zoph, Jon Shlens, Quoc Le, "RandAugment: Practical Automated Data Augmentation with a Reduced Search Space", Advances in Neural Information Processing Systems 33 (2020)

第 6 章

ディープラーニングの応用例

- 画像認識
- 自然言語処理
- 音声処理
- 深層強化学習
- データ生成
- 転移学習・ファインチューニング
- マルチモーダル
- モデルの解釈性
- モデルの軽量化

□ **1.** 1989年に提案されたニューラルネットワークであるLeNetに採用されている層の名称として、最も不適切なものを選べ。

A.　畳み込み層
B.　プーリング層
C.　回帰結合層
D.　全結合層

➡ P168

□ **2.** 以下の（ア）～（エ）に示したGoogLeNetに関する説明のうち、適切なものの組み合わせを選べ。

（ア）GoogLeNet は、ILSVRC（ImageNet Large Scale Visual Recognition Challenge）で2014年に優勝したネットワークである
（イ）GoogLeNetは、Inceptionモジュールを採用したネットワークである
（ウ）GoogLeNetは、スキップ結合（Skip connection）を有するネットワークである
（エ）GoogLeNetは、プーリング層を持たない構造が特徴である

A.　（ア）（イ）
B.　（イ）（ウ）
C.　（イ）（エ）
D.　（ア）（ウ）

➡ P168

□ **3.** 以下の文章を読み、空欄（ア）（イ）に入る語句として最も適切な組み合わせを選べ。

ResNet（Residual Network）は、（　ア　）を採用したことで勾配消失問題を解消し、非常に深いネットワーク構造の学習を可能にした。ResNetの登場以降、（　イ　）などのさまざまなネットワークで（　ア　）が取り入れられている。

A.　（ア）スキップ結合　（イ）AlexNet
B.　（ア）スキップ結合　（イ）DenseNet
C.　（ア）ドロップアウト　（イ）AlexNet
D.　（ア）ドロップアウト　（イ）DenseNet

➡ P169

☐ **4.** 以下の文章を読み、空欄（ア）に入る語句として最も適切なものを選べ。

ResNet（Residual Network）では、高い精度を実現するためにネットワーク構造を深くする必要があった。ネットワーク構造を深くすると、それに応じて学習コストも大きくなる。この課題を克服するために、（　ア　）が提案された。（　ア　）は、ResNetにおける畳み込みのチャンネル数を増やすことにより、深い構造のResNetを上回る精度をより浅いネットワーク構造によって実現した。

A.　AlexNet
B.　DenseNet
C.　WideResNet
D.　SENet

➡ P169

☐ **5.** 以下の文章を読み、空欄（ア）に入る語句として最も適切なものを選べ。

（　ア　）は、2017年にグーグルによって提案されたネットワークである。（　ア　）では、畳み込み層の構造を工夫することで、計算量が削減されている。

A.　ResNet
B.　MobileNet
C.　EfficientNet
D.　GoogLeNet

➡ P170

☐ **6.** Depthwise Separable Convolutionに関する説明として、最も不適切なものを選べ。

A. Depthwise Separable Convolutionは、通常の畳み込みを空間方向とチャンネル方向に分解し、それぞれ独立した畳み込み処理を行う手法である
B. Depthwise Separable Convolutionは、通常の畳み込みと同様、ネットワーク内に複数回配置することができる
C. Depthwise Separable Convolutionは、通常の畳み込みと比較して、同じパラメータ数でもより広い範囲の特徴を捉えることができる
D. Depthwise Separable Convolutionは、通常の畳み込みと比較して計算量が少ない

➡ P170

☐ **7.** ニューラルネットワークの構造を探索すること、およびそのための技術を表す用語として、最も適切なものを選べ。

A. VAE
B. RandAugment
C. LSTM
D. NAS

➡ P171

☐ **8.** 以下の文章を読み､空欄（ア）に入る語句として最も適切なものを選べ。

NAS (Neural Architecture Search) の技術を利用した構造探索によって得られたネットワークとして、NASNetや（　ア　）があげられる。（　ア　）の特徴として、計算量を少なく抑えられるように工夫して探索を行ったことがあげられる。

A. MnasNet
B. SENet（Squeeze-and-Excitation Network）
C. EfficientNet
D. ResNet（Residual Network）

➡ P171

☐ **9.** **画像内に存在する物体の位置を特定し、その物体を識別するタスクとして最も適切なものを選べ。**

A. 物体識別
B. 物体検出
C. 一般物体認識
D. 特定物体認識

➡ P172

☐ **10.** **セマンティックセグメンテーションは、画像中のすべての画素に対して、そのクラスを識別するタスクである。インスタンスセグメンテーションは、画像中のすべての物体に対して、そのクラスを識別し、物体ごとにIDを付与するタスクである。パノプティックセグメンテーションは、画像中のすべての画素に対して、そのクラスを識別し、物体ごとにIDを付与するタスクである。**
これらのタスクに関する説明として、最も不適切なものを選べ。

A. セマンティックセグメンテーションでは、画像中の背景も識別の対象となる
B. パノプティックセグメンテーションでは、画像中の背景も識別の対象となる
C. セマンティックセグメンテーションでは、画像中に同じクラスの物体が複数写っているとき、それらを区別する
D. インスタンスセグメンテーションでは、画像中に同じクラスの物体が複数写っているとき、それらを区別する

➡ P172

☐ **11.** **物体検出を行う手法として、画像中の物体の位置の特定を行ったあと、その物体のクラスを識別するアプローチと、物体位置の特定およびクラス識別を同時に行うアプローチがある。前者のアプローチによって物体検出を行うネットワークとして、最も不適切なものを選べ。**

A. R-CNN（Regions with CNN features）
B. Faster R-CNN（Faster Regions with CNN features）
C. FPN（Feature Pyramid Networks）
D. SSD（Single Shot MultiBox Detector）

➡ P174

☐ **12.** 2016年に発表されたYOLO（You Only Look Once）に関する説明として、最も適切なものを選べ。

A. YOLOは、画像中の物体位置の候補領域を検出する際にSelective Searchを使用する
B. YOLOの構造を改良したネットワークとして、U-Netがある
C. YOLOは、画像中の物体位置の特定とクラス識別を同時に行うことができる
D. YOLOは、サイズの異なる特徴マップを出力層に接続することで、さまざまな大きさの物体を検出できる

➡ P175

☐ **13.** セマンティックセグメンテーションに用いられ、エンコーダ・デコーダ構造を持つネットワークの名称として、最も不適切なものを選べ。

A. SegNet
B. FCN（Fully Convolutional Network）
C. U-Net
D. PSPNet（Pyramid Scene Parsing Network）

➡ P175

☐ **14.** Dilated Convolution（Atrous Convolution）が用いられたニューラルネットワークとして最も適切なものを選べ。

A. U-Net
B. DeepLab
C. Mask R-CNN
D. YOLO（You Only Look Once）

➡ P176

15. 以下の文章を読み、空欄（ア）に入る語句として最も適切なものを選べ。

（　ア　）は、2019年に発表されたソフトウェアであり、姿勢推定をリアルタイムで行うことができる。

A.　ChasePose
B.　TrackPose
C.　ClosePose
D.　OpenPose

➡ P177

16. 以下の記述を読み、空欄（ア）に入る語句として最も適切なものを選べ。

近年、農業分野では、作物や土壌の状態監視のためのリモートセンシングの活用が進んでいる。たとえば、複数の異なる波長域の光に関する情報が別個に記録された（　ア　）は、植物の生育状況を把握するために使用される。

A.　紫外線画像
B.　マルチスペクトル画像
C.　可視画像
D.　OCR（Optical Character Recognition）

➡ P178

17. 以下の（ア）～（エ）のうち、画像分類タスクに用いられるネットワークとして適切なものの組み合わせを選べ。

（ア）BERT（Bidirectional Encoder Representations from Transformers）
（イ）Vision Transformer
（ウ）Swin Transformer
（エ）GPT-2（Generative Pre-Training 2）

A.　（ア）（イ）
B.　（イ）（ウ）
C.　（ウ）（エ）
D.　（ア）（エ）

➡ P178

□ **18.** **文章をベクトルで表現する手法に関する以下の文章を読み、空欄（ア）に入る語句として最も適切なものを選べ。**

（　ア　）は、文章内の各単語の出現回数にもとづいてその文章をベクトル化する手法である。

A.　n-gram
B.　One-Hot Encoding
C.　word2vec
D.　Bag-of-Words

➡ P179

□ **19.** **TF-IDF（Term Frequency-Inverse Document Frequency）に関する説明として、最も適切なものを選べ。**

A.　TF-IDFは、データセット全体での単語の出現頻度を加味して、文章をベクトル化する手法である
B.　TF-IDFは、文章を意味のある最小単位に分割する手法である
C.　TF-IDFは、文章を複数のトピックに分類する手法である
D.　TF-IDFは、文章間の類似度を求める手法である

➡ P179

□ **20.** **文書が複数の潜在的なトピックから確率的に生成されると仮定したモデルをトピックモデルという。トピックモデルの一手法として最も適切なものを選べ。**

A.　word2vec
B.　fastText
C.　LDA（潜在的ディリクレ分配法）
D.　ELMo（Embeddings from Language Models）

➡ P180

□ **21.** word2vecに関する以下の文章を読み、空欄（ア）（イ）に入る語句として最も適切な組み合わせを選べ。

word2vecには、単語の分散表現を得るためのネットワークとして（　ア　）と（　イ　）が実装されている。（　ア　）は文章中のある単語に対してその周辺の単語を予測するネットワークであり、（　イ　）は文章中の周囲の単語から対象の単語を予測するネットワークである。

A.　（ア）n-gram　（イ）CBOW
B.　（ア）n-gram　（イ）BoW
C.　（ア）skip-gram　（イ）CBOW
D.　（ア）skip-gram　（イ）BoW

➡ P181

□ **22.** 以下の文章を読み、空欄（ア）（イ）に入る語句として最も適切な組み合わせを選べ。

BERT（Bidirectional Encoder Representations from Transformers）は、自然言語処理のためのネットワークであり、（　ア　）と（　イ　）という自己教師あり学習のタスクによって事前学習を行う。（　ア　）は、文章中の一部の単語を隠し、その単語が何かを予測するタスクである。（　イ　）は、2つの入力文が連続する文かどうかを判別するタスクである。

A.　（ア）MLM（Masked Language Model）
　　（イ）NSP（Next Sentence Prediction）
B.　（ア）MLP（MultiLayer Perceptron）
　　（イ）NSP（Next Sentence Prediction）
C.　（ア）MLM（Masked Language Model）
　　（イ）NLP（Natural Language Processing）
D.　（ア）MLP（MultiLayer Perceptron）
　　（イ）NLP（Natural Language Processing）

➡ P181

☐ **23.** グーグルが2022年に発表した大規模言語モデルとして、最も適切なものを選べ。

A. PaLM（Pathways Language Model）
B. GRU（Gated Recurrent Unit）
C. ELMo（Embeddings from Language Models）
D. GPT-3（Generative Pre-Training 3）

➡ P182

☐ **24.** GLUE（General Language Understanding Evaluation）に関する説明として、最も適切なものを選べ。

A. GLUEは、リセットゲートと更新ゲートからなるゲート機構を備えたリカレントニューラルネットワーク（RNN）である
B. GLUEは、自然言語処理タスクの精度評価を行うためのデータセットである
C. GLUEは、単語の分散表現を得るためのニューラルネットワークである
D. GLUEは、文章中の単語の出現頻度をもとに文章をベクトル化する手法である

➡ P183

☐ **25.** 音声処理に関する以下の文章を読み、空欄（ア）（イ）に入る語句として最も適切な組み合わせを選べ。

音声データをコンピュータで扱うには、（　ア　）によってデジタル化を行う必要がある。（　ア　）を行う具体的な手法として、（　イ　）があげられる。

A. （ア）A-D変換　（イ）復号化
B. （ア）A-D変換　（イ）パルス符号変調（PCM）
C. （ア）高速フーリエ変換（FFT）　（イ）復号化
D. （ア）高速フーリエ変換（FFT）　（イ）パルス符号変調（PCM）

➡ P184

26. 音声認識に関する以下の記述を読み、空欄（ア）～（ウ）に入る語句として最も適切な組み合わせを選べ。

言語によらず、人間が発声する区別可能な音を（　ア　）と呼ぶ。一方、言語ごとに区別される音の最小単位を（　イ　）と呼ぶ。（　イ　）ごとに学習を行い、音声認識を行うことができる手法として、（　ウ　）があげられる。

A.　（ア）音韻　（イ）音素　（ウ）隠れマルコフモデル
B.　（ア）音韻　（イ）音源　（ウ）k-means
C.　（ア）音素　（イ）音韻　（ウ）隠れマルコフモデル
D.　（ア）音素　（イ）音源　（ウ）k-means

➡ P184

27. 音声データの周波数スペクトルにおけるスペクトル包絡のピークを示す用語として、最も適切なものを選べ。

A.　メル周波数ケプストラム係数
B.　メル尺度
C.　FFT（Fast Fourier Transform）
D.　フォルマント

➡ P185

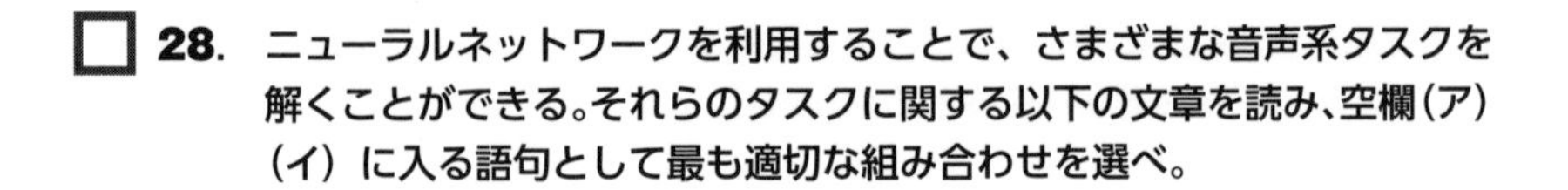

□ **28.** ニューラルネットワークを利用することで、さまざまな音声系タスクを解くことができる。それらのタスクに関する以下の文章を読み、空欄（ア）（イ）に入る語句として最も適切な組み合わせを選べ。

音声認識タスクは、入力する音声データの長さと出力する音素の数が異なる場合が多く、通常のリカレントニューラルネットワーク（RNN）では扱うことが難しかった。（　ア　）は、空文字の利用や同じ音素の集約といった工夫によって、RNNで音声認識タスクを扱いやすくなるようにした手法である。音声認識タスクに利用される具体的なネットワークとして、Whisperなどがあげられる。一方、（　イ　）タスクに利用できるネットワークとしては、WaveNetなどがあげられる。

A.　（ア）CTC（Connectionist Temporal Classifiation）
　　（イ）感情分析

B.　（ア）CTC（Connectionist Temporal Classifiation）
　　（イ）音声生成

C.　（ア）Seq2Seq（Sequence-to-Sequence）
　　（イ）話者識別

D.　（ア）Seq2Seq（Sequence-to-Sequence）
　　（イ）音声生成

➡ P185

□ **29.** DQN（Deep Q-Network）は、深層強化学習に使用される手法である。DQNを取り入れた深層学習手法として、最も不適切なものを選べ。

A.　Rainbow

B.　SARSA

C.　ノイジーネットワーク

D.　デュエリングネットワーク

➡ P186

□ **30.** 以下の文章を読み、空欄（ア）（イ）に入る語句として最も適切な組み合わせを選べ。

深層強化学習は、さまざまなゲームAIの研究に活用されている。深層強化学習を利用したゲームAIとして、（　ア　）と（　イ　）があげられる。（　ア　）は囲碁をプレイできるゲームAIであり、2016年に当時の世界トップレベルの棋士に勝利した。また（　イ　）は、スタークラフト2という対戦型ゲームをプレイできるゲームAIであり、ゲーム内でグランドマスターの称号を持つトップレベルのプレイヤーに勝利した。

A.　（ア）AlphaGo　（イ）AlphaStar
B.　（ア）AlphaGo　（イ）OpenAI Five
C.　（ア）AlphaStar　（イ）AlphaGo
D.　（ア）AlphaStar　（イ）OpenAI Five

➡ P187

□ **31.** 強化学習の性能評価のベンチマークであるAtari2600のゲームをプレイできるゲームAIとして、適切なものの組み合わせを選べ。

（ア）Ape-X　（イ）Agent57　（ウ）AlphaGo　（エ）Rainbow

A.　（ア）（イ）（ウ）
B.　（イ）（ウ）（エ）
C.　（ア）（イ）（エ）
D.　すべて適切

➡ P187

□ **32.** オープンAI社によって2018年に発表されたOpenAI Fiveに関する説明として、最も不適切なものを選べ。

A.　OpenAI Fiveは、系列情報を処理するためにLSTM（Long Short-Term Memory）を使用したゲームAIである
B.　OpenAI Fiveは、PPO（Proximal Policy Optimization）と呼ばれる強化学習アルゴリズムを使用したゲームAIである
C.　OpenAI Fiveは、Atari2600ベンチマークで人間を超える性能を達成したゲームAIである
D.　OpenAI Fiveは、マルチエージェント強化学習の手法を用いたゲームAIである

➡ P188

☐ **33.** ロボット制御において、ある程度うまく動くことがわかっている既存の制御手法による出力を活用し、最適な方策との差分を強化学習によって学習する手法がある。このような学習手法の名称として、最も適切なものを選べ。

A. 残差強化学習
B. 状態表現学習
C. オフライン強化学習
D. マルチエージェント強化学習

➡ P189

☐ **34.** 強化学習において、連続値制御問題として扱うことのできる問題例として、最も不適切なものを選べ。

A. 自動車の運転において、ハンドル操作を制御する
B. ロボットアームの操縦において、関節の角度を制御する
C. ゲームのプレイにおいて、ボタンを押すタイミングを制御する
D. ドローンの操縦において、その高度と方向を制御する

➡ P189

☐ **35.** 強化学習によるロボット制御に関する以下の文章を読み、空欄（ア）（イ）に入る語句として最も適切な組み合わせを選べ。

コンピュータ上のシミュレータで学習したモデルを、実世界へ適用することを（　ア　）という。学習済みモデルを実世界に適用する際には、シミュレータと実世界の環境に差が生じ、性能が低下することがある。その課題への対応として、摩擦や光源といった環境のパラメータをランダムに決め、複数のシミュレータを生成して学習を行う手法がある。この手法を（　イ　）と呼ぶ。

A. （ア）Seq2Seq　（イ）ドメインランダマイゼーション
B. （ア）Seq2Seq　（イ）ランダムサーチ
C. （ア）sim2real　（イ）ドメインランダマイゼーション
D. （ア）sim2real　（イ）ランダムサーチ

➡ P190

36. 以下の文章を読み、空欄（ア）に入る語句として最も適切なものを選べ。

オープンAI社が開発した文章生成AIであるChatGPTは、（　ア　）と呼ばれる強化学習を用いた手法によって訓練されている。（　ア　）は、人間がどのような回答を好むかをネットワークにフィードバックすることで、望ましい回答を生成できるようにする手法である。

A.　RLHF
B.　DQN
C.　報酬成形
D.　残差強化学習

➡ P191

37. 画像生成や音声生成、文章生成などのタスクを生成タスクと呼ぶ。生成タスクに使用されるニューラルネットワークとして最も不適切なものを選べ。

A.　WaveNet
B.　Whisper
C.　変分オートエンコーダ（VAE）
D.　GPT（Generative Pre-Training）

➡ P191

38. 以下の文章を読み、空欄（ア）に入る語句として最も適切なものを選べ。

（　ア　）は、生成タスクを解くネットワークを構築するためのアーキテクチャとして2014年に発表されたものである。（　ア　）は、ジェネレータ（生成器）とディスクリミネータ（識別器）の2つのニューラルネットワークから構成される。

A.　拡散モデル（Diffusion Model）
B.　変分オートエンコーダ（VAE）
C.　Flowベース生成モデル（Flow-based Generative Models）
D.　敵対的生成ネットワーク（GAN）

➡ P192

☐ **39.** 画像生成を行うことができるネットワークとして、最も不適切なものを選べ。

A. DCGAN（Deep Convolutional GAN）
B. Pix2Pix
C. GPT-2（Generative Pre-Training 2）
D. CycleGAN

➡ P193

☐ **40.** ある視点から見たシーンの画像が与えられているとき、別視点から同じシーンを見た場合の画像を生成することができる技術として、最も適切なものを選べ。

A. RLHF（Reinforcement Learning from Human Feedback）
B. NeRF（Neural Radiance Fields）
C. LSTM（Long Short-Term Memory）
D. ELMo（Embeddings from Language Models）

➡ P193

☐ **41.** 以下の文章を読み、空欄（ア）（イ）に入る語句として最も適切な組み合わせを選べ。

事前学習済みモデルを異なるタスクに転用することを（　ア　）という。（　ア　）では、異なるタスクにおける新たなデータを用いて、事前学習済みモデルのパラメータの一部または全部を更新することがある。これを（　イ　）と呼ぶ。

A. （ア）転用学習　（イ）特徴表現学習
B. （ア）転用学習　（イ）ファインチューニング
C. （ア）転移学習　（イ）特徴表現学習
D. （ア）転移学習　（イ）ファインチューニング

➡ P194

☐ **42.** 転移学習において、転移先のタスクにおける学習データをまったく用いないことがある。このことを指す用語として、最も適切なものを選べ。

A. One-shot Learning
B. Few-shot Learning
C. Zero-shot Learning
D. No-shot Learning

➡ P195

☐ **43.** 学習済みモデルを転移学習によって新たなタスクに転用すると、元のタスクに対する性能が転移学習前よりも低下することがある。この現象を指す用語として最も適切なものを選べ。

A. 勾配消失問題
B. 破壊的忘却
C. 次元の呪い
D. 信用割当問題

➡ P195

☐ **44.** 近年では、大量のデータを学習した1つのモデルを使用して、ファインチューニングなどによってさまざまなタスクを解くアプローチが盛んに研究されている。このような事前学習モデルを指す用語として、最も適切なものを選べ。

A. 汎化モデル
B. 基底モデル
C. 基盤モデル
D. 完全モデル

➡ P196

□ **45.** ディープラーニングで扱われるタスクに関する以下の文章を読み、空欄（ア）（イ）に入る語句として最も適切な組み合わせを選べ。

物体検出とセグメンテーションを同時に行うなど、1つのネットワークで複数の異なるタスクを解くことを（　ア　）と呼ぶ。また、（　イ　）タスクは、画像とテキストなど、複数の性質の異なるデータを同時に扱うタスクである。

A.　（ア）アンサンブル学習　（イ）マルチモーダル
B.　（ア）マルチタスク学習　（イ）マルチモーダル
C.　（ア）アンサンブル学習　（イ）マルチクラス
D.　（ア）マルチタスク学習　（イ）マルチクラス

➡ P196

□ **46.** マルチモーダルタスクであるVisual Question Answering（VQA）に関する説明として、最も適切なものを選べ。

A.　VQAは、文章のみを入力として受け取り、受け取った文章の内容に沿った画像を生成するタスクである
B.　VQAは、画像と画像に関する質問文を入力として受け取り、受け取った画像と質問の内容をもとに回答を生成するタスクである
C.　VQAは、画像のみを入力として受け取り、受け取った画像の内容を説明する文章を生成するタスクである
D.　VQAは、画像のみを入力として受け取り、受け取った画像内に書かれた文章を抽出するタスクである

➡ P197

47. Text-to-Imageタスクとは、入力された文章をもとにその内容を反映した画像を生成するタスクである。以下の（ア）〜（エ）のうち、Text-to-Imageタスクに用いられる適切なネットワークの組み合わせを選べ。

（ア）CLIP（Contrastive Language-Image Pretraining）
（イ）DALL-E
（ウ）Flamingo
（エ）Unified-IO

A.　（ア）（イ）
B.　（ウ）（エ）
C.　（ア）（ウ）
D.　（イ）（エ）

➡ P197

48. 以下の文章を読み、空欄（ア）（イ）に入る語句として最も適切な組み合わせを選べ。

AIの予測根拠を人間が理解できる形で示すことを目指す技術や研究分野を（　ア　）という。（　ア　）の代表的な手法として、畳み込みニューラルネットワーク（CNN）に適用できる（　イ　）やGrad-（　イ　）がある。これらの手法では、特徴マップの値を利用することで、モデルが入力データのどの部分に注目したかを可視化することができる。

A.　（ア）説明可能AI（XAI：eXplainable Artificial Intelligence）
　　（イ）CAM（Class Activation Map）
B.　（ア）説明可能AI（XAI：eXplainable Artificial Intelligence）
　　（イ）LIME（Local Interpretable Model-agnostic Explanations）
C.　（ア）推論可能AI（IAI：Inferable Artificial Intelligence）
　　（イ）CAM（Class Activation Map）
D.　（ア）推論可能AI（IAI：Inferable Artificial Intelligence）
　　（イ）LIME（Local Interpretable Model-agnostic Explanations）

➡ P198

☐ **49.** 以下の（ア）～（エ）のうち、機械学習モデルの予測値に対する各特徴量の重要性を分析する手法として、適切なものの組み合わせを選べ。

（ア）SHAP（SHapley Additive exPlanations）
（イ）LIME（Local Interpretable Model-agnostic Explanations）
（ウ）YOLO（You Only Look Once）
（エ）PI（permutation importance）

A. （ア）（イ）（ウ）
B. （ア）（イ）（エ）
C. （イ）（ウ）（エ）
D. すべて適切

➡ P199

☐ **50.** 端末や機器に直接AIを組み込む技術に関する用語として、最も適切なものを選べ。

A. クラウドAI
B. エッジAI
C. バッチAI
D. オンラインAI

➡ P200

☐ **51.** モデル圧縮は、機械学習モデルの精度をできるだけ保ちながらモデルのサイズを小さくする技術である。ディープラーニングにおけるモデル圧縮に使用される手法として、最も不適切なものを選べ。

A. 知識蒸留
B. 量子化
C. マイニング
D. プルーニング

➡ P201

☐ **52.** ニューラルネットワークにおいて、元のネットワークから複数のパラメータを除外したものをサブネットワークと呼ぶことにする。同じ訓練データと同じエポック数を用いて学習を行い、サブネットワークの学習を行うことを考える。このとき、元のネットワークがどのような構成であったとしても、元のネットワークと同等の精度を達成できるサブネットワークが存在するという仮説がある。この仮説の名称として、最も適切なものを選べ。

A. フレーム仮説
B. フリーランチ仮説
C. 内包仮説
D. 宝くじ仮説

➡ P201

第6章　ディープラーニングの応用例
解　答

1. C ➡ P148

LeNetに関する知識を問う問題です。
LeNetは、1989年にヤン・ルカン（Yann LeCun）らによって提案された初期の畳み込みニューラルネットワーク（CNN）です。
LeNetは、畳み込み層とプーリング層を交互に複数回重ねたあと、全結合層を配置した構造になっています（A、B、D）。LeNetの全結合層は、多層パーセプトロンと同じ構造をもちます。この層では、抽出された特徴量をもとに、画像を分類するための処理などが行われます。
回帰結合層は、リカレントニューラルネットワーク（RNN）に用いられる再帰的な構造を持つ層であり、LeNetには用いられていません（**C**）。

試験対策

基本的なCNNであるLeNetの構造を覚えておきましょう。

2. A ➡ P148

GoogLeNetに関する知識を問う問題です。
GoogLeNetは、画像認識の精度を競うコンペティションであるILSVRC［第2章 解答15を参照］で2014年に優勝したCNNで、**Inceptionモジュール**と呼ばれる複数の異なるカーネルサイズの畳み込み層を組み合わせた構造を採用しています。このGoogLeNetのInceptionモジュールは、プーリング層も含んでいます。
一方、GoogLeNetはスキップ結合（Skip connection）［解答3を参照］を有するネットワークではありません。
以上のことから、（ア）（イ）が適切な組み合わせです（**A**）。

試験対策

GoogLeNetの特徴を覚えておきましょう。

3. B

➡ P148

ResNet（Residual Network）で採用されたスキップ結合に関する知識を問う問題です。
スキップ結合（Skip connection）は、ネットワーク内の層間を飛び越えた結合を行うことで、出力層からの誤差を伝播しやすくする手法です。ResNetは、スキップ結合を採用することで（ア）、152層などの非常に深いネットワーク構造の学習を可能にしています（イ）。
ResNetの登場以降、スキップ結合はDenseNetなどのさまざまなネットワークに導入されるようになりました。
ドロップアウトは、ResNetには採用されていません。また、AlexNetはCNNの一種ですが、スキップ結合は導入されていません。
以上のことから、（ア）にスキップ結合、（イ）にDenseNetが入ります（**B**）。

スキップ結合はさまざまなネットワークに利用できる強力な手法です。よく理解しておきましょう。

4. C

➡ P149

WideResNet（Wide Residual Network）※1に関する知識を問う問題です。
WideResNetはResNetを改良したCNNです。ResNetの層数を減らし、代わりに畳み込みのチャンネル数を増やすことで高速かつ高精度なネットワークを実現しました（**C**）。
AlexNetは、2012年に開催されたILSVRC 2012で優勝したCNNであり、ResNet以前に開発されています（A）。また、DenseNetは、スキップ結合を工夫することにより、ResNetを改良したネットワークです（B）。さらに、SENet（Squeeze-and-Excitation Network）は、畳み込み層が出力した特徴マップにAttention［第5章 解答16を参照］を適用することで精度を改善したCNNです（D）。

代表的なCNNのそれぞれの特徴について確認しておきましょう。

【参考文献】
※1 Sergey Zagoruyko, Nikos Komodakis, "Wide Residual Networks" arXiv preprint arXiv:1605.07146 (2016)

5. B ➡ P149

代表的なネットワークに関する知識を問う問題です。
MobileNetは、2017年にグーグルによって提案された軽量かつ高性能なCNNです。モバイル端末などでも使用できるように設計されており、計算量やメモリ使用量が少ないことが特徴です（**B**）。
ResNet［解答3を参照］は、ILSVRC 2015で優勝したCNNであり、スキップ結合（Skip connection）という構造を持っています（A）。
EfficientNet※2は、2019年にグーグルが発表したCNNです。ResNetやMobileNetなどのさまざまなCNNの構造を再検討し、ベンチマークにおいて従来のネットワークを大きく上回る性能を達成しました（C）。
GoogLeNetは、ILSVRC 2014で優勝したCNNであり、Inceptionモジュールが採用されています（D）。

MobileNetの特徴を覚えましょう。また、問題文中で取り上げられているCNNはいずれも重要ですので、その特徴を覚えておきましょう。

6. C ➡ P150

MobileNetに関する知識を問う問題です。
MobileNetは、**Depthwise Separable Convolution**と呼ばれる畳み込み処理を採用することで、通常の畳み込みと比較して、非常に少ない計算量で出力を求めることを可能にしたネットワークです。
通常、個々のフィルタによる畳み込み処理では、空間方向（画像の縦横の方向）とチャンネル方向（画像の重なりの方向）を同時に畳み込み、1チャンネルの出力を行います。一方、Depthwise Separable Convolutionでは、それぞれを独立したフィルタで畳み込むことで、計算量を削減しています（A、D）。
空間方向の畳み込みは**Depthwise Convolution**と呼ばれ、チャンネルごとに畳み込みが行われます。一方、チャンネル方向の畳み込みは**Pointwise Convolution**と呼ばれ、1×1のフィルタを使用して画像のある一点がチャンネル方向に畳み込まれます。
また、Depthwise Separable Convolutionは、通常の畳み込みと同様に、1つのネットワークの中に複数回配置することができます（B）。
なお、同じパラメータ数でより広い範囲を畳み込む手法は、**Dilated Convolution**［解答14を参照］と呼ばれます（**C**）。

【参考文献】
※2 Tan, M. and Le, Q.V. "EfficientNet: Rethinking Model Scaling for Convolutional Neural Networks." Proceedings of the 36th International Conference on Machine Learning, ICML 2019, 6105-6114.

MobileNetについて、その構造の特徴を覚えておきましょう。

7. D

➡ P150

NAS（Neural Architecture Search）に関する知識を問う問題です。
ニューラルネットワークは構造の自由度が非常に高く、最適な構造を探索することが難しいといわれています。そこで、最適な構造そのものを学習によって求める技術が研究されています。このような構造探索や、探索を行うための技術をNASと呼びます（**D**）。NASでは、各層のフィルタサイズなど、ネットワークの構造を決定するハイパーパラメータに関する学習を行い、適切なネットワーク構造を出力します。
VAE（変分オートエンコーダ）[第5章 解答21を参照] は、画像の生成などを行うことができる生成ネットワークの一種です（A）。RandAugmentは、学習時に適用するデータ拡張手法を決定する戦略のひとつです（B）。LSTM（Long Short-Term Memory）[第5章 解答12を参照] はゲート機構を採用したRNNの一種です（C）。

NASの概要について理解しておきましょう。

8. A

➡ P150

NAS（Neural Architecture Search）の技術を用いたネットワークに関する知識を問う問題です。
NASの技術を利用して構造探索を行ったネットワークとして、**NASNet**※3や**MnasNet**※4があげられます。MnasNetは、計算量を抑えられるように工夫して構造探索を行うことで得られたネットワークで、高精度でありながら軽量という特徴があります（**A**）。
SENet [解答4を参照]、EfficientNet [解答5を参照]、ResNet [解答3を参照] は、いずれも計算量を抑えられるように工夫して構造探索を行った結果得られたネットワークではありません（B、C、D）。

【参考文献】
※3 B. Zoph, V. Vasudevan, J. Shlens and Q. Le, "Learning Transferable Architectures for Scalable Image Recognition," in 2018 IEEE/CVF Conference on Computer Vision and Pattern Recognition (CVPR), 2018 pp. 8697-8710.
※4 M. Tan, et al., "MnasNet: Platform-Aware Neural Architecture Search for Mobile," in 2019 IEEE/CVF Conference on Computer Vision and Pattern Recognition (CVPR), 2019 pp. 2815-2823.

NASに関連する研究成果について整理しておきましょう。

9.　B

➡ P151

物体検出に関する知識を問う問題です。
物体検出は、画像内に存在する物体の位置を特定し、その物体のクラスを識別するタスクです（B)。物体の位置は**バウンディングボックス**と呼ばれる矩形で表現されます。
これに対して**物体識別**は、物体のクラスを識別するタスクです。物体認識や画像認識と呼ぶ場合もあります（A)。
また、物体認識（物体識別）は**特定物体認識**と**一般物体認識**に分類されます。特定物体認識は、ある画像に写っている物体と全く同じ物体が写っているか否かを判別するタスクです。これに対し一般物体認識は、椅子や猫といった一般的な物体のカテゴリを判別するタスクです（C、D)。

画像処理におけるタスクの種類について整理しておきましょう。

CNNなどを利用する際に、単に画像認識や物体認識といえば、通常は一般物体認識を指します。また、物体検出のタスクの定義を「物体の位置の特定」だけに限定し、「クラスの識別」の部分を物体識別と呼ぶ場合もあるようです。少しややこしいですが、G検定における物体検出の定義は上記の解説のとおりですので、そちらを覚えておきましょう。

10.　C

➡ P151

セグメンテーションタスクの分類に関する知識を問う問題です。
セグメンテーションは、画像を画素の単位で識別するタスクの総称です。画素ごとに識別を行うことで、物体の境界を細かく検出することができます。主なセグメンテーションタスクとして、**セマンティックセグメンテーション**（Semantic Segmentation)、**インスタンスセグメンテーション**（Instance Segmentation)、**パノプティックセグメンテーション**（Panoptic Segmentation）の3つがあげられます。
セマンティックセグメンテーションは、画像中のすべての画素のクラスを識別するタスクです。画像の背景を構成する画素を含めたすべての画素が識別の対象になります（A）。セマンティックセグメンテーションでは、同じクラスに属する別個の物体は区別されず、自動車Aと自動車Bは同じ「自動車」というまとまりとして扱われます（C）。
インスタンスセグメンテーションは、画像中のすべての物体の識別と、それぞれの物体を構成する画素のクラス識別の両方を行うタスクです。セマンティックセグメンテーションとは異なり、背景を構成する画素は識別の対象になりません。インスタンスセグメンテーションでは、同一のクラスに属する別個の物体（たとえば自動車Aと自動車B）は、個別のIDによって区別されます（D）。
パノプティックセグメンテーションは、セマンティックセグメンテーションとインスタンスセグメンテーションを組み合わせたタスクです。背景を含めた画像中のすべての画素が識別の対象となり、同一のクラスに属する別個の物体は区別されます（B）。
各タスクによる識別結果は次の画像のようになります。

【識別結果の例】

【出典】CVPR paper (Open Access version), The Computer Vision Foundation.※5

セグメンテーションタスクの概要とその分類について整理しておきましょう。

【参考文献】
※5　A. Kirillov, K. He, R. Girshick, C. Rother, and P. Dollar: "Panoptic Segmentation," In Proceedings of the IEEE/CVF Conference on Computer Vision and Pattern Recognition, 2019

11. D

➡ P151

物体検出を行う代表的なネットワークに関する知識を問う問題です。

物体検出を行うネットワークには、画像中の物体位置を特定したあとにその物体のクラスを識別する2段階モデルと、物体位置の特定とクラス識別を同時に行う1段階モデルがあります。

代表的な2段階モデルとして、**FPN**（Feature Pyramid Network）※6、**R-CNN**（Regions with CNN features）※7およびその後継ネットワーク（**Fast R-CNN**※8、**Faster R-CNN**※9）があげられます（A、B、C）。

R-CNNは、Selective Searchと呼ばれる手法を使用して物体位置の候補領域を複数出力し、それらを後段のCNNで処理したあと、最後にサポートベクターマシン（SVM：Support Vector Machine）［第3章 解答7を参照］を使用してクラス分類を行います。

Fast R-CNNは、画像全体を利用した特徴マップを使用して物体位置の候補領域をまとめて扱うことで、R-CNNを高速化したネットワークです。また、Faster R-CNNは、物体位置の候補を出力するSelective SearchをCNNに置き換えることで、さらなる高速化を実現したネットワークです。

一方、1段階モデルの代表例として、**YOLO**（You Only Look Once）［解答12を参照］や**SSD**（Single Shot MultiBox Detector）※10などがあげられます（**D**）。これらのネットワークは、入力画像の各位置における物体領域らしさと矩形領域を同時に出力できます。SSDは、解像度の異なる複数の畳み込み層から出力を行うことで、さまざまな大きさの物体を検出できるネットワークです。

物体検出タスクにおける代表的なネットワークを覚えておきましょう。

【参考文献】

※6 Tsung-Yi Lin, Piotr Dollar, Ross Girshick, Kaiming He, Bharath Hariharan, Serge Belongie; "Feature Pyramid Networks for Object Detection" Proceedings of the IEEE Conference on Computer Vision and Pattern Recognition (CVPR), 2017, pp. 2117-2125

※7 R. Girshick, J. Donahue, T. Darrell and J. Malik, "Rich Feature Hierarchies for Accurate Object Detection and Semantic Segmentation," 2014 IEEE Conference on Computer Vision and Pattern Recognition (CVPR), 2014, pp. 580-587

※8 Ross Girshick, ""Fast R-CNN"", Proceedings of the IEEE International Conference on Computer Vision (ICCV), 2015, pp. 1440-1448

※9 Shaoqing Ren, Kaiming He, Ross Girshick, Jian Sun, "Faster R-CNN: Towards Real-Time Object Detection with Region Proposal Networks", Part of Advances in Neural Information Processing Systems 28 (NIPS 2015)

※10 Liu, Wei, et al. "Ssd: Single shot multibox detector." Computer Vision-ECCV 2016: 14th European Conference, Amsterdam, The Netherlands, October 11-14, 2016, Proceedings, Part I 14. Springer International Publishing, 2016.

12. C

➡ P152

YOLO（You Only Look Once）※11に関する知識を問う問題です。
YOLOは、画像中の物体位置の特定とクラス識別を同時に行うことができる1段階モデルです。入力画像の各位置における物体領域らしさと矩形領域を同時に出力できます（**C**）。
Selective Search［解答11を参照］は、R-CNNなどに使用される物体位置の候補を出力するアルゴリズムで、YOLOには使用されていません（A）。
U-Net［解答13を参照］は、セマンティックセグメンテーションに使用されるネットワークです。エンコーダとデコーダを備え、デコーダ側でエンコーダの特徴マップを加味した処理を行います。このU-Netは、YOLOの構造をもとにしたネットワークではありません（B）。
また、サイズの異なる特徴マップを出力層に接続するネットワークとしてSSD［解答11を参照］があげられますが、YOLOにはそのような構造は採用されていません（D）。

試験対策

YOLOやSSDの特徴を覚えておきましょう。

13. B

➡ P152

セマンティックセグメンテーションに用いられる代表的なネットワークの概要について問う問題です。
セマンティックセグメンテーションは、画像の画素単位でクラス分類を行うタスクです。
セマンティックセグメンテーションでは、特徴マップを徐々に小さくして特徴を抽出するエンコーダと、特徴マップを拡大して出力を行うデコーダを組み合わせた構造のネットワークが使用されることがあります。こうした構造を持つネットワークの代表例として、**SegNet**、**U-Net**、**PSPNet**（Pyramid Scene Parsing Network）があげられます。
SegNet※12は、エンコーダ・デコーダ構造を採用しており、エンコーダ側のプー

【参考文献】
※11 J. Redmon, S. Divvala, R. Girshick and A. Farhadi, "You Only Look Once: Unified, Real-Time Object Detection," 2016 IEEE Conference on Computer Vision and Pattern Recognition (CVPR), pp. 779-788
※12 V. Badrinarayanan, A. Kendall and R. Cipolla, "SegNet: A Deep Convolutional Encoder-Decoder Architecture for Image Segmentation," in IEEE Transactions on Pattern Analysis and Machine Intelligence, vol. 39, no. 12, pp. 2481-2495, 2017.

リングで得られた位置情報をデコーダ側の処理に反映する仕組みを備えています（A）。

FCN（Fully Convolutional Network）※13は、畳み込み層とプーリング層のみで構成され、全結合層をもたないネットワークです。セマンティックセグメンテーションに使用されますが、エンコーダ・デコーダ構造は備えていません（**B**）。

U-Net※14は、エンコーダ・デコーダ構造を採用したネットワークです。デコーダ側の特徴マップにエンコーダ側の特徴マップを重ねることで、特徴マップを拡大する際に物体の位置情報を捉えやすくしています（C）。

PSPNet※15は、エンコーダ・デコーダ構造の間にPyramid Pooling Moduleという複数の解像度で特徴を捉える機構を追加したネットワークです（D）。

セマンティックセグメンテーションに使用される代表的なネットワークの名称とその構造の概要を覚えておきましょう。

14. B ➡ P152

Dilated Convolution（Atrous Convolution）に関する知識を問う問題です。

Dilated Convolutionは、計算量を増やすことなく、より広範囲の情報を集約する畳み込み処理の手法です。フィルタを適用する際に、フィルタの各要素に間隔を設けることによって、同じ要素数でより広い範囲を畳み込むことができます。

Dilated Convolutionを採用しているネットワークとして、**DeepLab**※16があげられます。DeepLabはセマンティックセグメンテーションに使用されるネットワークです（**B**）。

【参考文献】

※13 Long, Jonathan, Evan Shelhamer, and Trevor Darrell. "Fully convolutional networks for semantic segmentation." Proceedings of the IEEE conference on computer vision and pattern recognition. 2015.

※14 O. Ronneberger, P. Fischer, and T. Brox: "U-net: Convolutional networks for biomedical image segmentation", in International Conference on Medical image computing and computer-assisted intervention, Springer, pp. 234-241 (2015).

※15 Hengshuang Zhao, Jianping Shi, Xiaojuan Qi, Xiaogang Wang, Jiaya Jia, "Pyramid Scene Parsing Network" Proceedings of the IEEE Conference on Computer Vision and Pattern Recognition (CVPR), 2017, pp. 2881-2890

※16 Chen, LC., Zhu, Y., Papandreou, G., Schroff, F., Adam, H.. "Encoder-Decoder with Atrous Separable Convolution for Semantic Image Segmentation." In: Ferrari, V., Hebert, M., Sminchisescu, C., Weiss, Y. (eds) Computer Vision - ECCV 2018. ECCV 2018. Lecture Notes in Computer Science(), vol 11211. Springer, Cham.

U-Net［解答13を参照］は、Dilated Convolutionが取り入れられたニューラルネットワークではありません（A）。なお、U-Netはセマンティックセグメンテーションに用いられます。

Mask R-CNN[※17]は、Dilated Convolutionが取り入れられたネットワークではありません（C）。なお、Mask R-CNNは、インスタンスセグメンテーション（物体検出とセグメンテーションの両方を行うタスク）を行うネットワークです。

YOLOは、Dilated Convolutionが取り入れられたネットワークではありません（D）。なお、YOLOは、物体検出タスクに用いられます。

Dilated Convolutionが使用されている代表的なネットワークと、処理の概要を覚えておきましょう。なお、Dilated ConvolutionとAtrous Convolutionは同じ処理を指しますので、どちらで問われても答えられるようにしておきましょう。

15. D

➡ P153

姿勢推定タスクを扱う**OpenPose**[※18]に関する知識を問う問題です。

姿勢推定は、画像・映像内の人の頭や手足などの位置を推定するタスクです。姿勢推定をリアルタイムで行うことができるソフトウェアとして、OpenPoseがあげられます。OpenPoseは、映像中に写る複数人の姿勢推定を同時に行うことができます（**D**）。

ChasePose、TrackPose、ClosePoseは、姿勢推定を行うソフトウェアとして一般的ではありません（A、B、C）。

画像や映像を扱うタスクにはさまざまな種類があります。代表的なタスクやそれを解くネットワーク、ソフトウェアについて整理しておきましょう。

【参考文献】

※17 Kaiming He, Georgia Gkioxari, Piotr Dollar, Ross Girshick, "Mask R-CNN" Proceedings of the IEEE International Conference on Computer Vision (ICCV), 2017, pp. 2961-2969

※18 Z. Cao, G. Hidalgo, T. Simon, S. Wei and Y. Sheikh, "OpenPose: Realtime Multi-Person 2D Pose Estimation Using Part Affinity Fields" in IEEE Transactions on Pattern Analysis & Machine Intelligence, vol. 43, no. 01, pp. 172-186, 2021.

16. B

➡ P153

マルチスペクトル画像の応用例について問う問題です。
マルチスペクトル画像は、複数の異なる波長域の光（電磁波）の情報がそれぞれ別個に記録された画像です。このような画像は、農業分野における農作物の生育状況の測定など、さまざまな用途に利用されます（**B**）。
紫外線画像と可視画像は、それぞれ紫外線域あるいは可視光域の光（電磁波）の情報が記録された画像であり、いずれも複数の波長域の情報が記録された画像ではありません（A、C）。
また、**OCR**（Optical Character Recognition）は、手書き文字や印刷された文字を自動で読み取り、コンピュータが処理可能なテキストデータに変換する技術の総称です（D）。

画像処理が実世界でどのように活用されているか、事例を覚えておきましょう。

17. B

➡ P153

Transformer［第5章 解答16を参照］の画像認識への応用について問う問題です。
自然言語処理に用いられるTransformerの仕組みは非常に強力であり、この技術を画像認識分野に応用したネットワークがいくつか提案されています。たとえば、画像分類を行える代表的なネットワークとして、Vision Transformer (ViT)[※19]やSwin Transformer[※20]があげられます（イ、ウ）。
BERT（Bidirectional Encoder Representations from Transformers）[※21]［解答22を参照］は、Transformerのエンコーダの構造を取り入れた事前学習モデルであり、自然言語処理に利用されます（ア）。
また、GPT-2（Generative Pre-Training 2）［解答23を参照］は、Transformerのデコーダの構造を取り入れた事前学習モデルで、自然言語処理に利用されます（エ）。
以上のことから、（イ）（ウ）が適切な組み合わせです（**B**）。

【参考文献】

※19 Dosovitskiy, Alexey, et al. "An image is worth 16x16 words: Transformers for image recognition at scale." arXiv preprint arXiv:2010.11929 (2020).

※20 Ze Liu, Yutong Lin, Yue Cao, Han Hu, Yixuan Wei, Zheng Zhang, Stephen Lin, Baining Guo "Swin Transformer: Hierarchical Vision Transformer Using Shifted Windows" Proceedings of the IEEE/CVF International Conference on Computer Vision (ICCV), 2021, pp. 10012-10022

※21 Jacob Devlin, Ming-Wei Chang, Kenton Lee, Kristina Toutanova, "BERT: Pre-training of Deep Bidirectional Transformers for Language Understanding" arXiv preprint arXiv:1810.04805 (2019)

Transformerの派生ネットワークは自然言語処理だけでなく、画像処理も扱えるようになりつつあることを覚えておきましょう。

18. D

➡ P154

テキストデータの処理方法に関する知識を問う問題です。

機械学習で自然言語処理を扱う場合、単語や文章を何らかの方法によってベクトルに変換するのが一般的なアプローチです。

n-gramは、隣り合うn個の単語や文字をひとまとまりとして扱う概念です（A）。n=1の場合は**uni-gram**（ユニグラム）、n=2の場合は**bi-gram**（バイグラム）と呼びます。たとえば、“This is a pen” という文章は “This is” “is a” “a pen” をbi-gramとして含みます。

One-Hot Encodingは、各カテゴリに整数の連番を付与し、カテゴリの番号に対応する要素だけが1で、他の要素が0となるようなベクトルでカテゴリを表現する手法です。このベクトルを**ワンホットベクトル**（One-Hot Vector）と呼びます。カテゴリを単語と読み替えることで、テキストデータにも適用できます。ただし、この手法は単語をベクトルに変換する手法であり、文章内の情報は使用しません（B）。

word2vec [解答20を参照] は、単語のベクトル表現を学習する手法です（C）。

Bag-of-Words（BoW）は、文章内の各単語の出現回数をもとに、文章をベクトルで表現する手法です（**D**）。BoWでは、n番目の要素がn番目の単語の出現回数となるようなベクトルを作成します。なお、単語をn-gramに置き換えることも可能で、この場合はBag-of-n-gramsと呼ばれます。

テキストデータを扱う代表的な手法を覚えておきましょう。

19. A

➡ P154

TF-IDF（Term Frequency-Inverse Document Frequency）に関する知識を問う問題です。

TF-IDFは、文章をベクトルで表現する手法のひとつです。BoW（Bag-of-Words）［解答18を参照］はある文章内の単語のみに着目してベクトル化を行いますが、TF-IDFではデータセット全体での単語の出現回数も考慮します。データセット全体ではあまり出現しないものの、特定のテキストで多く出現するような単語に対して大きな重みを与えることで、単語の重要度を加味したベクトル表現を得ることができます（**A**）。

文章を意味のある最小単位に分割する手法は、**形態素解析**と呼ばれます（B）。また、文章を複数のトピックに分類する手法は、トピックモデルに関連します。トピックモデルはクラスタリング手法のひとつであり、1つのデータを複数のクラスタに割り当てる手法です。代表的な手法として**潜在的ディリクレ配分法**（LDA：Latent Dirichlet Allocation）があげられ、文章の分類などに利用されます（C）。

さらに、TF-IDFなどを使用してベクトル化した文章に対し、コサイン類似度［第8章 解答9を参照］などを使用することで文章間の類似度を求めることができます。ただし、TF-IDF自体は文章間の類似度を求める手法ではありません（D）。

テキストデータを処理するさまざまな手法について整理しておきましょう。誤答として記載された選択肢も重要です。

20. C

➡ P154

トピックモデルの具体的手法に関する知識を問う問題です。

文書が複数の潜在的なトピックから確率的に生成されると仮定したモデルをトピックモデルといいます。トピックモデルの代表的な手法として、**LDA**（潜在的ディリクレ分配法）があげられます（**C**）。LDAは、文章の分類などに利用されます。

word2vec※22は、単語の分散表現を獲得できるツールです（A）。単語の分散表現とは、単語の意味に基づき、単語をベクトルで表現することです。

fastText※23は、単語の分散表現の獲得と、文章の分類を行えるツールです（B）。fastTextの分散表現学習では、word2vecの分散表現学習とは異なり、単語の部分文字列（たとえば、“kindness” なら “kind” と “ness”）も考慮します。

ELMo（Embeddings from Language Models）は、文章全体の文脈を考慮した単語の分散表現を獲得できるネットワークです（D）［解答23を参照］。

【参考文献】

※22 Mikolov, Tomas, et al. "Efficient estimation of word representations in vector space." arXiv preprint arXiv:1301.3781 (2013).

※23 Bojanowski, Piotr, et al. "Enriching word vectors with subword information." Transactions of the association for computational linguistics 5 (2017): 135-146.

LDAがトピックモデルの代表的な手法であることを覚えておきましょう。

21. C

➡ P155

word2vecにおける具体的なネットワークである**skip-gram**と**CBOW**（Continuous Bag-of-Words）について問う問題です。
word2vecは単語のベクトル表現（分散表現）を得る手法です。具体的なネットワーク構造として、skip-gramとCBOWが提案されています。
skip-gramは、ある単語が与えられたとき、その周囲にどのような単語が出現するかを学習します（ア）。また、CBOWは、ある単語の前後の単語（文脈）から目標の単語を予測することを学習します（イ）。
これに対して、n-gram［解答18を参照］は隣り合うn個の単語や文字をひとまとまりとして扱う概念で、BoW［解答18を参照］は、文章内の各単語の出現回数をもとに文章をベクトルで表現する手法です。
以上のことから、（ア）にskip-gram、（イ）にCBOWが入ります（**C**）。

word2vecの仕組みを理解しておきましょう。

22. A

➡ P155

BERT（Bidirectional Encoder Representations from Transformers）の事前学習に関する知識を問う問題です。
BERTは、Transformer［第5章 解答16を参照］のエンコーダの構造をもとにした自然言語処理向けのネットワークで、その特徴は、転移学習が可能なことにあります。
従来のword2vecなどの手法は、タスクに応じて獲得した分散表現を入力とする新たなネットワークを構築する必要がありましたが、BERTでは事前学習済みモデルを使用してそのまま新たなタスクの学習を行うことができます。
BERTは、自己教師あり学習の枠組みで事前学習を行います。自己教師あり学習とは、教師データが付与されていないデータに対して、入力データに関連する何らかの教師情報を機械的に付与して行う学習を指します。BERTにおける事前学習では、**MLM**（Masked Language Model）と**NSP**（Next Sentence Prediction）と呼ばれるタスクが用いられます。MLMは入力した文章の一部を隠し、その単語を周りの文脈から当てるタスクです（ア）。また、NSPは入力された2つの文について、文同士が連続しているかどうかを判別するタスクです（イ）。
これに対して、MLP（MultiLayer Perceptron）は多層パーセプトロン［第4章 解答5を参照］のことです。また、NLP（Natural Language Processing）は自然言語処理のことです。
以上のことから、（ア）にMLM、（イ）にNSPが入ります（**A**）。

BERTにおける事前学習の特徴を覚えておきましょう。

自己教師あり学習は、広義には教師なし学習に含まれます。MLMやNSPは自己教師あり学習のタスクに分類することができますが、BERTが提案された論文では、これらを教師なし学習としています。

23. A ➡ P156

代表的な**大規模言語モデル**（LLM：Large Language Models）について問う問題です。
近年では、膨大な量の学習データを使用して大規模な自然言語処理モデルを事前学習する研究が活発に行われています。このようなモデルは、大規模言語モデルと呼ばれることがあります。
PaLM（Pathways Language Model）※24は、2022年にグーグルが発表した大規模言語モデルです（**A**）。PaLMでは約5,400億ものパラメータが使用されています。
GRU（Gated Recurrent Unit）［第5章 解答12を参照］は、2014年に発表されたゲート機構を有するRNNであり、大規模言語モデルには該当しません（B）。また、**ELMo**（Embeddings from Language Models）※25は、2018年に発表された単語の分散表現を得るためのネットワークであり、大規模言語モデルには該当しません（C）。さらに、**GPT-3**（Generative Pre-Training 3）［参考を参照］は、2020年に人工知能研究機関のオープンAIが発表した大規模言語モデルです（D）。

【参考文献】
※24 Chowdhery, Aakanksha, et al. "Palm: Scaling language modeling with pathways." arXiv preprint arXiv:2204.02311 (2022).
※25 Matthew E. Peters, Mark Neumann, Mohit Iyyer, Matt Gardner, Christopher Clark, Kenton Lee, Luke Zettlemoyer, "Deep contextualized word representations" arXiv preprint arXiv:1802.05365 (2018).

大規模言語モデルの代表例を覚えておきましょう。

大規模言語モデル（LLM）という用語の定義は厳密ではありません。事前学習によってさまざまな自然言語処理タスクを解くことができるモデルをPLM（Pre-trained Language Models）と呼び、そのなかでも特にパラメータ数の規模が大きいモデルをLLMと呼ぶことが多いようです。GPT※26はGPT-2※27やGPT-3※28など複数のモデルが開発されていますが、GPT-2まではPLM、GPT-3からはLLMに分類されるという見方が一般的です。
なお、GPTはGenerative Pre-trained Transformerの略とされる場合もありますが、GPTの提案論文ではGenerative Pre-Trainingと記載されていますので、本書ではこちらを正式名称として採用しています。

24. B ➡ P156

GLUE（General Language Understanding Evaluation）に関する知識を問う問題です。
GLUEは、複数の自然言語処理タスクにおける機械学習モデルの精度評価を行うためのデータセットです。さまざまな自然言語処理の研究でベンチマークとして利用されています（**B**）。
なお、リセットゲートと更新ゲートからなるゲート機構を備えたRNNとして、GRU［第5章 解答12を参照］があげられます（A）。また、文章中の単語の出現頻度をもとに文章をベクトル化する手法として、BoW［解答18を参照］があげられます。さらに、GLUEは単語の分散表現を得るためのネットワークではありません（C）。

GLUEの概要を覚えましょう。GLUEは、特にRNNの一種であるGRUと混同しやすいため注意しましょう。

【参考文献】
※26 Radford, Alec, et al. "Improving language understanding by generative pre-training." (2018).
※27 Radford, Alec, et al. "Language models are unsupervised multitask learners." OpenAI blog 1.8 (2019): 9.
※28 Brown, Tom, et al. "Language models are few-shot learners." Advances in neural information processing systems 33 (2020): 1877-1901.

25. B

➡ P156

音声データの処理方法の概要について問う問題です。

音声は、時間の経過に従って連続的に変化するアナログデータです。アナログデータをコンピュータで扱うためには、何らかの方法を用いてデジタル化する必要があります。このような処理を**A-D変換**（Analog to Digital Conversion）と呼びます（ア）。

音声データをA-D変換によってデジタル化する具体的な手法として、**パルス符号変調**（PCM：Pulse Code Modulation）があげられます（イ）。パルス符号変調は、標本化、量子化、符号化の3つのステップからなる手法です。また、高速フーリエ変換（FFT：Fast Fourier Transform）は、音声データの周波数ごとの強さ（振幅）を分析するアルゴリズムです。なお、復号化という言葉は、符号化の逆の処理を指します。

以上のことから、（ア）にA-D変換、（イ）にパルス符号変調が入ります（**B**）。

音声データを処理するさまざまな手法について、概要を整理しておきましょう。

26. A

➡ P157

音声認識に関する基礎的な知識を問う問題です。

音声認識とは、与えられた音声データまたは特徴量から、適切な単語列を出力するタスクです。

音声認識では、音声データを表す単位として音韻と音素という概念を用います。言語によらず、人間が発声する区別可能な音の単位を音韻といいます（ア）。一方、言語ごとに区別される音の最小単位を音素といいます（イ）。

音声認識を行う代表的な手法として、**隠れマルコフモデル**があげられます（ウ）。隠れマルコフモデルでは、音素ごとに学習を行います。また、**k-means**［第3章 解答13を参照］は、階層なしクラスタリングを行う教師なし学習アルゴリズムです。

以上のことから、（ア）に音韻、（イ）に音素、（ウ）に隠れマルコフモデルが入ります（**A**）。

音声認識に用いられる概念と代表的な手法について覚えておきましょう。

27. D

➡ P157

人間が感じる音色や音の高さを扱う研究分野のキーワードを問う問題です。
音声データの周波数ごとの強さを表現したものを**周波数スペクトル**と呼びます。また、周波数スペクトル上における音の強さの変化の様子を**スペクトル包絡**と呼びます。このスペクトル包絡は、音色を表していると解釈することができます。
スペクトル包絡は、**メル周波数ケプストラム係数**（MFCC：Mel-Frequency Cepstrum Coefficients）によって得ることができます（A）。さらに、スペクトル包絡のピークを**フォルマント**と呼び、フォルマントに対応する周波数を**フォルマント周波数**と呼びます（**D**）。
これらに対して**メル尺度**は、人間が感じる音の高さの差を表現する尺度です（B）。また、**FFT**（Fast Fourier Transform：高速フーリエ変換）は、音声データの周波数ごとの強さを分析するアルゴリズムです（C）。

音声データを分析する際に登場するさまざまなキーワードを覚えておきましょう。

28. B

➡ P158

音声データを扱うタスクやニューラルネットワークに関する知識を問う問題です。
音声認識タスクは、入力する音声データの長さと出力する音素の数が異なる場合が多いため、従来のRNNでは扱うことが困難でした。**CTC**（Connectionist Temporal Classification）は、空文字の利用や同じ音素の集約といった工夫によってそのような問題を解決し、RNNで音声認識タスクを扱いやすくした手法です（ア）。
音声データを扱うタスクには、音声認識以外にも音声生成、感情分析、話者識別などさまざまな種類があります。このうち、音声生成タスクに用いられる代表的なニューラルネットワークとして、**WaveNet**※29などがあげられます（イ）。
また、感情分析や話者識別といったタスクは分類タスクとみなすことができ、ニューラルネットワークを含めたさまざまな機械学習モデルで扱うことができます。ただし、WaveNetは音声生成を行うネットワークであり、これらのタスクに直接使用されることはありません。なお、Seq2Seq［第5章 解答

【参考文献】
※29 Oord, Aaron van den, et al. "Wavenet: A generative model for raw audio." arXiv preprint arXiv:1609.03499 (2016).

14を参照］は、エンコーダとデコーダの2つのRNNを組み合わせることで、入力と出力の長さが違うタスクを扱うネットワークです。空文字の利用や音素の集約といった工夫はなされていません。
以上のことから、（ア）にCTC、（イ）に音声生成が入ります（**B**）。

音声データを扱うさまざまなタスクや関連する手法、ネットワークを覚えておきましょう。

G検定では、音声生成を指して音声合成と呼ぶ可能性がありますので、注意しましょう。また、WaveNetは音声生成や音楽生成のために設計されたネットワークですが、音声認識にも用いることができます。

29. B

➡ P158

深層強化学習に使用される手法である**DQN**（Deep Q-Network）とその派生手法に関する知識を問う問題です。
深層強化学習は、強化学習とディープラーニングを組み合わせた学習手法です。また、DQNは**Q学習**［第3章 解答19を参照］とディープラーニングを組み合わせた手法です。
DQNは、CNNなどのニューラルネットワークを用いて状態を処理することができ、状態が画像で与えられるデジタルゲームやロボット制御のようなタスクに有効です。DQNを取り入れた深層学習手法は数多く提案されており、代表的な手法として**ダブルDQN**（Double Deep Q-Netowork）※30、**ノイジーネットワーク**（Noisy Network）※31、**デュエリングネットワーク**（Dueling Network）※32などがあげられます（C、D）。さらに、これらを含むさまざまな手法を組み合わせた**Rainbow**※33という手法も提案されています（A）。
なお、**SARSA**は行動価値関数を最適化する強化学習手法ですが、DQNの考え方は採用されていません（**B**）。

【参考文献】
※30 Van Hasselt, Hado, Arthur Guez, and David Silver. "Deep reinforcement learning with double q-learning." Proceedings of the AAAI conference on artificial intelligence. Vol. 30. No. 1. 2016.
※31 Fortunato, Meire, et al. "Noisy networks for exploration." arXiv preprint arXiv:1706.10295 (2017).
※32 Wang, Ziyu, et al. "Dueling network architectures for deep reinforcement learning." International conference on machine learning. PMLR, 2016.
※33 Hessel, Matteo, et al. "Rainbow: Combining improvements in deep reinforcement learning." Proceedings of the AAAI conference on artificial intelligence. Vol. 32. No. 1. 2018.

DQNの概要と関連する手法名を覚えておきましょう。

30. A

➡ P159

深層強化学習を用いたゲームAIに関する知識を問う問題です。
AlphaGo（アルファ碁）は、囲碁をプレイできるゲームAIです。モンテカルロ木探索と深層強化学習を組み合わせた手法を採用しており、2016年に当時の世界的な棋士であったイ・セドル九段に勝利しました（ア）。
AlphaStar（アルファスター）※34は、RTS（Real-Time Strategy）と呼ばれるコンピュータゲームのジャンルに属する対戦型ゲームである**スタークラフト2**をプレイできるゲームAIです（イ）。ResNet［第5章 解答9を参照］やLSTM［第5章 解答12を参照］などのさまざまなニューラルネットワークと強化学習手法を組み合わせており、ゲーム内でグランドマスターと呼ばれるトップレベルのプレイヤーに勝利しました。
また、OpenAI Five※35［解答32を参照］は、多人数型対戦ゲームである**Dota2**をプレイできるゲームAIで、2019年に当時の世界トップレベルのプレイヤーで構成されたチームに勝利しました。
以上のことから、（ア）にAlphaGo、（イ）にAlphaStar が入ります（**A**）。

深層強化学習を利用した代表的なゲームAIを覚えておきましょう。

31. C

➡ P159

強化学習における代表的なゲームAIが行うタスクについて問う問題です。
Atari2600は実在するゲーム機です。このゲーム機でプレイできるゲームのうち、57種類のゲームが、強化学習の性能評価のベンチマークとして広く使用されています。DQN［解答29を参照］やその派生手法では、Atari2600を使用して性能評価を行う場合が多くあります。

【参考文献】
※34 Vinyals, Oriol, et al. "Grandmaster level in StarCraft II using multi-agent reinforcement learning." Nature 575.7782 (2019): 350-354.
※35 Berner, Christopher, et al. "Dota 2 with large scale deep reinforcement learning." arXiv preprint arXiv:1912.06680 (2019).

Ape-X[※36]は、デュエリングネットワーク［解答29を参照］やダブルDQN［解答29を参照］などを組み合わせたDQNベースの手法であり、ゲームAIとしてAtari2600のゲームをプレイすることができます（ア）。

Agent57[※37]はDQNベースの手法であり、Atari2600の57種類のゲームすべてで人間のスコアを超える性能を達成しています（イ）。

AlphaGoは囲碁をプレイするゲームAIであり、Atari2600のゲームはプレイできません（ウ）。

Rainbow［解答29を参照］はDQNを活用してさまざまな手法を組み合わせたゲームAIで、Atari2600のゲームをプレイすることができます（エ）。

以上のことから、（ア）（イ）（エ）が適切な組み合わせです（**C**）。

深層強化学習における代表的なゲームAIができることを整理しておきましょう。

32. C

➡ P159

OpenAI Fiveに関する知識を問う問題です。

OpenAI Fiveは、多人数対戦型ゲームのDota2で、2018年に当時の世界トップレベルのプレイヤーで構成されたチームに勝利したゲームAIです。

多人数でチームを構成するゲームなどのタスクでは、味方や敵との協調的な関係や競争的な関係を考慮する必要があります。このようなタスクを学習する際には、複数のエージェントによる**マルチエージェント強化学習**を用います。OpenAI Fiveは、マルチエージェント強化学習の手法を採用したゲームAIです（D）。

また、OpenAI Fiveは系列情報を処理するためにLSTM［第5章 解答12を参照］を使用しています（A）。さらに、**PPO**（Proximal Policy Optimization）と呼ばれる強化学習のアルゴリズムを使用して、大規模な計算資源で5つのエージェントを学習します（B）。

なお、OpenAI FiveはAtari2600をプレイするゲームAIではありません（**C**）。Atari2600ベンチマークで人間を超える性能を達成したゲームAIとしては、Agent57［解答31を参照］が知られています。

【参考文献】

※36 Horgan, Dan, et al. "Distributed prioritized experience replay." arXiv preprint arXiv:1803.00933 (2018).

※37 Badia, Adrià Puigdomènech, et al. "Agent57: Outperforming the atari human benchmark." International conference on machine learning. PMLR, 2020.

OpenAI Fiveの概要を押さえておきましょう。

33. A

➡ P160

深層強化学習をシステム制御に応用する際の手法や課題に関する知識を問う問題です。
残差強化学習は、ロボット制御などにおいて、既存の制御手法と強化学習を組み合わせた学習手法です。ある程度うまく動くことがわかっている既存の制御手法があるとき、その手法による出力と、最適な方策との差の部分を強化学習によって学習することを目指します（**A**）。
また、ロボット制御などのタスクでは、エージェントはセンサーデータを入力として受け取ります。このとき、状態をよく表現する特徴量を入力から抽出する必要があります。入力から状態を表現する特徴量を抽出する過程そのものが学習によって得られるとき、これを**状態表現学習**と呼びます（B）。
さらに、**オフライン強化学習**は、環境との相互作用を必要とせず、固定のデータセットをエージェントに与えて学習を行う手法であり（C）、マルチエージェント強化学習は、複数のエージェントを用意し、それらの相互作用を加味しながら学習を行う手法です（D）。

強化学習の応用におけるさまざまな手法について整理しておきましょう。

34. C

➡ P160

強化学習における**連続値制御**についての理解を問う問題です。
従来、強化学習の分野で数多く研究されてきたゲームプレイのタスクでは、行動は右や下といった離散的なコマンドで定義できました。一方、実世界でロボット制御などのタスクを考える際には、角度や速度、高度などといった連続値を制御する必要があります。このようなタスクについては、連続値を適切に離散化して扱うアプローチがある一方、連続値の行動をそのまま扱う場合もあります。後者の問題設計を連続値制御問題と呼びます。
自動車の運転におけるハンドル操作は、角度や速度といった連続値を扱うため、連続値制御問題として扱えます（A）。また、ロボットアームにおける関節の制御は、連続値である角度を扱うため連続値制御問題として扱えます（B）。さらに、ドローンの操縦制御は高度や方向といった連続値を扱うため、連続値制御問題として扱えます（D）。
これらに対して、ボタンによる入力は離散的であり、連続値制御問題としては扱えません（C）。

試験対策

連続値制御問題の概要を理解しておきましょう。

35. C

➡ P160

ロボット制御などにおけるシミュレータを用いた強化学習手法に関する知識を問う問題です。
コンピュータ上のシミュレータで学習したモデルを実世界へ適用することを**sim2real**といいます（ア）。実世界の環境を用いた学習と比較して、低いコストで学習を行える利点があります。
ただし、一般的にシミュレータでは実世界の環境を完全には再現できないため、学習したモデルを実世界に適用すると、性能が低下することがあります。そこで、環境を定義する摩擦や光源などのパラメータをランダムに決めて複数のシミュレータを用意し、それらを使用して学習を行うことで、実世界とのギャップを軽減することができます。このような手法を**ドメインランダマイゼーション**（Domain Randomization）と呼びます（イ）。
なお、Seq2Seq［第5章 解答14を参照］は入出力の長さが異なる翻訳タスクなどを扱うためのRNNを用いた手法です。また、ランダムサーチは、機械学習においてハイパーパラメータをランダムに探索する手法のひとつです。
以上のことから、（ア）にsim2real、（イ）にドメインランダマイゼーションが入ります（C）。

試験対策

シミュレータを活用した強化学習手法に関するキーワードを覚えておきましょう。

36. A

➡ P161

強化学習とChatGPTの学習プロセスの関連について問う問題です。

ChatGPTは、オープンAIが開発した対話型の文章生成AIです。ChatGPTの学習プロセスでは、大規模言語モデルの学習のほかに**RLHF**（Reinforcement Learning from Human Feedback）※38という強化学習を用いた手法が使用されています。RLHFは、人間がどのような回答を好むかをネットワークにフィードバックすることで、望ましい回答を生成できるようにする手法です。このフィードバックには報酬モデル（Reward Model）が使用され、より望ましい回答に対して高い報酬を付与します（**A**）。

DQN［解答29を参照］は、Q学習とディープラーニングを組み合わせた手法ですが、人間の価値観によるフィードバックを受け取る構造は備えていません（B）。

また、**報酬成形**は、報酬関数の設計と学習された方策の挙動の確認を繰り返し、適切に学習が行われるように報酬関数を作り込むプロセスを指します（C）。

さらに、残差強化学習［解答33を参照］は、ロボット制御などにおいて既存の制御手法と強化学習を組み合わせた学習手法です（D）。

ChatGPTに使用されているRLHFの概要を覚えましょう。また、正解以外の選択肢も強化学習における重要なキーワードであるため、その内容を理解しておきましょう。

37. B

➡ P161

生成タスクに使用されるニューラルネットワークに関する知識を問う問題です。

画像生成や文章生成、音声生成といったタスクを総称して**生成タスク**と呼びます。近年では、ディープラーニングを活用した生成タスク用のネットワークが数多く発表され、注目されています。

WaveNetは、主に音声生成に用いられるネットワークです（A）。また、Whisper※39は、音声認識に使用されるネットワークであり、生成タスクには用いられません。（**B**）。

さらに、変分オートエンコーダ（VAE：Variational Auto-Encoder）［第

【参考文献】

※39 Radford, Alec, et al. "Robust speech recognition via large-scale weak supervision." International Conference on Machine Learning. PMLR, 2023.

※38 Wu, Tianyu, et al. "A brief overview of ChatGPT: The history, status quo and potential future development." IEEE/CAA Journal of Automatica Sinica 10.5 (2023): 1122-1136.

5章 解答21を参照］は画像生成に用いられるネットワークで（C）、GPT（Generative Pre-Training）は文章生成に用いられるネットワークです（D）。

生成タスクの種類と代表的なネットワークを覚えておきましょう。

38. D

➡ P161

敵対的生成ネットワーク（GAN：Generative Adversarial Networks）※40に関する知識を問う問題です。

GANは、ジェネレータ（生成器）とディスクリミネータ（識別器）の2種類のニューラルネットワークから構成されます。ジェネレータがランダムな入力から画像を生成し、ディスクリミネータが生成画像と本物の画像の判別を行います。ジェネレータは、ディスクリミネータが判別できないような画像を生成するように学習を行うことで、最終的に本物と見分けがつかないような画像を生成できるようになります（**D**）。

拡散モデル（Diffusion Model）は、元の画像に徐々にノイズを加えていき、その過程を逆向きに辿るように学習を行うことで、ノイズから画像を生成できるネットワークです※41（A）。

また、変分オートエンコーダ（VAE）［第5章 解答21を参照］は、オートエンコーダを活用した生成ネットワークの一種であり、画像生成などのタスクに利用されます。エンコーダによって入力データを統計分布に変換し、デコーダがその統計分布からサンプリングした値（潜在変数）の入力から元の入力データを復元できるように学習を行います（B）。

Flowベース生成モデル（Flow-based generative models）※42は、エンコーダ・デコーダの構造は備えていませんが、VAEと同様に潜在変数を用いて画像生成を行うネットワークです（C）。

画像生成を行うさまざまな手法やネットワークが提案されています。それぞれの概要を理解しておきましょう。

【参考文献】

※40 Goodfellow, Ian, et al. "Generative adversarial nets." Advances in neural information processing systems 27 (2014).

※41 Sohl-Dickstein, Jascha, et al. "Deep unsupervised learning using nonequilibrium thermodynamics." International conference on machine learning. PMLR, 2015.

※42 Kingma, Durk P., and Prafulla Dhariwal. "Glow: Generative flow with invertible 1x1 convolutions." Advances in neural information processing systems 31 (2018).

G検定では、Flowベース生成モデルを単にFlowと呼ぶ場合がありますので、注意しましょう。

39. C

➡ P162

代表的な画像生成ネットワークのうち、特にGAN [解答38を参照] の派生ネットワークについて問う問題です。

画像生成ネットワークであるGANでは、さまざまな派生ネットワークが提案されています。代表的なものとして、**DCGAN** (Deep Convolutional GAN)※43、**CycleGAN**※44、**Pix2Pix**※45があげられます。

DCGANは、GANにおけるネットワークとしてCNNを用いた画像生成ネットワークです (A)。また、Pix2Pixは、ある画像とそれを変換した画像のペアを使用して学習を行うGANの派生ネットワークです。Pix2Pixを利用することで、ある風景における昼の画像を夜の画像に変換するなどの画像生成を行うことができます (B)。

CycleGANは、Pix2Pixのように画像の変換を行うことのできる画像生成ネットワークですが、Pix2Pixとは異なり、ペアとなる変換画像を必要としません (D)。

これらに対してGPT-2は、文章生成に使用されるネットワークです (**C**)。

GANのさまざまな派生ネットワークを覚えておきましょう。

40. B

➡ P162

画像生成技術である**NeRF** (Neural Radiance Fields)※46に関する知識を問う問題です。

NeRFはニューラルネットワークを活用した画像生成技術であり、与えられた画像に対して、別の視点から見た画像を生成することができます。この技

【参考文献】
※43 Radford, Alec, Luke Metz, and Soumith Chintala. "Unsupervised representation learning with deep convolutional generative adversarial networks." arXiv preprint arXiv:1511.06434 (2015).
※44 Zhu, Jun-Yan, et al. "Unpaired image-to-image translation using cycle-consistent adversarial networks." Proceedings of the IEEE international conference on computer vision. 2017.
※45 Isola, Phillip, et al. "Image-to-image translation with conditional adversarial networks." Proceedings of the IEEE conference on computer vision and pattern recognition. 2017.
※46 Mildenhall, Ben, et al. "Nerf: Representing scenes as neural radiance fields for view synthesis." Communications of the ACM 65.1 (2021): 99-106.

術を活用することで、画像から動画を作成したり、写真の編集を行ったりすることができます（**B**）。
RLHFは、人間がどのような回答を好むかをネットワークにフィードバックすることで、望ましい回答を生成できるようにする手法です（A）。また、LSTMはRNNのひとつで、画像生成には用いられません（C）。さらに、ELMoは単語の分散表現を得るためのネットワークであり、画像生成には用いられません（D）。

NeRFの概要を押さえておきましょう。

41. D

➜ P162

転移学習や**ファインチューニング**に関する知識を問う問題です。
事前学習済みモデルを異なるタスクに転用すること、またはそのために行う学習のことを、転移学習といいます（ア）。ディープラーニングでは、学習を行うのに必要なデータ量や計算リソースが膨大になることが多く、タスクごとにネットワークを学習することが難しい場合があります。そこで、転移学習を利用することで、ほかのタスクで学習したモデルの情報を活かした効率的な学習を行えることがあります。
ファインチューニング（Fine Tuning）は、他のタスクにおける新たなデータを用いて、事前学習済みモデルのパラメータの一部または全部を更新する手法です（イ）。
なお、転用学習という用語は一般的に使用されません。また、**特徴表現学習**とは、ディープラーニングにおいて、特徴量の抽出過程そのものが学習によって獲得されることを表す用語です。
以上のことから、（ア）に転移学習、（イ）にファインチューニングが入ります（**D**）。

学習済みモデルを他のタスクに転用する手法を覚えましょう。

42. C

➡ P163

転移学習の特別な場合について問う問題です。

転移学習では、新たなタスクの学習に使用するデータ数に応じて、いくつかの特別な場合が存在します。

Few-shot Learningは、少量の学習データだけで新たなタスクを解くネットワークを学習することを指します（B）。さらに特殊なケースとして、学習データを1つしか使用しない**One-shot Learning**や、学習データをまったく使用しない**Zero-shot Learning**といったものもあります（A、**C**）。汎用的な特徴抽出を行うことのできるネットワークを別のタスクで学習することによって、このような転移学習が実現できます。

なお、No-shot Learningという用語は一般的に使用されません（D）。

転移学習のいくつかの特別な場合に関するキーワードを覚えておきましょう。

43. B

➡ P163

転移学習において問題となる**破壊的忘却**について問う問題です。

学習済みモデルを転移学習によって新たなタスクに転用すると、元のタスクに対する性能が転移学習前よりも低下することがあります。これを破壊的忘却（Catastrophic Forgetting）と呼びます（**B**）。

なお、勾配消失問題［第4章 解答9を参照］とは、ニューラルネットワークの学習時に出力層における誤差関数の勾配が入力層付近まで伝わらず、パラメータの更新が正常にできなくなる問題です（A）。また、次元の呪い［第1章 解答4を参照］は、次元の増加に伴って計算量などが指数的に増加する現象を指します（C）。さらに、信用割当問題［第4章 解答20を参照］とは、ニューラルネットワークにおいて、各ニューロンが出力を改善するために、予測結果からどのようにフィードバックを受けるかということに関する問題です（D）。

破壊的忘却の概要を押さえましょう。

破壊的忘却は破滅的忘却、破局的忘却とも訳されます。G検定では破壊的忘却と呼ばれる可能性が高いため、注意しましょう。

44. C

➡ P163

基盤モデルの概要について問う問題です。
近年のディープラーニングでは、大量のデータを用いて一度学習したモデルを利用し、ファインチューニングなどによってさまざまなタスクに転用するケースが増えています。こうした目的で学習される大規模な学習済みモデルを、基盤モデルと呼ぶことがあります。自然言語処理や画像処理など、さまざまな領域で学習済みの基盤モデルが公開されています（C）。
なお、汎化モデルや基底モデル、完全モデルという用語は一般的に使用されません（A、B、D）。

近年のディープラーニング研究において重要な概念である基盤モデルについて理解しておきましょう。

45. B

➡ P164

ディープラーニングにおける**マルチタスク学習**や**マルチモーダルタスク**に関する知識を問う問題です。
マルチタスク学習は、1つのネットワークで複数のタスクを同時に扱う学習の総称です（ア）。たとえば、物体検出で検出した領域に対して、同じネットワークを使用してセグメンテーションを行うといったタスクが考えられます。
一方で、テキストや画像など、従来は別々のネットワークで扱われていた性質の異なるデータをまとめて扱うタスクを、マルチモーダルタスクと呼びます（イ）。たとえば、画像を説明する文章を生成するといったタスクが考えられます。
なお、アンサンブル学習［第3章 解答5を参照］とは、複数の機械学習モデルの予測結果を統合して最終的な予測値を決定する手法です。また、マルチクラス学習という用語は一般的に使用されません。
以上のことから、（ア）にマルチタスク学習、（イ）にマルチモーダルが入ります（B）。

複数の異なるタスクやデータを扱うことに関連するキーワードを覚えておきましょう。

46. B

➡ P164

さまざまなマルチモーダルタスクの概要を問う問題です。

Visual Question Answering（**VQA**）はマルチモーダルタスクのひとつです。画像と画像に関する質問文を受け取り、それらの内容をもとに回答を生成します（**B**）。たとえば、カットされたピザの画像と「ピザは何等分にされていますか？」という文章の入力に対し、「ピザは6等分されています」と文章で回答するようなネットワークの構築を目指します。

マルチモーダルタスクには、VQAのほかにも**Text-to-Image**や**Image Captioning**などがあります。Text-to-Imageは、入力された文章をもとに、その内容を反映した画像を生成するタスクです（A）。一方、Image Captioningは、入力された画像に対して、その画像を説明する文章を生成するタスクです（C）。なお、入力された画像から画像内に書かれた文章を抽出するタスクは、OCR（光学文字認識）に関連します（D）。

代表的なマルチモーダルタスクについて整理しておきましょう。

47. D

➡ P165

マルチモーダルタスクを解く代表的なネットワークについて問う問題です。

Text-to-imageタスクは、入力された文章をもとに、その内容を反映した画像を生成するタスクです。

CLIP（Contrastive Language-Image Pretraining）※47は、画像とその説明文のペアを使用して学習を行う画像分類用のネットワークです。画像のラベルだけでなく説明文のデータも活用することで、従来のネットワークを上回る性能を達成しました。CLIPは文章を埋め込むことはできますが、画像を生成するためには別のデコーダを利用する必要があり、そのままでは画像生成を行えません（ア）。

【参考文献】
※47 Radford, Alec, et al. "Learning transferable visual models from natural language supervision." International conference on machine learning. PMLR, 2021.

DALL-E※48は、オープンAIによって開発されたText-to-Imageタスクに使用されるネットワークです（イ）。

Flamingo※49は、ディープマインド・テクノロジーズ社によって開発されたネットワークで、画像や動画を入力としたImage Captioningタスクを解くことができます（ウ）。

Unified-IO※50は、姿勢推定や物体検出、質問応答、Text-to-Image、Visual Question Answeringなどのさまざまなタスクを解くことができるネットワークです（エ）。

以上のことから、（イ）（エ）が適切な組み合わせです（**D**）。

マルチモーダルタスクを解く代表的なネットワークを覚えておきましょう。誤答の選択肢も重要です。

48. A

➡ P165

説明可能AI（XAI：eXplainable Artificial Intelligence）に関する知識を問う問題です。

ディープラーニングにおける学習済みモデルは、一般に予測の根拠を示すのが難しく、ブラックボックスであるといわれています。しかし、近年ではAIの予測根拠を人間が理解可能な形で示すことへの需要が高まっており、このような技術の実現を目指すXAIと呼ばれる研究分野が台頭してきました（ア）。

たとえば、CNNの予測根拠を可視化する手法として、**CAM**（Class Activation Map）※51があげられます。CAMは、CNNの入力データにおける特徴マップの値の重み付き和を計算することで、モデルが入力データのどの部分に注目して予測値を計算したかを可視化する手法です。また、CAMを改善した手法として**Grad-CAM**※52があります（イ）。Grad-CAMでは、勾配の大きい特徴マップの要素に大きな重みを割り当てることで、入力データにおける予測値への影響が大きい箇所を可視化する手法です。

【参考文献】

※48 Ramesh, Aditya, et al. "Zero-shot text-to-image generation." International Conference on Machine Learning. PMLR, 2021.

※49 Alayrac, Jean-Baptiste, et al. "Flamingo: a visual language model for few-shot learning." Advances in Neural Information Processing Systems 35 (2022): 23716-23736.

※50 Lu, Jiasen, et al. "Unified-io: A unified model for vision, language, and multi-modal tasks." arXiv preprint arXiv:2206.08916 (2022).

※51 Zhou, Bolei, et al. "Learning deep features for discriminative localization." Proceedings of the IEEE conference on computer vision and pattern recognition. 2016.

※52 Selvaraju, Ramprasaath R., et al. "Grad-cam: Visual explanations from deep networks via gradient-based localization." Proceedings of the IEEE international conference on computer vision. 2017.

なお、推論可能AIという用語は一般的に使用されません。また、**LIME**（Local Interpretable Model-agnostic Explanations）［解答49を参照］は、モデルの予測値に対する入力データの特徴量の重要度を推定するための手法ですが、特徴マップの情報は使用されません。
以上のことから、（ア）に説明可能AI（XAI：eXplainable Artificial Intelligence）、（イ）にCAM（Class Activation Map）が入ります（**A**）。

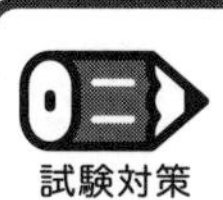

説明可能AIの概要や、代表的な技術について理解しておきましょう。

49. B

➡ P166

機械学習における特徴量の重要度の分析手法に関する知識を問う問題です。
機械学習モデルの予測に対して、どの特徴量がどのように予測に影響しているかを分析することは、説明可能性の観点から非常に重要です。このような分析を行う方法として、目的に応じてさまざまな手法が提案されています。
SHAP（SHapley Additive exPlanations）※53は、ある特徴量が予測値に与えた影響の度合いを、**Shapley値**と呼ばれる値によって求める手法です。たとえば、回帰タスクでは、ある入力データにおける特定の特徴量が、予測値に対して正負どちらの方向にどれだけ影響したかを可視化することができます（ア）。
LIME（Local Interpretable Model-agnostic Explanations）※54は、ある入力データに対する予測において重要であった特徴量を求める手法です。LIMEを使用することで、個々の入力データに着目して予測に重要な特徴量を洗い出すことができます（イ）。
YOLO（You Only Look Once）［解答12を参照］は、物体検出に使用されるニューラルネットワークです（ウ）。
PI (permutation importance) は、検証データセットに対する予測において、個々の特徴量がどの程度重要であったかを求める手法です。ある特徴量を検証データ全体でシャッフルしてから予測を行い、シャッフル前の予測からどの程度精度が低下するかを観測することで、その特徴量の重要度を求めます（エ）。

【参考文献】

※53 Lundberg, Scott M., and Su-In Lee. "A unified approach to interpreting model predictions." Advances in neural information processing systems 30 (2017).
※54 Ribeiro, Marco Tulio, Sameer Singh, and Carlos Guestrin. "" Why should i trust you?" Explaining the predictions of any classifier." Proceedings of the 22nd ACM SIGKDD international conference on knowledge discovery and data mining. 2016.

以上のことから、(ア)(イ)(エ)が適切な組み合わせです(**B**)。

特徴量の重要度や予測値への寄与を分析する XAI の代表的な手法について整理しましょう。

50. B

➡ P166

エッジAIに関する知識を問う問題です。

エッジAIは、モバイル端末や作業現場で使用する機器(エッジデバイス)などに、直接AIを組み込む技術です。AIが組み込まれた機器そのものをエッジAIと呼ぶ場合もあります。エッジAIでは、エッジデバイスのセンサーなどからの入力データをそのまま処理することが可能なため、クラウドなどに展開したAI[第7章 解答5を参照]とは異なり、インターネットを介さずに動作できます(**B**)。

エッジデバイスは計算リソースが限られているため、大規模なモデルを組み込むことが難しい場合が多くあります。このような問題を解決するために、モデルの精度をできる限り保ちながら、その容量を小さくするモデル圧縮[解答51を参照]と呼ばれる手法が使用されることがあります。また、グーグル社が開発したMobileNet[解答5を参照]のように、モデルの構造自体を工夫して軽量化を行った例もあります。

なお、クラウドAIやバッチAI、オンラインAIという用語はいずれも一般的に使用されません(A、C、D)。

エッジAIの概要を押さえておきましょう。

51. C

➡ P166

モデル圧縮を行う具体的な手法に関する知識を問う問題です。

モデル圧縮は、機械学習モデルの精度をできるだけ保ちながら、モデルのサイズを小さくする技術の総称です。計算リソースが限られることの多いエッジAIなどの領域で活用されます。代表的な手法として、**知識蒸留**や**量子化**、**プルーニング**（Pruning：枝刈り）などがあげられます。

知識蒸留は、学習済みの大規模なモデルと同じ出力を行うように小規模なモデルを学習し、元の大規模なモデルと同等の精度を得ることを目指す手法です（A）。また、ディープラーニングにおける量子化は、パラメータのビット数を下げることで、計算量やメモリ使用量を削減する手法です（B）。

さらに、ディープラーニングにおけるプルーニングは、一度学習を行ったモデルのパラメータの一部を削除することでパラメータ数を削減する手法です（D）。

なお、マイニングはモデル圧縮における一般的な手法ではありません（**C**）。

モデル圧縮の目的を理解し、その代表的な手法を覚えておきましょう。

知識蒸留は、単に蒸留と呼ばれることがあります。G検定では後者の表現が使用される可能性が高いため、注意しましょう。

52. D

➡ P167

宝くじ仮説（The Lottery Ticket Hypothesis）※55について問う問題です。

ニューラルネットワークにおいて、元のネットワークから複数のパラメータを除外した小さなネットワークを、サブネットワークと呼びます。あるサブネットワークを、元のネットワークと同じ設定（訓練データやエポック数）で学習させることを考えた場合、どのようなネットワークにも元のネットワークと同等の精度を達成できるサブネットワークが含まれる、という仮説が提唱されています。この仮説を宝くじ仮説と呼びます（**D**）。宝くじ仮説の名称は、このサブネットワークを「当選チケット」に見立てていることに由来します。

【参考文献】

※55 Frankle, Jonathan, and Michael Carbin. "The lottery ticket hypothesis: Finding sparse, trainable neural networks." arXiv preprint arXiv:1803.03635 (2018).

この宝くじ仮説はあくまで仮説ですが、もし正しいとすれば、どのようなニューラルネットワークもモデル圧縮によって軽量化できることになります。宝くじ仮説が提唱された論文では、元のネットワークの10～20%のサイズの「当選チケット」を一貫して発見できたと主張しています。
なお、フレーム仮説やフリーランチ仮説、内包仮説という用語はいずれも一般的に使用されません（A、B、C）。

宝くじ仮説の内容を理解しておきましょう。

第7章

AIの社会実装に向けて

■ AIプロジェクトの進め方

■ データの収集・加工・分析・学習

□ **1.** **AIを活用するプロジェクトの進め方や体制に関する以下の文章を読み、空欄（ア）（イ）に入る語句として最も適切な組み合わせを選べ。**

プロジェクトのチーム内において、（　ア　）は主に利用するデータの分析やAIの構築を担う。（　ア　）は、本格的なシステム開発の前に行う（　イ　）の段階からプロジェクトに携わることが多い。（　イ　）はプロジェクトの実現可能性を推し量るための工程であり、要求される精度をAIが達成できるかといったことを実験的に検証する。

A.　（ア）データサイエンティスト　（イ）PoC
B.　（ア）データサイエンティスト　（イ）IoT
C.　（ア）データエンジニア　（イ）PoC
D.　（ア）データエンジニア　（イ）IoT

➡ P210

□ **2.** **AIをビジネスに活用する際に考慮すべき内容として、最も不適切なものを選べ。**

A.　AIの活用は目的ではなく手段であるため、ビジネスの現場では、課題を解決する方法のひとつとしてAIの導入が検討されている
B.　予測を誤るAIは運用上危険であるため、実際の現場では100%の予測精度が保証されるモデルのみが利用されている
C.　AIを業務プロセスに取り入れる場合は、業務プロセス自体の設計を見直すBPR（Business Process Re-engineering）が必要になる場合がある
D.　業務に関する情報がデータとして記録されていない場合でも、IoT（Internet of Things）デバイスの活用などによってデータ化を行うことで、AIを業務プロセスに取り入れられることがある

➡ P210

☐ **3.** 以下の文章を読み、空欄（ア）（イ）に入る語句として最も適切な組み合わせを選べ。

（　ア　）は、データ分析を活用したプロジェクトを推進する際に使用される標準的なフレームワークである。（　ア　）はAI開発を伴うプロジェクトにも広く利用されてきたが、2021年にはAIの開発や運用の特性を考慮した（　イ　）と呼ばれるフレームワークも提案されている。

A. （ア）CRISP-ML（CRoss-Industry Standard Process for Machine Learning）
（イ）CRISP-DM（CRoss-Industry Standard Process for Data Mining）

B. （ア）CRISP-ML（CRoss-Industry Standard Process for Machine Learning）
（イ）CRISP-AI（CRoss-Industry Standard Process for Artificial Intelligence）

C. （ア）CRISP-DM（CRoss-Industry Standard Process for Data Mining）
（イ）CRISP-ML（CRoss-Industry Standard Process for Machine Learning）

D. （ア）CRISP-DM（CRoss-Industry Standard Process for Data Mining）
（イ）CRISP-AI（CRoss-Industry Standard Process for Artificial Intelligence）

➡ P211

☐ **4.** AIシステムを開発し、実運用する際には、モデルの学習以外にもデータ収集や精度のモニタリングなど、さまざまな工程を管理する必要がある。これらを統合し、AIの開発から運用までを円滑に進めることに関連する用語として、最も適切な語句を選べ。

A. BPR（Business Process Re-engineering）
B. RPA（Robotic Process Automation）
C. API（Application Programming Interface）
D. MLOps（Machine Learning Operations）

➡ P212

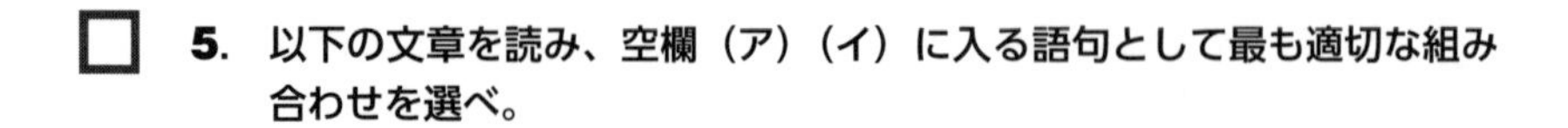

5. **以下の文章を読み、空欄（ア）（イ）に入る語句として最も適切な組み合わせを選べ。**

AIシステムをサービスとして提供する際には、（　ア　）と呼ばれるコンピュータ環境を使用することがある。（　ア　）を用いることで、インターネットを通じて、モデルの学習や予測に必要な計算リソースを必要な量だけ利用できる。（　ア　）上で動作するAIの予測結果をユーザーに提供する際には、（　イ　）が用いられることが多い。（　イ　）は、インターネットを介してシステム間でデータの受け渡しを行う代表的な仕組みである。

A.　（ア）クラウド
　　（イ）Web GUI（Graphical User Interface）
B.　（ア）クラウド
　　（イ）Web API（Application Programming Interface）
C.　（イ）エッジ
　　（イ）Web GUI（Graphical User Interface）
D.　（イ）エッジ
　　（イ）Web API（Application Programming Interface）

➡ P213

□ **6.** **AIを活用したプロジェクトを推進する際には、マネージャー、エンジニア、データサイエンティスト、デザイナーといった人材が必要となる。それぞれの役職に関する説明として、最も不適切なものを選べ。**

A.　マネージャーは、ビジネス的な観点を踏まえたプロジェクト管理や意思決定を担う
B.　エンジニアは、学習済みモデルを組み込んだシステムの開発を担う
C.　デザイナーは、ステークホルダーのニーズを把握し、それにもとづいたプロジェクトの立案を担う
D.　データサイエンティストは、データの分析、モデルの構築、分析結果の共有などを担う

➡ P213

☐ **7.** 以下の文章を読み、空欄（ア）（イ）に入る語句として最も適切な組み合わせを選べ。

（ ア ）開発と（ イ ）開発は、システム開発の進め方に関する手法である。（ ア ）開発は、設計から実装、テスト、リリースまでの計画を事前に策定し、その計画に沿って開発を進める手法である。一方、（ イ ）開発は、設計からリリースまでのサイクルを小規模に繰り返しながら、開発を進める手法である。AIシステムの開発においては、事前にどの程度の精度を得られるかが明確に把握できないことが多いため、開発方針を柔軟に変更できる（ イ ）開発が採用される傾向にある。

A. （ア）アジャイル　（イ）ウォーターフォール
B. （ア）アジャイル　（イ）クラウド
C. （ア）ウォーターフォール　（イ）アジャイル
D. （ア）ウォーターフォール　（イ）クラウド

➡ P214

☐ **8.** 以下の記述を読み、空欄（ア）に入る最も適切な語句を選べ。

（ ア ）イノベーションは、技術やアイデアなどの資源を組織の外部と積極的に共有し、新たな価値を生み出すためのアプローチとして、2003年に経営学者のヘンリー・チェスブロウによって提唱された。

A. クローズド
B. オープン
C. クラウド
D. シェア

➡ P214

☐ **9.** 機械学習モデルの開発環境に関する以下の文章を読み、空欄（ア）～（ウ）に入る最も適切な語句の組み合わせを選べ。

（　ア　）は、機械学習モデルを開発する際に最もよく利用されるプログラミング言語である。ブラウザ上で（　ア　）のコードの編集や実行を手軽に行うことのできるツールとして（　イ　）がある。また、複数人での開発環境を揃えたり、開発環境と実運用環境を揃えたりするためのツールとしては、（　ウ　）が利用されることが多い。（　ウ　）では、コンテナ型仮想化と呼ばれる技術が採用されている。

A.　（ア）Python　（イ）Emacs　（ウ）pyenv
B.　（ア）Java　（イ）Emacs　（ウ）Docker
C.　（ア）Python　（イ）Jupyter Notebook　（ウ）Docker
D.　（ア）Java　（イ）Jupyter Notebook　（ウ）pyenv

➡ P215

☐ **10.** 以下の文章を読み、空欄（ア）に入る最も適切な語句を選べ。

教師あり学習において、人がデータに正解ラベルを付与することを（　ア　）という。

A.　アノテーション
B.　メタデータ
C.　アンサンブル
D.　バリデーション

➡ P216

☐ **11.** 教師あり学習では、データリーケージと呼ばれる現象が発生することがある。データリーケージが発生した場合の主要な問題について、最も適切な記述を選べ。

A.　データリーケージが発生すると、過学習が起きやすくなる
B.　データリーケージが発生すると、未学習が起きやすくなる
C.　データリーケージが発生すると、学習に要する時間が長くなる
D.　データリーケージが発生すると、モデルの性能が不当に高く評価される

➡ P216

☐ **12.** オープンデータセットとは、インターネット上で公開されたデータセットであり、オープンデータセットは、機械学習における学習データとして利用されることがある。画像分類タスクの学習に利用できるオープンデータセットの名称として、最も適切なものを選べ。

A. WordNet
B. ImageNet
C. DBPedia
D. LibriSpeech

➡ P217

☐ **13.** 以下の文章を読み、空欄（ア）に入る最も適切な語句を選べ。

コーパスは、機械学習で使用される（　ア　）に関するデータセットの総称である。

A. 医療
B. 画像
C. 金融
D. 自然言語

➡ P217

☐ **14.** 以下の文章を読み、空欄（ア）に入る最も適切な語句を選べ。

（　ア　）は、データを収集する際に生じる偏りのことである。たとえば、全有権者の支持政党について分析を行いたいとする。このとき、利用者の大半が20代であるソーシャルメディア上でアンケート調査を実施し、その結果のみを使用して分析すると、回答者の年代に関する（　ア　）が生じる可能性がある。

A. サンプリングバリアンス
B. サンプリングバイアス
C. サンプリングアライアンス
D. サンプリングエビデンス

➡ P218

第7章　AIの社会実装に向けて
解　答

1. A

➡ P204

AIを活用するプロジェクトの進め方や体制について問う問題です。

AIを活用するプロジェクトを推進するにあたって、**データサイエンティスト**は必要不可欠な存在です。データサイエンティストはデータ分析やAIの専門家であり、プロジェクトの中核をなすAIの開発を担います（ア）。

AIを活用するプロジェクトでは、開発するAIの最終的な予測性能を事前に把握することは困難です。そこで、本格的な開発に着手する前に、データサイエンティストを中心にデータ分析や実験的なモデル構築などを行い、プロジェクトの実現可能性を見積るアプローチが取られることがあります。これを**PoC（Proof of Concept）**と呼びます（イ）。

これに対してデータエンジニアは、システムにおいてデータの管理を担います。データエンジニアは、データサイエンティストが扱うデータの抽出や整形などを担当する場合もありますが、データ分析やAIの専門家ではありません。また、IoT［解答2を参照］はあらゆるモノがインターネットに繋がり、情報をやり取りすることに関する概念です。

以上のことから、(ア) にデータサイエンティスト、(イ) にPoCが入ります (**A**)。

データサイエンティストの役割を理解しましょう。また、PoCはAIを活用するプロジェクトを推進するうえで重要なプロセスです。その目的や内容を理解しておきましょう。

2. B

➡ P204

AIをビジネスに活用する際に考慮すべき内容を問う問題です。

AIを活用する際に陥りやすい状況として、AIを導入することそのものが目的化してしまうことがあげられます。AIはあくまでビジネス課題を解決するためのひとつの手段です。このような観点で、ビジネス課題の解決に焦点を当ててAIの活用を検討することが重要です（A）。

実世界におけるほとんどの課題において、予測精度が100％となるようなAIを実現することは不可能です。しかし、予測を誤ることがあるからといってAIを活用できないわけではありません。実現可能な予測精度に応じて、活用方法を検討していくことが重要になります（**B**）。

AIを業務プロセスに取り入れる際には、AIによって代替可能な業務を抽出し、業務プロセスそのものを設計しなおすことが有効な場合があります。このような業務プロセスの再設計を**BPR**（Business Process Re-engineering）と呼びます（C）。
AIを業務プロセスに取り入れる際には、業務の情報がデータとして記録されていることが重要です。しかし、コンピュータを用いない多くの業務では、このような情報は記録されません。このような場合に、**IoT**（Internet of Things）デバイスなどを活用できる場合があります。IoTとは、あらゆるものがインターネットに繋がり、情報のやり取りを行うという概念です。IoTデバイスを用いることで、従来はデータ化されなかったさまざまな業務プロセスをデータとして記録することができます（D）。

AIを実際にビジネスで活用する際に考慮すべき内容を整理しておきましょう。

3. C

➜ P205

AIを活用したプロジェクトで利用されるフレームワークに関する知識を問う問題です。
CRISP-DM（CRoss-Industry Standard Process for Data Mining）※1は、AIに限らず、データ分析を活用するプロジェクトを推進するための標準的なフレームワークです（ア）。次に示す図のように、まずビジネス課題や問題設計を詳しく理解する工程から始まり、データの理解、データの準備、モデル構築、評価、展開といった順に進みます。

【CRISP-DMのイメージ】

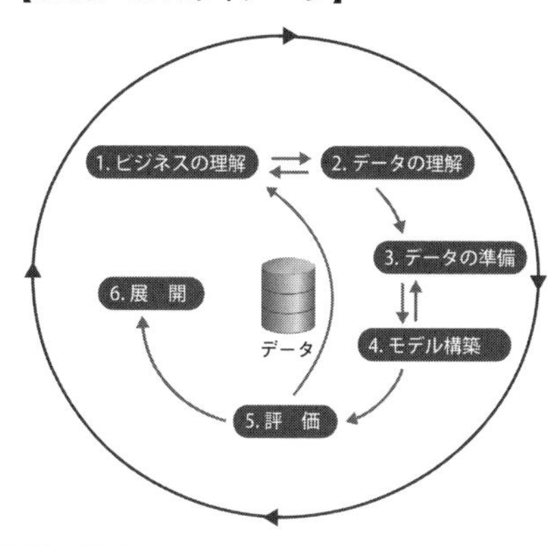

【参考文献】
※1　Studer, Stefan, et al. "Towards CRISP-ML (Q): a machine learning process model with quality assurance methodology." Machine learning and knowledge extraction 3.2 (2021): 392-413.

このCRISP-DMは汎用的なフレームワークであり、AIを活用したプロジェクトにも広く利用されています。一方で、運用時のモニタリングなど、AIの活用に特有な工程を加味した新たなフレームワークとして、**CRISP-ML**（CRoss-Industry Standard Process for Machine Learning）も提案されています（イ）。
なお、CRISP-AIという用語は一般的に使用されません。
以上のことから、（ア）にCRISP-DM、（イ）にCRISP-MLが入ります（**C**）。

試験対策

AIを活用したプロジェクトに用いられるフレームワークについて理解しておきましょう。

4. D

➡ P205

MLOpsに関する問題です。
AIを活用したシステムを開発し、実運用するためには、モデルの学習以外にもさまざまな工程を管理する必要があります。たとえば、データを継続的に収集する基盤や、運用中のモデルの予測精度をモニタリングする仕組みなどが考えられます。これらのシステムの全体像において、モデルの開発や学習の工程は多くの場合でごく一部です。このようなAIを取り巻くシステム全体を統合的に運用管理する概念や方法論を、MLOpsと呼びます。MLOpsは、Machine Learning（機械学習）とOperations（運用）を組み合わせた造語です（**D**）。
これに対してBPR（Business Process Re-engineering）[解答2を参照]は、業務プロセスを見直して整理・再構築することを指します（A）。また、RPA（Robotic Process Automation）は、定型的な作業や業務を代行するソフトウェアや、それを実現する技術を指す概念です（B）。さらに、API（Application Programming Interface）[解答5を参照]は、システム間で情報の受け渡しを行うためのインターフェースです（C）。

試験対策

MLOpsの概要を理解しましょう。特にAIを活用するシステムの開発では、モデルの学習以外にもさまざまな開発が必要になることを覚えておきましょう。

5. B

➡ P206

AIシステムの提供方法に関する知識を問う問題です。
AIシステムを提供する際には、AIによる予測をサービスとして提供するという形態を取ることができます。このとき、AIの予測に使用する入力データや予測結果をインターネットを介して受け渡しできると便利です。システム間でそうしたやり取りを可能にする仕組みとして、**Web API**（Application Programming Interface）があります（イ）。
Web APIを利用してシステムを展開するには、コンピュータ上でAIを動作させて、入力データを受け取れるようにしておく必要があります（これをデプロイと呼びます）。近年では、AIシステムを**クラウド**上にデプロイするケースが増えています。クラウドとは、コンピュータの計算資源（リソース）を、インターネットを介して必要な量と時間だけ利用できるコンピュータ環境です。クラウドを利用することで、AIモデルの規模などに応じて必要十分なリソースを確保でき、コストを最適化することができます（ア）。
これに対して**エッジ**とは、AIを利用する現場に設置された機器類を指す用語です。たとえば、カメラなどのエッジデバイスにAIを組み込むことで、インターネットを介さずにその場で入力データを処理し、予測結果を出力することができます。
なお、GUI（Graphical User Interface）とは、コンピュータの操作を視覚的に行うための操作体系を指します。
以上のことから、（ア）にクラウド、（イ）にWeb APIが入ります（**B**）。

インターネットを介したAIシステムの構築に関するキーワードを覚えておきましょう。

6. C

➡ P206

AIを活用したプロジェクトを推進する際に求められるチーム構成について問う問題です。
AIを活用したプロジェクトを推進するには、エンジニアやデータサイエンティストといった技術者だけでなく、さまざまな知識を有する専門家が必要になります。
マネージャーは、ビジネス的な観点を踏まえたプロジェクト管理や意思決定を担います（A）。また、エンジニアは、システム自体の開発や、システムへの学習済みモデルの組み込みを担います（B）。
また、顧客を含め、プロジェクトに対して利害関係を持つ人々をステークホルダーと呼びます。ステークホルダーのニーズを把握し、それらを満たすプロジェクトを立案することは重要ですが、これはデザイナーの役割ではありません。デザイナーは、システムを使う際の画面や操作方法などの設計を担います（C）。また、データサイエンティストは、データの分析やモデルの構築、分析結果の共有などを担います（D）。

AIを活用したプロジェクトにおける適切なチーム構成や、それぞれの役割について理解しておきましょう。

7. C

➡ P207

システム開発の手法のうち、特にAI開発で採用される手法について問う問題です。
ウォーターフォール開発や**アジャイル開発**は、システム開発の進め方によって分類される開発手法です。
ウォーターフォール開発は、設計から実装、テスト、リリースまでの計画を事前にすべて策定し、計画に沿って開発を進める手法です（ア）。これに対してアジャイル開発は、設計からリリースまでのサイクルを繰り返しながら開発を進める手法です（イ）。AIを使用するシステムでは、計画の段階で精度が保証できないことや、運用時にも精度が変動し得ることなどから、柔軟に方針を変更できるアジャイル開発が採用される傾向にあります。また、クラウド開発という用語は、手法名としては一般的に使用されません。
以上のことから、（ア）にはウォーターフォールが、（イ）にはアジャイルが入ります（C）。

ウォーターフォール開発とアジャイル開発の概要を押さえましょう。

8. B

➡ P207

オープンイノベーションに対する理解を問う問題です。
オープンイノベーションは、技術やアイデアといった自組織の資源を外部組織と積極的に共有し、より効率的にイノベーションを生み出すためのアプローチです。AI業界を含むIT業界では、オープンソースによる共同開発を含む他企業や他業種との連携、**産学連携**などが積極的に行われており、オープンイノベーションによるアプローチが受け入れられているといえます（B）。

一方、クローズドイノベーションは、自組織内で研究、開発から展開までをすべて完結させるアプローチであり、独自技術により競争優位性を確立しやすいというメリットがあります（A）。なお、クラウドイノベーションやシェアイノベーションという用語は、ヘンリー・チェスブロウ（Henry Chesbrough）によって定義されたものではなく、一般的な用語でもありません（C、D）。

オープンイノベーションの概要を押さえましょう。

9. C

➡ P208

機械学習モデルを開発するためのプログラミング言語や環境に関する知識を問う問題です。
機械学習モデルの開発やデータ分析を行う際に最もよく使用されているプログラミング言語として、**Python**があげられます（ア）。Pythonコミュニティでは、データ分析や機械学習用のライブラリ（機能をまとめたツール）が多数公開されており、効率的にAIの開発を行うことができます。
また、**Jupyter Notebook**は、Pythonのコードの編集や実行をブラウザから手軽に行えるツールです。実行の結果をコードのまとまり（セル）ごとにわかりやすく管理することができ、分析や実験を効率的に行うことができます（イ）。
プログラムを実行する際の環境（コンピュータのOSやプログラミング言語のバージョンなど）が異なると、予期しない挙動を引き起こすことがあります。そのため、複数人での開発時や実運用への移行時にこのような問題が発生しないように、あらかじめ環境を揃えておく必要があります。**Docker**は、コンテナ型仮想化と呼ばれる技術を利用して、OSのレベルから環境の一貫性を保つためのツールです（ウ）。
なお、Javaはプログラミング言語ですが、機械学習モデルの開発に最もよく使用されている言語ではありません。また、pyenvはPythonやそのライブラリのバージョンを保つためのツールですが、コンテナ型仮想化の技術は採用されていません。
以上のことから、（ア）にPython、（イ）にJupyter Notebook、（ウ）にDockerが入ります（**C**）。

AI開発を行うためのプログラミング言語や環境に関するキーワードを覚えておきましょう。

10. A

➡ P208

アノテーションについての理解を問う問題です。
アノテーションとは、教師あり学習において、データに正解ラベルを付与する作業のことです（**A**）。教師あり学習では多くの場合、学習データの正解ラベルを人間の手で付与する必要があります。たとえば、ある製品に"ヒビ"があるか否かをAIで判定したいとき、その製品の画像データを学習に使用することはできますが、通常は正解ラベル（ヒビがあるか否か）は人間が判断して付与することになります。このように、正解ラベルを整備したデータセットで学習することで、学習済みモデルは入力データのみから正解ラベルを予測できるようになります。
なお、メタデータとは、データ自体に関する情報を表したデータのことです（B）。また、アンサンブルは複数の機械学習モデルを組み合わせて予測することを指し（C）、バリデーションは検証データを使用してモデルの性能を評価することを指します（D）。

アノテーションの役割を理解しておきましょう。特に、AIを活用して実際のビジネス課題を解決する際には、アノテーションが必要になる場合が多くあります。

11. D

➡ P208

教師あり学習における**データリーケージ**（Data Leakage）に関する知識を問う問題です。
データリーケージとは、実際に予測を行うときには利用できないデータが訓練データに混入する現象です。特に、混入したデータが予測に有利な情報を含んでいた場合は、モデルの性能が不当に高く評価されてしまいます。たとえば、明日の売上を予測したい場合に、明日の店舗への来客数を特徴量に加えてしまうと、実際の予測時には明日の来客数は得られないため、データリーケージになります（**D**）。
以上のことから、データリーケージの発生における主要な問題は、過学習や未学習が起きやすくなることではありません（A、B）。
また、データリーケージが発生すると、特徴量と正解ラベルとの間の構造が変化するため、学習に要する時間が変動する可能性があります。ただし、これはデータリーケージの発生における主要な問題ではありません（C）。

データリーケージの内容や、その問題点を理解しておきましょう。

データリーケージは、主に特徴量などのデータ加工を誤った場合に発生しますが、訓練データや検証データ、テストデータの分割が適切でない場合にも発生することがあります。

12. B

➡ P209

代表的な**オープンデータセット**に関する知識を問う問題です。
オープンデータセットは、インターネット上で公開されているデータセットであり、機械学習における学習データとして利用できます。通常、学習データの収集やアノテーションには多大な時間と労力を要しますが、オープンデータセットを適切に利用することで、効率的に機械学習モデルを開発することができます。
ImageNetは、およそ1,400万枚の画像からなるオープンデータセットです。それぞれの画像に写っている物体のクラスが正解ラベルとして与えられており、画像分類タスクの学習に利用することができます（**B**）。
なお、WordNetやDBPediaは、自然言語処理タスクの学習に利用できるオープンデータセットで（A、C）、LibriSpeechは音声処理タスクの学習に利用できるオープンデータセットです（D）。

代表的なオープンデータセットであるImageNetを覚えておきましょう。

13. D

➡ P209

コーパスに関する知識を問う問題です。
コーパスは、自然言語のデータを大規模に収集し、コンピュータで処理しやすいように整理されたデータセットの総称です（**D**）。近年では、さまざまな自然言語処理タスクのためのコーパスがオープンデータセットとして利用可能であり、ディープラーニングの研究に活用されています。コーパスの例として、2つの言語間の対訳データや、文章とそれに対する形態素の情報をまとめたデータなどがあります。

コーパスの概要を覚えましょう。

自然言語を扱うタスクでは、テキストデータだけでなく、会話などの音声データを扱う場合もあります。自然言語に関する音声のデータセットは、音声コーパスと呼ばれることがあります。

14. B

➜ P209

サンプリングバイアスに関する理解を問う問題です。
機械学習でデータを収集する際には、目的とするタスクの性質を表すデータを網羅的に収集することが重要です。しかし、収集方法によってデータに偏りが生じてしまう場合があります。このような偏りをサンプリングバイアスと呼びます（**B**）。
たとえば、ある行動に関する年代ごとの傾向を分析したいとき、実施するアンケートを展開する方法によって、回答者の年代が偏る可能性があります。
アンケート調査の例はわかりやすいですが、画像認識のようなタスクでもサンプリングバイアスが発生することがあります。たとえば、対象の物体を同じような場所で大量に撮影したとすると、画像の背景が似たようなものばかりになり、他の場所で撮影した画像を認識できなくなる可能性があります。
なお、サンプリングバリアンスやサンプリングアライアンス、サンプリングエビデンスといった用語は、いずれも一般的に使用されません（A、C、D）。

データを収集する際に注意すべき事項を押さえましょう。

第8章

AIに必要な数理・統計知識

□ **1.** **確率変数に関する以下の文章を読み、空欄（ア）（イ）に入る語句として最も適切な組み合わせを選べ。**

確率変数は、サイコロを振ったときの出目のように、ランダムに変動する変数である。確率変数がとり得る値と、それぞれの値が観測される確率との対応を表現したものを（　ア　）という。気温などのように連続的な確率変数の場合、（　ア　）は（　イ　）関数によって表される。

A.　（ア）確率分布　（イ）確率密度
B.　（ア）確率分布　（イ）連続確率
C.　（ア）確率密度　（イ）確率分布
D.　（ア）確率密度　（イ）連続確率

➡ P224

□ **2.** **ある事象Aが起きたという条件のもとで、別の事象Bが起こる確率を指す用語として最も適切なものを選べ。**

A.　条件付き確率
B.　制限付き確率
C.　推移確率
D.　同時確率

➡ P225

□ **3.** **数値データの特性を表す値について説明する以下の文章を読み、空欄（ア）～（ウ）に入る語句として最も適切な組み合わせを選べ。**

（　ア　）は、データを大きさの順に並べたときに中央に位置する値である。また、（　イ　）はデータの散らばりの度合いを表現する値であり、（　イ　）の正の平方根が（　ウ　）である。

A.　（ア）期待値　（イ）分散　（ウ）標準偏差
B.　（ア）期待値　（イ）標準偏差　（ウ）分散
C.　（ア）中央値　（イ）分散　（ウ）標準偏差
D.　（ア）中央値　（イ）標準偏差　（ウ）分散

➡ P225

☐ **4. サイコロを振ったときの出目のように、離散型の確率変数に対応する確率分布を離散型分布と呼ぶ。離散型分布として、最も不適切なものを選べ。**

A.　ベルヌーイ分布
B.　正規分布
C.　二項分布
D.　ポアソン分布

➡ P226

☐ **5. 共分散や相関係数に関する説明として、最も不適切なものを選べ。**

A.　相関係数は、2つの変数間の相関の程度を表す値である
B.　共分散は、2つの変数間の相関の程度を表す値である
C.　相関係数は、－1から1の範囲の値をとる
D.　共分散は、－1から1の範囲の値をとる

➡ P227

☐ **6. 以下の文章を読み、空欄（ア）（イ）に入る語句として最も適切な組み合わせを選べ。**

確率変数Xと確率変数Yがともに別の確率変数Zと強く相関している場合、XとYの相関も強くなりやすい。このとき、XとYに因果関係が想定できない場合、このようなXとYの相関のことを（　ア　）と呼ぶ。このとき、Zの影響を取り除いたXとYの相関係数を（　イ　）と呼ぶ。

A.　（ア）擬似相関　（イ）真相関係数
B.　（ア）擬似相関　（イ）偏相関係数
C.　（ア）間接相関　（イ）真相関係数
D.　（ア）間接相関　（イ）偏相関係数

➡ P227

□ **7. 度数分布に関する説明として、最も適切なものを選べ。**

A. 度数分布は、ある確率で生じる事象の一定期間における発生回数が従う確率分布である
B. 度数分布は、ある平均と分散を持つ連続な確率変数が従う確率分布である
C. 度数分布は、ある変数を複数の階級に区分し、各階級に属するデータの個数を一覧にしたものである
D. 度数分布は、機械学習モデルの予測値と正解ラベルとの対応を一覧にしたものである

➡ P228

□ **8. 以下の文章を読み、空欄（ア）に入る語句として最も適切なものを選べ。**

勾配降下法は、機械学習において誤差関数を最小化するために用いられる手法である。勾配降下法では、パラメータに関する（　ア　）を計算することで、誤差関数の値が小さくなる方向に繰り返しパラメータの更新を行う。

A. 微分
B. 積分
C. 移動平均
D. 分散

➡ P229

□ **9. ある座標軸において2点間の距離や類似度を求めることができる指標として、最も不適切なものを選べ。**

A. ユークリッド距離
B. マハラノビス距離
C. サイン類似度
D. コサイン類似度

➡ P230

☐ **10.** 以下の文章を読み、空欄（ア）に入る語句として最も適切なものを選べ。

自己（　ア　）は、起こる確率が低い事象ほど大きい値をとる量である。また、相互（　ア　）は、ある2つの事象において、どちらか一方を知ることで、もう一方の情報がどれほど得られるかを表す量である。

A.　エントロピー
B.　情報量
C.　ビット
D.　相関

➡ P231

☐ **11.** 統計的仮説検定に関する以下の文章を読み、空欄（ア）（イ）に入る語句として最も適切な組み合わせを選べ。

統計的仮説検定では、（　ア　）仮説とそれを否定した（　イ　）仮説を用いて仮説の検証を行う。（　ア　）仮説のもとではほぼ起こらない現象が起きていることをデータから示すことで、（　ア　）を棄却し、（　イ　）仮説が正しいことを主張することができる。

A.　（ア）帰無　（イ）対立
B.　（ア）帰無　（イ）反証
C.　（ア）対立　（イ）帰無
D.　（ア）反証　（イ）帰無

➡ P231

☐ **12.** ロジスティック回帰でパラメータを最適化する際に使用される手法として、最も適切なものを選べ。

A.　最小二乗法
B.　最大二乗法
C.　最頻値法
D.　最尤法

➡ P232

第8章　AIに必要な数理・統計知識
解　答

1. A ➜ P220

統計学における基礎的な概念について問う問題です。

確率変数は、観測するたびにランダムに変動する変数です。確率変数の例として、サイコロを振ったときの出目や気温などがあげられます。

確率分布は、確率変数がとり得る値と、それぞれの値が観測される確率との対応を表現したものです（ア）。サイコロの出目の例では、1〜6までの目が出る確率をまとめたものが確率分布になります。この例のような離散的な確率変数における確率分布は、**離散型分布**と呼ばれます。

一方、気温のような連続的な確率変数の場合には、**確率密度関数**という関数を用いて確率分布を表現します（イ）。この場合の確率分布は、**連続型分布**と呼ばれます。また、ある確率変数の観測値に対応する確率密度関数の値は**確率密度**と呼ばれます。確率密度関数では、確率変数がある範囲内の値をとる確率を、下図のように関数の面積から求めることができます。図中の$y=f(x)$は確率密度関数、$P(a \leqq X \leqq b)$は確率変数がaからbの範囲内の値をとる確率です。

なお、連続確率関数という用語は一般的に使用されません。

以上のことから、（ア）に確率分布、（イ）に確率密度が入ります（**A**）。

【連続型確率分布の例】

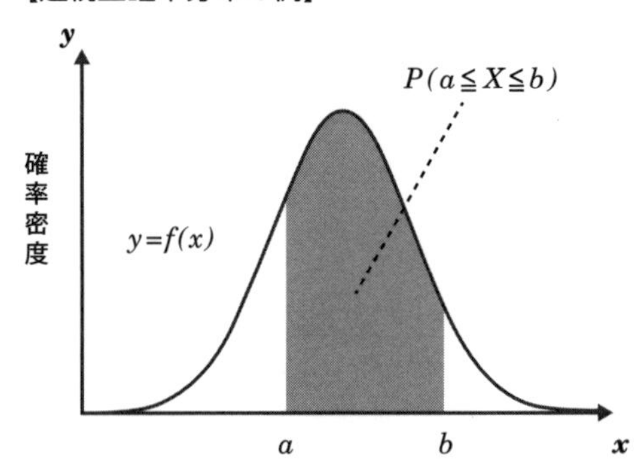

統計学における基礎的な概念を理解しておきましょう。

2. A

➡ P220

条件付き確率に関する知識を問う問題です。
ある事象Aが起きたという条件のもとで、別の事象Bが起こる確率Pを条件付き確率と呼び、$P(B|A)$のように表記します（A）。事象Bの起こりやすさが事象Aに関係している場合、事象Bの起こる確率$P(B)$と条件付き確率$P(B|A)$が異なることがあります。たとえば、平時に火災が発生する確率よりも、地震発生後に火災が発生する確率の方が高いといったケースが考えられます。
なお、制限付き確率や推移確率という用語は一般的に使用されません（B、C）。
また、同時確率とは、事象Aと事象Bが同時に起こる確率を指します（D）。

条件付き確率の定義を覚えておきましょう。

事象Bが起きる確率$P(B)$が条件付き確率 $P(B|A)$と等しいとき、「AとBは独立である」といいます。これは事象Bの起こる確率が事象Aと無関係であることを意味します。

3. C

➡ P220

数値データの性質を表す基本的な値についての知識を問う問題です。
中央値は、データを大きさの順に並べたときに中央に位置する値です（ア）。**平均値**と比較して、**外れ値**（ほかのデータから著しく離れたデータ）の影響を受けにくい特徴があります。なお、データ数が偶数の場合は、中央に位置する2つの値を平均して中央値を求めます。
分散は、データの散らばりの度合いを表現する値です（イ）。各データとデータ全体の平均との差を二乗し、それらを平均して求めます。また、分散の正の平方根を**標準偏差**と呼びます（ウ）。分散や標準偏差の値が大きいほど、各データがより散らばっていると考えることができます。
また、**期待値**とは、ある確率分布に従って値を取り出すとき、最も取り出されやすいと考えられる理論的な値です。統計学では、データは複数回の試行（確率変数を観測すること）によって得られた実現値（実際に観測された値）の集合であると考えます。つまり、各試行では、ある確率分布で定められた確率によって数値が決定し、各データ（実現値）が得られることになります。一般的に統計学で平均という場合は、観測されたデータの平均を指します。試行を重ねてデータ量を増加させることで、その平均値は期待値に近づいていきます。
以上のことから、(ア) に中央値、(イ) に分散、(ウ) に標準偏差が入ります (C)。

数値データの性質を表す代表的な値を覚えておきましょう。

4. B

➔ P221

代表的な確率分布に関する知識を問う問題です。
離散的な確率変数に対応する確率分布を離散型分布、連続な確率変数に対応する確率分布を連続型分布と呼びます［解答1を参照］。代表的な離散型分布として、**ベルヌーイ分布**、**二項分布**、**ポアソン分布**などがあげられます。一方、連続型分布として**正規分布**などがあげられます。
正規分布は、期待値μと分散σを持つ確率変数Xが従う釣り鐘型の連続型分布です（B）。
ベルヌーイ分布は、コインを投げたときの表・裏のように、2つのいずれかの事象のみが起こるような確率変数が従う離散型分布です。ベルヌーイ分布では、片方の事象はある確率p、もう片方の事象は確率$1\text{-}p$で起こると仮定します（A）。
二項分布は、上記のコイン投げのような試行（ベルヌーイ試行と呼びます）を複数回繰り返したとき、その時点での成功回数（確率pの事象が起こった回数）が従う離散型分布です。コイン投げの例で説明すると、コインをn回投げたときに表が出る回数Xの従う分布が二項分布です（C）。
ポアソン分布は、ある確率で起こる事象が一定の時間内に起きる回数Xを考えたとき、Xが従う離散型分布です。ポアソン分布は、一定期間内に起きる交通事故の回数などのように、普段あまり起こらない事象に対して利用されることが多い確率分布です（D）。

代表的な確率分布の名称と特徴を覚えておきましょう。

5. D

➡ P221

共分散や**相関係数**に関する知識を問う問題です。
共分散や相関係数は、2つの変数間の相関の程度を表す数値です（A、B）。
共分散は、2つの変数に正の相関がみられる場合には正の値を、負の相関がみられる場合には負の値を、相関がみられない場合には0付近の値をとります。共分散の値のスケールは、計算に使用する変数の組み合わせによって大きく異なるため、異なる変数の組み合わせ同士では値を比較することができません。そこで、共分散を－1から1の値をとるように正規化した、相関係数が利用されることがあります。相関係数には、1に近いほど変数間の正の相関が強く、－1に近いほど負の相関が強いという性質があります（C）。なお、共分散は－1から1の範囲外の値をとることがあります（**D**）。

共分散や相関係数の概要を理解しておきましょう。

6. B

➡ P221

擬似相関と**偏相関係数**に関する理解を問う問題です。
擬似相関とは、確率変数Xと確率変数Yがともに別の確率変数Zと相関していて、XとYに因果関係が想定できないときの、XとYの相関のことです（ア）。
擬似相関が発生している場合、XとYの直接的な関係を捉えるためには、Zの影響を取り除く必要があります。このように、ある変数の影響を除いた相関係数のことを、偏相関係数と呼びます（イ）。
なお、間接相関、真相関係数という用語は一般的に使用されません。
以上のことから、（ア）に擬似相関、（イ）に偏相関係数が入ります（**B**）。

擬似相関と偏相関係数の関係性を理解しておきましょう。

「風が吹けば桶屋が儲かる」ということわざは、擬似相関の例として見ることができます。風が吹くことと桶屋の利益の間に直接的な因果関係はありませんが、何らかの間接的な要因によって、関連があるように見える場合があります。

7. C

➡ P222

度数分布に関する知識を問う問題です。
度数分布は、ある変数を複数の階級に区分し、各階級に属するデータの個数を一覧にしたものです（C）。階級は、データの個数を集計するために設けられる値の区間（範囲）です。ある階級の区間内に含まれるデータの個数を、その階級における度数と呼びます。また、各階級の区間内の中央の値を階級値といい、最も度数の大きい階級の階級値を**最頻値**（モード）と呼びます。
たとえば、複数人による試験点数のデータは以下の表のようにまとめることができます。

【度数分布の例】

階級（点）	度数（人）
以上　　未満	
30 ～ 40	4
40 ～ 50	2
50 ～ 60	7
60 ～ 70	9
70 ～ 80	5
80 ～ 90	3
計	30

なお、ポアソン分布は、ある確率で生じる事象の一定期間における発生回数が従う分布であり、正規分布は、ある平均と分散を持つ連続な確率変数が従う確率分布です（A、B）［解答4を参照］。機械学習モデルの予測値と正解ラベルとの対応を一覧にしたものは、混同行列と呼ばれます（D）［第3章 解答30を参照］。

度数分布について理解しておきましょう。

度数分布の階級ごとの度数を棒グラフで可視化したものをヒストグラムと呼びます。

8. A

➡ P222

最適化における**微分**の役割について問う問題です。

機械学習では、モデルが出力する予測値と教師データとの誤差を表す損失関数を、パラメータに関して最適化（最小化）することで学習を行います。この最適化には**勾配降下法**が使用されます。

勾配降下法は、現在のパラメータ点における損失関数の勾配（傾き）を求め、勾配を下る（損失関数の値が小さくなる）方向にパラメータの更新を繰り返す手法です。関数の勾配は、パラメータに関して微分を計算することで求めることができます（**A**）。

積分は、関数に囲まれる領域の面積を計算する演算であり、勾配降下法の計算には使用されません（B）。また、**移動平均**は、時系列データにおいて特徴量として使用できる指標のひとつです。各時刻に対し、その時刻から過去n期間の観測値の平均を計算することで求めることができます。このnは窓などと呼ばれます。移動平均は、勾配降下法の計算には使用されません（C）。さらに、分散はデータの散らばりの度合いを表す値であり、勾配降下法の計算には使用されません（D）[解答3を参照]。

最適化における微分の役割を理解しておきましょう。

実際には、損失関数は多くのパラメータに関する多変数関数です。勾配降下法では、各パラメータに対して、その軸における微分をそれぞれ求めます。このような、ある変数のみに関する微分は偏微分と呼ばれます。

9. C

➡ P222

ある座標軸における2点間の距離や類似度を求める代表的な指標に関する問題です。

機械学習において、モデルの入力となるデータは、各特徴量を軸にとった多次元座標空間上の点として表すことができます。これらの点同士の近さや類似性といった性質を分析することは有益です。そのための代表的な指標として、**ユークリッド距離**、**マハラノビス距離**、**コサイン類似度**などがあげられます。

ユークリッド距離は、2点間を結ぶ線分の長さで定義される距離です。普段私たちが使っている距離の概念に最も近く、広く使用されています（A)。

また、マハラノビス距離は、変数（特徴量）間の相関関係を考慮した距離です。たとえば、データが密集している領域に存在する点Aと、外れ値である点Bを考え、データの平均からのユークリッド距離は2点とも同じであるとします。このときマハラノビス距離では、データの平均からの距離は点Bの方が大きくなります（B)。

コサイン類似度は、2点間の類似度を表す指標のひとつです。2点をベクトルで表し、2つのベクトルのなす角度を計算することで求めることができます(D)。

なお、サイン類似度という指標は一般的ではありません（**C**)。

2点間の距離や類似度を測る代表的な指標を覚えておきましょう。

ユークリッド距離やマハラノビス距離のほかにも、マンハッタン距離と呼ばれる距離が使用されることもあります。マンハッタン距離は、2点間の対応する各成分の差の絶対値を足し合わせたものです。

10. B

➡ P223

情報量および**相互情報量**に関する知識を問う問題です。
自己情報量は、確率的に発生するある事象が持つ情報の大きさを定式化した値です。起きる確率が低い事象ほど大きな値をとる性質があります。自己情報量は、ある1つの確率変数の実現値から計算されます。
一方、相互情報量は2つの確率変数から計算される値で、どちらか一方を知ることで、もう一方の情報がどれほど得られるかを表します。
情報理論におけるエントロピーとは自己情報量の期待値のことですが、自己エントロピーや相互エントロピーという用語は一般的には使用されません(A)。
ビットは情報量の単位として使用されることがありますが、自己ビットや相互ビットという用語は一般的には使用されません(C)。相関は、2つの変数間の関連性を表す量です。自己相関という概念はありますが、相互相関という概念は一般的ではありません(D)。
以上のことから、(ア)に情報量が入ります(**B**)。

情報理論における基礎的なキーワードを覚えておきましょう。

11. A

➡ P223

統計的仮説検定に関する基礎的な知識を問う問題です。
統計的仮説検定は、データに関するある仮説を検証したい場合に利用できる統計的な枠組みです。統計的仮説検定では、まず**帰無仮説**と呼ばれる仮説を立て(ア)、それを否定した**対立仮説**を用意します(イ)。次に、データからある確率分布に従う統計量Zを計算し、帰無仮説が正しいとしてZが得られる確率を計算します。ここで、Zが得られる確率が非常に低ければ、帰無仮説を棄却(正しくなかったとして否定)し、対立仮説が正しいことを主張することができます。なお、反証仮説という用語は一般的に使用されません。
以上のことから、(ア)に帰無、(イ)に対立が入ります(**A**)。

統計的仮説検定の基本的な流れを理解しておきましょう。

12. D

➔ P223

ロジスティック回帰［第3章 解答4を参照］の最適化手法について問う問題です。

ロジスティック回帰におけるパラメータは、一般的に、最尤法と勾配降下法を組み合わせて最適化されます。ある母数※を持つ確率分布から、手元のデータがどの程度生成されやすいかを示した指標を**尤度**（ゆうど）と呼びます。**最尤法**は、尤度が最も高くなるような母数の値を、その母数の推定値として採用する手法です（**D**）。

最小二乗法は、線形回帰において一般的に用いられるパラメータ最適化の手法であり、ロジスティック回帰におけるパラメータ最適化には使用されません（A）。最小二乗法は、説明変数の線形和と目的変数の差（残差）の二乗和を最小化する手法です。線形回帰における最小二乗法では、微分をゼロとおいた方程式を解くことによって、最適なパラメータを直接求めることができます。

最大二乗法や最頻値法は、パラメータを最適化する手法として一般的ではありません（B、C）。

線形回帰やロジスティック回帰におけるパラメータ推定のアプローチを理解しておきましょう。

統計学の文脈では、機械学習における教師データに対応する変数を目的変数、特徴量に対応する変数を説明変数と呼びます。

※ 統計学において、母集団の平均や分散などの統計量を母数といいます。母数のことを指して「パラメータ」と呼ぶ場合がありますが、機械学習モデルの学習の対象となる変数を指す「パラメータ」との混同を避けるため、本解説中では「母数」と表記しています。本解説中では、「パラメータ」の語を「機械学習モデルの学習の対象となる変数」の意味でのみ用います。

第9章

AIに関する法律と契約

- ■ 個人情報保護法
- ■ 著作権法
- ■ 特許法
- ■ 不正競争防止法
- ■ 独占禁止法
- ■ AI開発委託契約
- ■ AIサービス提供契約

□ **1.** 個人情報保護法を遵守したデータの収集、活用に関する留意点として、最も不適切なものを選べ。

A. 個人情報を扱う場合、個人データの漏えい、滅失の防止などの安全管理のために適切な措置を講じる義務がある
B. 個人情報の利用目的を本人に通知も公表もしていない場合でも、一定の条件を満たせば個人データを用いた分析を行うことが可能である
C. 指紋データや旅券番号といったデータは、個人識別符号に該当し、個人情報保護法における個人情報として保護される
D. 人種や社会的身分など、本人に対する不当な差別や偏見が生じ得る情報は要配慮個人情報と呼ばれ、特に注意して扱う必要がある

➡ P240

□ **2.** 個人情報に関する以下の文章を読み、空欄（ア）（イ）に入る語句として最も適切な組み合わせを選べ。

（　ア　）は、特定の個人情報を容易に検索できるよう整備された「個人情報データベース等」を構成する個人情報である。（　イ　）は（　ア　）のうち、個人情報取扱事業者が、開示や第三者への提供の停止などを行う権限を有するものをいう。

A. （ア）特定データ　（イ）共有個人データ
B. （ア）特定データ　（イ）保有個人データ
C. （ア）個人データ　（イ）共有個人データ
D. （ア）個人データ　（イ）保有個人データ

➡ P240

□ **3.** 個人情報を含むデータを扱う際には、個人を特定できないように情報を加工することが望ましい。個人情報保護法において、「個人情報に含まれる記述等の一部を削除することなどにより、他の情報と照合しない限り特定の個人を識別することができないように加工した個人に関する情報」を指す用語として、最も適切なものを選べ。

A. 仮名個人情報
B. 匿名個人情報
C. 仮名加工情報
D. 匿名加工情報

➡ P241

□ **4.** 以下の文章を読み、空欄（ア）（イ）に入る語句として最も適切な組み合わせを選べ。

（　ア　）は、2018年に施行されたEU内の個人データ保護に関する規則である。（　ア　）は日本の事業者に対して適用されることが（　イ　）。

A.　（ア）GDPR　（イ）ある
B.　（ア）GDPR　（イ）ない
C.　（ア）GLUE　（イ）ある
D.　（ア）GLUE　（イ）ない

➡ P241

□ **5.** AIやデータの利活用時には、著作権法を遵守する必要がある。著作権法に関する説明として、最も不適切なものを選べ。

A.　Text-to-Imageモデルにおいて、ありふれた短文を入力して得られた生成画像は、その短文を入力した人の著作物にはあたらない
B.　情報解析を目的として著作物を利用するとき、それが営利目的であれば、いかなる場合も著作権者に無断で利用することはできない
C.　生成AIによって既存の著作物を模した作品を生成し、その作品をもとの著作物の著作権者に無断で販売したとき、その作品にもとの著作物の創作的表現が残っている場合は著作権侵害になり得る
D.　生成AIを利用する際に、その生成AIの利用規約により、著作権法とは別に生成物の利用範囲が制限されることがある

➡ P242

☐ **6.** **AIの開発における知的財産に関する以下の文章を読み、空欄（ア）（イ）に入る語句として最も適切な組み合わせを選べ。**

AIを開発する際に収集した学習用データセットは、（　ア　）として認められる可能性があるが、一般に（　イ　）としては認められない。一方、学習で使用されるプログラムは（　ア　）および（　イ　）として認められる可能性がある。

A.　（ア）特許法における発明
　　（イ）不正競争防止法における営業秘密
B.　（ア）特許法における発明
　　（イ）著作権法における著作物
C.　（ア）著作権法における著作物
　　（イ）不正競争防止法における営業秘密
D.　（ア）著作権法における著作物
　　（イ）特許法における発明

➡ P243

☐ **7.** **特許法における発明とは、自然法則を利用した技術的思想の創作のうち高度のものをいう。知的財産基本法および特許法に関する記述として、最も不適切なものを選べ。**

A.　発明について特許を受けるためには、その発明が新規性および進歩性を持つ必要がある
B.　企業に属する従業者がその職務に属する発明を行った場合、その発明を職務発明と呼ぶ
C.　発明の対象となる物には、特定の構造を持つニューラルネットワークや、その学習方法なども含まれる
D.　発明は、特許権によって保護される可能性があるが、知的財産基本法における知的財産にはあたらない

➡ P244

☐ **8.** 不正競争防止法に関する以下の文章を読み、空欄（ア）に入る語句として最も適切なものを選べ。

（　ア　）は、「業として特定の者に提供する情報として電磁的方法により相当量蓄積され、及び管理されている技術上又は営業上の情報」をいう。営業秘密には該当しない価値のあるデータのうち、（　ア　）の要件を満たしたデータは、不正競争防止法による保護を受けることができる。

A.　限定共有データ
B.　限定提供データ
C.　限定配布データ
D.　限定利用データ

➡ P244

☐ **9.** 独占禁止法に関する以下の文章を読み、空欄（ア）に入る語句として最も適切なものを選べ。

（　ア　）とは、公正な競争秩序に悪影響を及ぼすおそれのあることをいう。例えばAIを用いたレコメンデーションによって商品の表示順位を決定するECサイトを考える。このAIを特定の商品が高く評価されるように意図的に学習した場合、出品者間の公正な競争が制限され、（　ア　）が問題となる。

A.　公正競争阻害性
B.　公正競争妨害性
C.　公正競争制限性
D.　公正競争干渉性

➡ P245

□ **10.** 以下の文章を読み、空欄（ア）（イ）に入る用語として最も適切な組み合わせを選べ。

経済産業省が公表している「AI・データの利用に関する契約ガイドライン」では、AIの開発プロセスをアセスメント、（　ア　）、開発、追加学習の4段階に分け、それぞれの段階で個別に契約を結ぶことを提唱している。アセスメントや（　ア　）の段階では、学習済みモデルの生成可能性や求められる精度の達成可能性を検証する。また、開発段階で生成した学習済みモデルは、新たなデータセットを使用して追加学習しながら運用することが想定される。追加学習に関する契約としてはさまざまな形態が考えられるが、たとえば、（　イ　）の中に含めることができる。

A.　（ア）精度保証　（イ）保守運用契約
B.　（ア）精度保証　（イ）NDA（秘密保持契約）
C.　（ア）PoC（Proof of Concept）　（イ）保守運用契約
D.　（ア）PoC（Proof of Concept）　（イ）NDA（秘密保持契約）

➡ P246

□ **11.** ソフトウェアを開発する者をベンダー、ソフトウェアの開発を依頼する者をユーザー、AIに関連するソフトウェア開発の学習用データセットや学習済みモデルを成果物と呼ぶとき、これらの成果物に対する知的財産権の帰属に関する説明として、最も適切なものを選べ。

A.　成果物の知的財産権は、必ずベンダー側に帰属する
B.　成果物の知的財産権は、必ずユーザー側に帰属する
C.　成果物の知的財産権は、必ずベンダーとユーザー双方に帰属する
D.　成果物の知的財産権の帰属は、契約によって個別に定めることができる

➡ P247

☐ **12.** AIに関連するソフトウェア開発を委託する際の契約に関する以下の文章を読み、空欄(ア)(イ)に入る語句として最も適切な組み合わせを選べ。

(ア)契約は、具体的な仕事の完成を目的とした契約である。一方、(イ)契約は、検証や開発といった役務の提供を目的とする契約である。AIに関連する開発では、契約時に学習済みモデルの精度や未知データに対する挙動を保証することが困難であるため、(ウ)契約を行うことが多い。

A. (ア) 請負 (イ) 準委任 (ウ) 準委任
B. (ア) 請負 (イ) 準委任 (ウ) 請負
C. (ア) 準委任 (イ) 請負 (ウ) 準委任
D. (ア) 準委任 (イ) 請負 (ウ) 請負

➡ P247

☐ **13.** 以下の文章を読み、空欄(ア)(イ)に入る語句として最も適切な組み合わせを選べ。

(ア)は、インターネット経由でアプリケーション機能を提供するサービスの形態である。近年では、学習済みモデルに対する入出力を(ア)形式で提供するものが増えている。(ア)形式のサービスを提供する際には、サービスの利用条件を(イ)によって定めるのが一般的である。(イ)では、ユーザーが提供する入力データに対する知的財産権の帰属などが定められることがある。

A. (ア) SaaS (イ) NDA(秘密保持契約)
B. (ア) SaaS (イ) 利用規約
C. (ア) PaaS (イ) NDA(秘密保持契約)
D. (ア) PaaS (イ) 利用規約

➡ P248

第9章　AIに関する法律と契約
解　答

1.　B

➡ P234

個人情報保護法を遵守したデータの収集や活用における留意点について問う問題です。
顧客の行動をAIによって予測する場合など、AIを活用する際には顧客の個人情報を含むデータを扱うことがあります。そのようなデータを利用する際には、個人情報保護法を遵守する必要があります。
個人データ［解答2を参照］とは、データ化された個人情報のことです。個人情報を扱う際には、個人データの漏えいや滅失の防止といった安全管理措置を講じる必要があります（A）。
個人情報を取り扱う際には、データの処理方法に関わらずその利用目的を本人に通知または公表しなければなりません（**B**）。
個人識別符号とは、それ自体から特定の個人を識別できる情報です。指紋データや旅券番号などは個人識別符号に該当し、個人情報保護法における個人情報として保護されます（C）。
なお、人種や社会的身分などのように、本人に対する不当な差別や偏見が生じないように特別な配慮を要する個人情報は、**要配慮個人情報**と呼ばれます（D）。

個人情報保護の観点からみたデータの取扱いにおける注意点について整理しておきましょう。

2.　D

➡ P234

個人情報保護法における**個人データ**、**保有個人データ**について問う問題です。
個人データは、「個人情報データベース等」を構成する個人情報を指します（ア）。「個人情報データベース等」とは、特定の個人情報を容易に検索できるよう整備されたものをいいます。たとえば、あるサービスにおいてユーザーの氏名などの登録情報を検索可能なデータベースで管理しているとき、そのデータは個人データであるといえます。
また、個人データのうち、個人情報取扱事業者が開示や第三者への提供の停止などを行う権限を有するものを、保有個人データと呼びます（イ）。委託を受けて取り扱う個人データは、委託先と開示等の特別な取り決めをしていない場合、保有個人データには該当しません。
なお、個人情報保護法において、特定データや共有個人データという用語は定義されていません。
以上のことから、(ア) に個人データ、(イ) に保有個人データが入ります (**D**)。

個人データ、保有個人データの定義を覚えておきましょう。

3. C

➡ P234

仮名加工情報および**匿名加工情報**に関する知識を問う問題です。
個人情報を含むデータを扱う際には、個人を特定できないように情報を加工するのが望ましいといえます。このように加工された情報は、その性質によって仮名加工情報または匿名加工情報と呼ばれます。
仮名加工情報とは、個人情報に含まれる記述の一部に削除などの加工を施すことで、他の情報と照合しない限り特定の個人を識別できないようにした情報のことです (**C**)。加工した情報単体からは特定の個人を識別できないようにする必要がありますが、加工した情報を他の情報と組み合わせることで個人が特定できる状態であっても構いません。たとえば、氏名をユーザーIDで表し、そのIDと氏名との対応を別のデータベースで管理する場合などがこれに該当します。
一方、匿名加工情報とは、個人情報に含まれる記述の一部に削除などの加工を施すことで、特定の個人を識別できないようにした情報のことです。他の情報との組み合わせによっても個人を特定できない状態にする必要があるため、仮名加工情報よりも匿名性の高い情報になります (D)。
なお、個人情報保護法において、仮名個人情報や匿名個人情報という用語は定義されていません (A、B)。

仮名加工情報、匿名加工情報の概要を理解しておきましょう。

4. A

➡ P235

GDPR (General Data Protection Regulation：一般データ保護規則) に関する知識を問う問題です。

GDPRは、欧州連合（EU）を含む欧州経済領域（EEA）の域内で取得した個人データやプライバシーの保護に関する規則であり、2018年に施行されました（ア）。GDPRはEU域外の事業者にも適用されるため、日本の事業者も適用対象となります（イ）。
なお、**GLUE**（General Language Understanding Evaluation）は、自然言語処理において複数のタスクを対象としたモデルの精度評価を行うためのベンチマークです。
以上のことから、（ア）にGDPR、（イ）に「ある」が入ります（**A**）。

GDPRの概要を覚えておきましょう。諸外国のデータやAIに関する規則や法律は、日本の事業者にも影響を与えることがあります。

5. B

➡ P235

AIやデータの利活用と**著作権法**との関連を問う問題です。
著作物をAIの学習データとして利用する場合や、生成AIによる生成物の著作権の扱いなど、AIを活用する際は著作権法におけるデータの利用条件に留意する必要があります。
著作権法では、著作物を「思想又は感情を創作的に表現したものであって、文芸、学術、美術又は音楽の範囲に属するもの」と定義しています。令和5年度著作権セミナー（文化庁著作課）によると、生成AIの自律的な生成物は人間の「思想又は感情」を表現したものではないため、その生成物は生成者の著作物には該当しないと考えられています。一方で、あくまで生成AIを道具として活用し、入力データや生成結果の選定方法などに創意工夫を凝らして「思想又は感情を創作的に表現した」と評価できる場合には、その生成物は生成者の著作物にあたる可能性があります。ただし、たとえばText-to-Imageモデル［第6章 解答46を参照］において「黒い服を着た男」などのように、一般にありふれた短文の入力から生成された画像は「思想又は感情を創作的に表現した」とはいえず、生成者の著作物にはあたらないと考えるのが一般的です（A）。
また、AIの学習を含め情報解析を目的とする場合は、その目的の営利・非営利を問わず、著作物を著作権者に無断で利用することができます（著作権法第三十条の四）。この法律によって、たとえば、学習データの収集時に著作権者に許諾を得る工程が不要になり、効率的に収集を行うことが可能になります。ただし、著作権者の利益を不当に侵害することになる場合は、この限りではありません（**B**）。
さらに、著作物は表現として定義されているため、作者の画風や世界観などは著作権保護の対象になりません。そのため、生成AIによる生成物に学習で使用した著作物の著作権が及ぶか否かを判断する場合、その著作物の創作的表現が生成物に残っているか否かが焦点になります。学習で使用した著作物の創作的表現が生成物に断片的にでも残っている場合は、著作権侵害になり得ます（C）。
前述のとおり、生成AIによる生成物に著作権が認められるかどうかは、「創作意図」や「創作的寄与」の有無によって判断されます。ただし、生成AIの利用に関して利用規約が定められている場合は、著作権とは別にその利用範囲が制限されることがあります（D）。

AIやデータを利活用する際の著作権法上の留意点を整理しておきましょう。

6. D

➡ P236

AIの開発における学習用のデータセットやプログラムなどの成果物と、知的財産基本法による保護との関連を問う問題です。
知的財産とは、知的活動によって生み出されるアイデアや著作物、営業秘密などを指し、知的財産権による保護の対象になります。
著作物は、思想または感情を創作的に表現したものです。学習用データセットは、情報の選択または体系的な構成によって創作性を有する場合は著作物として認められます。また、学習用プログラムについても、プログラムそのものが著作物として認められる場合があります（ア）。
一方、特許法では**発明**を「自然法則を利用した技術的思想の創作のうち高度のもの」と定義しています［解答7を参照］。また、特許法ではプログラム（「電子計算機に対する指令であって、発明の結果を得ることができるように組み合わされたもの」と定義される）や、それに準ずるものを発明の対象として認めています。AIを学習するためのプログラムも、その新規性や進歩性によって発明として認められる場合がありますが、学習用データセットに関しては、情報の単なる提示に該当するとされ、発明とは認められません（イ）。
また、不正競争防止法における**営業秘密**［解答8を参照］とは、非公知性、有用性、秘密管理性の3つの要件を満たす情報を指します。そのため、学習用データセットや学習用プログラムは、これらの要件をすべて満たす場合に営業秘密として保護されます。
以上のことから、（ア）に「著作権法における著作物」、（イ）に「特許法における発明」が入ります（**D**）。

AIの開発における成果物が、知的財産としてどのように保護されるかを整理しておきましょう。

学習済みモデルについては、発明や著作物として保護できるか議論が分かれます。一方、一定の要件を満たすことで営業秘密として保護することは可能です。

7. D

➜ P236

特許法における**発明**に関する知識を問う問題です。
特許法では、ある発明が特許を受けるためには、その発明が**新規性**および**進歩性**を有している必要があるとされています。新規性については、「特許権が付与される発明は新規な発明でなければならない」とされています。また、発明の属する技術の分野で通常の知識を有する技術者が、容易にその発明を行うことができた場合、その発明は進歩性がないと判断され、特許付与の対象にはなりません（A）。
職務発明とは、「使用者等（企業など）における従業者等の職務に属する発明」をいいます。特許法では、職務発明における発明者である従業員の権利を適切に保護するために、職務発明制度と呼ばれる特則が設けられています（B）。
また、特許法では、プログラムが発明の対象物として認められています。特定の構造を持つニューラルネットワークやその学習方法といった発明が、特許を取得した事例もあります（C）。
以上のように、発明は特許を取得することで特許権による保護を受けることができます。また、特許法における発明は、知的財産基本法における知的財産として定義されています（**D**）。

特許法における発明の概要や新規性、進歩性、職務発明といったキーワードを覚えておきましょう。

8. B

➜ P237

不正競争防止法における**限定提供データ**に関する問題です。
限定提供データは、「業として特定の者に提供する情報として電磁的方法により相当量蓄積され、及び管理されている技術上又は営業上の情報」をいいます。たとえば、収集したデータを自組織内のみで活用するのではなく、組織間で共有することで、よりよいサービスを作り出すことができる場合があります。限定提供データは、このような場合にデータを不正競争防止法のもとで保護するための概念です。
不正競争防止法において、データなどの情報を営業秘密として保護するためには、その情報が非公知性、有用性、秘密管理性の3つの要件を満たす必要があります。つまり、情報が秘密として管理されており、公然と知られておらず、かつ有用なものであることが必要です。そのため、上記のような他社との共有を前提としたデータは非公知性または秘密管理性を満たさず、営業秘密として保護することはできません。そのようなデータのうち、一定の条件を満たしたものを限定提供データとすることで、不正競争防止法のもとで不正な流通などを抑制することができます。
なお、限定共有データや限定配布データ、限定利用データといった用語は、不正競争防止法では定義されていません（A、C、D）。
以上のことから、（ア）には限定提供データが入ります（**B**）。

不正競争防止法において保護の対象となるデータについて整理しておきましょう。

9. A

➜ P237

AIと**独占禁止法**の関連性について問う問題です。
公正競争阻害性とは、公正な競争秩序に悪影響を及ぼす可能性があることを指します。昨今では、インターネットを介して類似したサービスや商品を一度に比較できるプラットフォームが数多く提供されています。たとえば、ECサイトや飲食店を一括検索できるウェブサイトなどがあげられます。そのようなプラットフォームでは、AIやアルゴリズムによってサービスや商品をランク付けし、掲載順序を調整することが当たり前のように行われています。しかし、AIの予測を偏らせるように意図的にAIを学習させるといったプラットフォーム提供者の行為により、ユーザーに不当な格差が生まれる場合があります。特に当該プラットフォームが巨大な場合には、ユーザーはそのプラットフォーム上での競争を余儀なくされ、公正な競争秩序が保たれなくなります。このような場合には、公正競争阻害性の有無や大小が争点になります。
なお、公正競争妨害性、公正競争制限性、公正競争干渉性という用語は一般的に使用されません（B、C、D）。
以上のことから、（ア）には公正競争阻害性が入ります（**A**）。

AIと独占禁止法の関連性や公正競争阻害性について理解しておきましょう。

10. C

➡ P238

「**AI・データの利用に関する契約ガイドライン**」※1についての理解を問う問題です。
昨今では、数多くの企業がAIに関連する技術の開発や利用に取り組んでいます。急速に発展するこのような技術の開発や利用に関して、知的財産権の帰属や開発・利用に伴う責任の所在が明確でないなど、法整備が追いついていない部分もあります。このような状況を受け、経済産業省は、AI技術を利用するソフトウェアの開発・利用に際しての契約に関する基本的な考え方をまとめたガイドラインとして、「AI・データの利用に関する契約ガイドライン」を策定し、公表しています。
このガイドラインでは、AIの開発プロセスをアセスメント、PoC（Proof of Concept）、開発、追加学習の4段階に分類し、それぞれにおいて個別に契約を結ぶことを提唱しています（ア）。
アセスメントの段階では、NDA（Non Disclosure Agreement：秘密保持契約）を結んだうえで、データを想定どおりに収集できるか、モデルの学習を行うことができるかといった検証を行います。また、PoCの段階では、モデルの学習を行い、求められる精度を達成できるかどうかを検証します。
開発段階では実運用に使用する学習済みモデルを生成しますが、運用時には学習済みモデルをそのまま使い続けるだけでなく、運用中に得られる新たなデータを使用して追加学習を行うことも考えられます。運用時の追加学習に関する取り決め方にはさまざまな形態が想定されますが、たとえば、この点について保守運用契約に含めることが可能です（イ）。
AIの開発における契約では、契約の段階でその精度を保証しづらいことが問題となります。本ガイドラインのように開発段階を複数に分け、各段階における達成目標を明確にすることで、トラブルを未然に防ぐことができます。
また、NDAは、モデルの学習のために提供するデータといった秘密情報の取扱いについて規定したもので、本ガイドラインではアセスメントの段階で締結することを提唱しています。
以上のことから、（ア）にPoC（Proof of Concept）、（イ）に保守運用契約が入ります（**C**）。

※1 「AI・データの利用に関する契約ガイドライン」https://www.meti.go.jp/policy/mono_info_service/connected_industries/sharing_and_utilization/20180615001-1.pdf

「AI・データの利用に関する契約ガイドライン」における開発プロセスの各段階について、その概要や役割を理解しておきましょう。

本問での「学習済みモデルを生成する」という表現は「AI・データの利用に関する契約ガイドライン」に準拠していますが、一般的には「構築する」という表現の方がよく利用されます。

11. D

➡ P238

AIに関連したソフトウェア開発における成果物の**知的財産権**に関する問題です。
AIの技術を活用したソフトウェアを委託によって開発する場合、学習用データセットや学習済みモデルといった成果物の知的財産権の帰属が問題になります（A、B、C）。あらかじめ、事前にベンダー（開発者）とユーザー（依頼者）との間で、成果物の知的財産権の帰属に関する契約（ソフトウェア開発契約など）を締結することで、トラブルの発生を未然に防ぐことができます（D）。また、このような契約の中で、知的財産権の対象にならないものも含めた成果物の利用条件を定めることも可能です。なお、複雑な利用条件を設定する場合は、別途**ライセンス契約**（使用許諾契約）を締結することもあります。

AI開発を委託する際の成果物については、ソフトウェア開発契約などによって知的財産権の帰属や利用条件が定められることを覚えておきましょう。

12. A

➡ P239

請負契約と**準委任契約**に関する知識を問う問題です。
請負契約は、具体的な仕事の完成を目的とした契約です（ア）。成果物の納品の義務があることが特徴です。
一方、準委任契約は、検証や開発といった役務の提供を目的とする契約です（イ）。特にAIに関連する開発を行う際には、学習済みモデルの精度や未知データに対する挙動について、契約締結時に何らかの保証を行うことが困難です。準委任契約は、このようなAI開発の実態に沿った契約であるといえます。

以上のことから、(ア) に請負、(イ) に準委任、(ウ) に準委任が入ります (A)。

請負契約や準委任契約の概要を覚えておきましょう。

より正確には、準委任契約はさらに成果完成型と履行割合型に分類されます。成果完成型は、委任事務の処理によってもたらされる成果に対して報酬を支払うことが合意された場合の支払い方式です。一方、このような合意がされていない場合の支払い方式を履行割合型と呼びます。なお、寄託契約は、他人の物を保管するという役務の提供を目的とする契約です。

13. B

➡ P239

AIをサービスとして提供する際の契約に関する問題です。
SaaS (Software as a Service) は、インターネット経由でアプリケーション機能を提供するサービスの形態です。近年では、インターネットを経由して入力データを受け取り、学習済みモデルの出力 (予測や生成データ) を返すSaaS形式のサービスが数多く提供されています (ア)。
SaaS形式のサービスでは、サービスを利用するユーザーと個別に契約を交わすのではなく、**利用規約**によってサービスの利用条件を定めるのが一般的です (イ)。こうした学習済みモデルを利用するサービスでは、利用規約によってユーザーが提供する入力データの利用権や、知的財産権の取り扱いなどを定めている場合があります。機密性の高いデータを入力する可能性がある場合などは、特に注意が必要です。
PaaS (Platform as a Service) は、アプリケーションの運用や維持管理を行うためのプラットフォームを、サービスとして提供するものです。また、NDA (秘密保持契約) は、企業間などで共有するデータなどの秘密情報の取扱いについて規定したものです。
以上のことから、(ア) にSaaS、(イ) に利用規約が入ります (B)。

SaaSの概要や、SaaSにおける契約の形式について理解しておきましょう。

第10章

AI倫理・AIガバナンス

- 国内外のガイドライン
- プライバシー
- 公平性
- 安全性とセキュリティ
- 悪用
- 透明性
- 民主主義
- 環境保護
- 労働政策
- その他の重要な価値
- AIガバナンス

☐ **1.** **内閣府が2019年3月に取りまとめた「人間中心のAI社会原則」では、基本理念として3つの価値をあげている。これらの価値として最も不適切なものを選べ。**

A. 人間の尊厳が尊重される社会（Dignity）
B. 多様な背景を持つ人々が多様な幸せを追求できる社会（Diversity & Inclusion）
C. AIによる便益を最大限に享受するために必要な変革が行われる社会（AI-Ready）
D. 持続性ある社会（Sustainability）

➡ P256

☐ **2.** **AIガバナンスとは、AIの利活用によって生じるリスクと恩恵のバランスをとることを目的とした、社会的システムなどの設計や運用を指す概念である。AIガバナンスの設計にあたって、規制の程度をリスクの大きさに対応させるべきであるという考え方として、最も適切なものを選べ。**

A. リスクベースアプローチ
B. データベースアプローチ
C. ソフトロー
D. ハードロー

➡ P257

☐ **3.** **カメラで人物を撮影し、その画像データを用いてAIを活用しようとする場合、留意すべきプライバシーや個人情報の保護に関する説明として、最も不適切なものを選べ。**

A. 個人情報保護法では、取得した画像データが個人情報にあたらない場合、その利用目的を画像に写る人物に伝える必要はない
B. 個人情報保護法では、取得した画像データから特定の個人を識別できる特徴量を抽出した場合、その特徴量データは個人識別符号に該当する
C. 個人情報保護法では、学習データを作成する際には必ず個人情報を匿名加工情報に変換する必要がある
D. 学習済みモデルによる予測時にも、プライバシーの問題が発生することがある

➡ P258

□ **4.** 機械学習モデルの公平性に関する以下の文章を読み、空欄（ア）（イ）に入る語句として最も適切な組み合わせを選べ。

（　ア　）とは、人種や国籍などのように、差別や偏見が生じないように注意して扱うべき情報である。また、（　イ　）は、（　ア　）と相関が強いことなどにより、それを代替し得るデータである。（　ア　）や（　イ　）を特徴量として使用すると、公平ではない予測を行う学習済みモデルができ上がってしまう場合がある。

A.　（ア）センシティブ情報　（イ）代理変数
B.　（ア）センシティブ情報　（イ）潜在変数
C.　（ア）匿名加工情報　（イ）代理変数
D.　（ア）匿名加工情報　（イ）潜在変数

➡ P259

□ **5.** A社は、履歴書をアルゴリズムによって審査し、応募者にスコアを付けるシステムを開発していたが、特定の職種で女性に不利なスコアが付きやすい傾向があることが発覚し、開発を中止した。このように、アルゴリズムが特定の属性に対して偏った結果を出力してしまうことを指す用語として、最も適切なものを選べ。

A.　アルゴリズムバリアンス
B.　アルゴリズムバイアス
C.　サンプリングバリアンス
D.　サンプリングバイアス

➡ P260

□ **6.** 不正アクセスによる攻撃などへの対策を企画・設計段階から念頭に置く設計思想として、最も適切なものを選べ。

A.　プライバシー・オブ・デザイン
B.　セキュリティ・オブ・デザイン
C.　プライバシー・バイ・デザイン
D.　セキュリティ・バイ・デザイン

➡ P261

☐ **7.** **画像に対して人間には知覚できない程度のノイズを付加することで、画像分類モデルの予測を誤らせることができる場合がある。このように、機械学習モデルの予測を誤らせる目的で作られた入力データを指す用語として、最も適切なものを選べ。**

A. Atrous Example
B. Attention Example
C. Adversarial Example
D. Annotation Example

➡ P261

☐ **8.** **学習済みモデルにデータの入力を行い、その出力を観察してモデルのパラメータを推測することで、不正にモデルの情報を取得することを試みる攻撃がある。この攻撃の名称として、最も適切なものを選べ。**

A. データ窃取（Data Theft）
B. モデル窃取（Model Theft）
C. データ汚染（Data Poisoning）
D. モデル汚染（Model Poisoning）

➡ P262

☐ **9.** **透明性とは、AIに関連するさまざまな事項に関する情報開示の度合いを表す概念である。AIを利活用するうえで、透明性を確保するために行うべき行動として、最も不適切なものを選べ。**

A. SHAP（SHapley Additive exPlanations）やCAM（Class Activation Map）といった説明可能AI（XAI）の技術を用いて得られた結果を公表する
B. AIの利用目的や倫理に対する指針などをまとめたAIポリシーを公表する
C. 学習データの収集方法や加工方法を公表する
D. AIを開発する際にある企業から入手した機密情報を、当該企業の許可を得ずに公表する

➡ P262

□ **10.** 情報発信サービスなどでは、アルゴリズムがユーザーの行動履歴を分析または学習し、ユーザーの見たい情報を優先的に表示する一方、ユーザーの価値観に沿わない情報を遮断することがある。このような情報環境を指す用語として、最も適切なものを選べ。

A. エコーチェンバー
B. フィルターバブル
C. ディープフェイク
D. レコメンデーション

➡ P263

□ **11.** 以下の文章を読み、空欄（ア）に入る語句として最も適切なものを選べ。

ディープラーニングでは、GPU（Graphics Processing Unit）や（　ア　）といった計算リソースを大量に使用して学習を行うことが多く、その電力消費も膨大であることから、気候変動など環境への影響が懸念されている。エマらは2020年の研究で、行列演算に特化した（　ア　）用に設計されたネットワークにおいて、GPUより（　ア　）を使用した方が計算コストが小さくなる場合があることを示し、電力消費を削減するひとつの手段として、AIの学習に特化したハードウェアの開発を支持した。

A. CPU（Central Processing Unit）
B. TPU（Tensor Processing Unit）
C. QPU（Quantum Processing Unit）
D. API（Application Programming Interface）

➡ P264

□ **12.** **AIの利活用が雇用に及ぼす影響についての説明として、最も適切なものを選べ。**

A. AIに代替され得る仕事は、繰り返し行う必要のある定型業務のみである
B. AIの活用によって労働力不足が解消される可能性はあるが、新たな雇用が創出されることはない
C. AIに代替された仕事では、その仕事のスキルを持つ人材が社会からいなくなることが問題になり得る
D. AIに一度代替された仕事では、AIの挙動をモニタリングする必要はない

➡ P265

□ **13.** **以下の文章を読み、空欄（ア）に入る語句として最も適切なものを選べ。**

故人に関連するデータを学習させ、その行動を模倣するAIが開発された例が存在する。このような技術においては、故人に関連するさまざまな権利に配慮すべきである。たとえば、（　ア　）権は、氏名や肖像の知名度を第三者に勝手に利用されない権利であり、死亡後にも存続する可能性がある。

A. パウシティ
B. パブリシティ
C. ダイバーシティ
D. ユニバーシティ

➡ P265

□ **14.** **以下の文章を読み、空欄（ア）に入る語句として最も適切なものを選べ。**

昨今では、AIの軍事利用に関する研究が進んでおり、それらの技術の規制などが検討されている。（　ア　）では、自律型致死兵器システムに関する人間の関与の在り方や規制の在り方などが国際的に議論されている。

A. CCW（Convention on Certain Conventional Weapons）
B. ELSI（Ethical, Legal and Social Implications）
C. LAWS（Lethal Autonomous Weapons Systems）
D. GDPR（General Data Protection Regulation）

➡ P266

☐ **15.** **AIに関連する倫理的な課題を解決するための方策についての記述として、最も不適切なものを選べ。**

A. AIに倫理上の問題がないか調査するために、AI倫理アセスメントを外部の専門家に委託する

B. AIの出力に再現性をもたせ、入出力の履歴を適切に管理することで、追跡可能性や監査可能性を担保する

C. ダイバーシティやインクルージョンを確保するため、AI開発者の出身や経歴をできるだけ揃える

D. センシティブ情報やその代理変数が特徴量に含まれていないか検証する

➡ P267

第10章　AI倫理・AIガバナンス
解　答

1. C

➡ P250

内閣府が2019年に取りまとめた「**人間中心のAI社会原則**」※1の基本理念について問う問題です。
人間中心のAI社会原則は、AIの適切で積極的な社会実装を推進するために、各ステークホルダーが留意すべき基本原則を定めたものです。同原則では、理念として尊重し、実現を追求するべき価値として「人間の尊厳が尊重される社会（Dignity）」「多様な背景を持つ人々が多様な幸せを追求できる社会（Diversity & Inclusion）」「持続性ある社会（Sustainability）」の3つをあげ、基本理念としています（A、B、D）。なお、DiversityとInclusionは、多様性（Diversity）を柔軟に包摂（Inclusion）したうえで新たな価値を創造するという意味合いをもちます。
また、同原則では、「AI-Readyな社会」への変革を推進すべきであると提言しています。AI-Readyな社会とは、社会全体がAIによる便益を最大限に享受するために必要な変革が行われ、AIの恩恵を享受している、または必要なときに直ちにAIを導入しその恩恵を得られる状態にある「AI活用に対応した社会」を意味します。ただし、AI-Readyな社会は同原則における基本理念には含まれていません（**C**）。

「人間中心のAI社会原則」における追求すべき価値や原則について理解しておきましょう。

「人間中心のAI社会原則」は以下の7原則で構成されます。
(1) 人間中心の原則
(2) 教育・リテラシーの原則
(3) プライバシー確保の原則
(4) セキュリティ確保の原則
(5) 公正競争確保の原則
(6) 公平性、説明責任及び透明性の原則
(7) イノベーションの原則

※1 「人間中心のAI社会原則」https://www8.cao.go.jp/cstp/aigensoku.pdf

2. A

➡ P250

AIガバナンスに関連する**リスクベースアプローチ、ハードロー、ソフトロー**といった概念の理解を問う問題です。

昨今では、社会における適切なAIの在り方をまとめたAI原則や、AI倫理に関するガイドラインなどが国内外で提示されています。また、AI原則を社会で実現するためのガバナンスについても議論がなされています。AIガバナンスは、AIの利活用によって生じるリスクと恩恵のバランスをとるための、社会的システムなどの設計や運用を指す概念です。

AIガバナンスの設計にあたっては、AIに関連する新たな規制を設ける必要がありますが、その際に国際的に広く普及しつつある考え方としてリスクベースアプローチがあります。リスクベースアプローチは、規制の程度をリスクの大きさに対応させるべきとする考え方です（**A**）。

また、国家などで明確に規定された法律による規制をハードローと呼びます。一方、私的な取り決めなどによる自主的な規制をソフトローと呼びます。AIガバナンスの設計にあたっては、AI原則を尊重する組織を支援するソフトローを中心としたアプローチが望ましいと考えられています。ただし、ハードローとソフトローはいずれも、規制の程度をリスクの大きさに対応させるべきという考え方ではありません（C、D）。

なお、AIガバナンスにおいてデータベースアプローチという用語は一般的に使用されません（B）。

AIガバナンスの概要やその設計に関連する考え方を理解しておきましょう。

AIガバナンスに関する資料としては、経済産業省が公表している「我が国のAIガバナンスの在り方 ver.1.1」※2などが参考になります。

※2 「我が国のAIガバナンスの在り方 ver.1.1」https://www.meti.go.jp/shingikai/mono_info_service/ai_shakai_jisso/pdf/20210709_1.pdf

3. C

➡ P250

人物が写るカメラ画像を利活用する際に留意すべきプライバシーや個人情報の保護に関する知識を問う問題です。
IoT技術やディープラーニングの発展に伴い、人物に関連する画像や映像などのデータから情報を抽出し、利活用することが一般的に行われるようになっています。ただし、このようなデータの利活用時には、プライバシーや個人情報の保護に十分留意する必要があります。
経済産業省は、事業者がカメラ画像を利活用する際の法的な留意事項や、プライバシー保護の観点からカメラに写り込み得る生活者と事業者間の相互理解を構築するための配慮事項をまとめ、「**カメラ画像利活用ガイドブック**」として公表しています[※3]。
個人情報保護法では、取得した画像データが個人情報にあたらない場合、その利用目的を画像に写る人物に伝える必要はありません。画像データが個人情報にあたらない場合とは、たとえば、後ろ姿だけが写っているなど、その画像データから個人を特定できない状態のことです（A）。
ただし、カメラ画像を利活用する事業者は、法令を遵守するだけでなく、生活者のプライバシーや肖像権についても配慮し、理解を得ることが重要です。カメラで取得する画像データが個人情報に該当せず、利用目的の通知が義務ではない場合でも、生活者のプライバシーや肖像権が守られることを説明し、理解を得ることが必要になることがあります。
また、取得した画像データを加工した場合でも、特定の個人を識別できる場合は個人識別符号［第9章 解答1を参照］とみなされ、個人情報に該当します（B）。
一方、個人情報の利用目的を公表しているなど一定の条件を満たす場合は、個人情報を使用してAIの学習を行うことが可能であり、必ずしも匿名加工情報に変換する必要はありません。ただし、プライバシー保護の観点から、その適切性について慎重に検討する必要があります（**C**）。
また、学習済みモデルを使用して、カメラからの入力データに対して予測を行う際にも、プライバシーの問題が発生することがあります。たとえば、カメラに写った人物の年齢を予測する場合には、年齢を予測すること自体がプライバシー侵害にあたらないか慎重に検討する必要があります（D）。

人物に関連する画像データを取り扱う際に、プライバシー保護の観点から留意すべき事項を整理しておきましょう。

※3 「カメラ画像利活用ガイドブック」https://www.meti.go.jp/press/2021/03/20220330001/20220330001-1.pdf

カメラ画像を利活用する際に事業者と生活者とのコミュニケーションや信頼関係が問題となった事例として、独立行政法人 情報通信研究機構（NICT）が実施した実験があげられます。NICTは2013年11月に、大阪ステーションシティに複数のカメラを設置して人流を把握する実証実験を予定していましたが、プライバシー侵害の懸念があることから、実施を一時延期しました。この実験は、災害時の安全対策などに活用しようとするもので、個人情報保護などの法的な問題は認められませんでしたが、生活者への説明が十分ではなく、生活者の不安を払拭できていなかったのが問題とされています。

4. A ➜ P251

機械学習モデルの**公平性**や**センシティブ情報**について問う問題です。
内閣府が公表している「人間中心のAI社会原則」では、「公平性、説明責任及び透明性の原則」が定められており、「AIの設計思想の下において、人々がその人種、性別、国籍、年齢、政治的信念、宗教等の多様なバックグラウンドを理由に不当な差別をされることなく、全ての人々が公平に扱われなければならない」とされています［解答1を参照］。
機械学習では、予測の公平性を確保するために、人種や国籍といった情報の取り扱いに注意する必要があります。このような情報は、平成21年に公布された「金融分野における個人情報保護に関するガイドライン」において、センシティブ情報（機微情報）と定義されました。現在は個人情報保護法において要配慮個人情報として再編され、平成29年に公布された同名のガイドラインにおいても再度センシティブ情報（機微情報）として整理されています（ア）。たとえば、センシティブ情報を特徴量として個人に関する何らかのスコアを予測するモデルを学習すると、そのセンシティブ情報によってその予測スコアの分布に偏りが発生し、公平性に重大な問題が生じる可能性があります。さらに、直接的にはセンシティブ情報に該当しないデータであっても、センシティブ情報を説明できるような何らかの変数が特徴量に紛れ込むことで、同様に公平性に問題が生じる可能性があります。このような変数は**代理変数**と呼ばれ、注意を要します（イ）。
また、匿名加工情報は、特定の個人を識別することができないように加工した個人に関する情報を指す個人情報保護法上の概念です［第9章 解答3を参照］。
なお、潜在変数は、画像生成などに利用される変分オートエンコーダ（VAE）に用いられる概念です［第5章 解答21を参照］。
以上のことから、（ア）にセンシティブ情報、（イ）に代理変数が入ります（**A**）。

機械学習において問題となる公平性の概要や関連するキーワードを覚えておきましょう。

センシティブ情報のことを**センシティブ属性**と呼ぶ場合もありますので、注意しましょう。

5.　B

➡ P251

機械学習モデルの公平性に関するキーワードを問う問題です。
機械学習モデルなどを含むアルゴリズムが、特定の属性に対して偏った結果を出力することを**アルゴリズムバイアス**と呼びます。アルゴリズムバイアスは、本設問のA社のように、出力に偏りを生じさせる属性がセンシティブ情報［解答4を参照］に関連している場合に、特に問題になります（B）。
本設問の例におけるアルゴリズムバイアスの原因として、職種によっては男性からの応募が多数であったため、男性の採用が好ましいと判断された、といったことがあり得ます。このように、収集するデータの量が特定の属性に偏ることで、アルゴリズムバイアスが発生することがあります。このようなデータの偏りはサンプリングバイアスと呼ばれます［第7章 解答14を参照］。
以上のように、サンプリングバイアスの発生はアルゴリズムバイアスの発生を助長しますが、アルゴリズムによる出力の偏りそのものはサンプリングバイアスとは呼ばれません（D）。
なお、アルゴリズムバリアンス、サンプリングバリアンスという言葉は一般的に使用されません（A、C）。

アルゴリズムバイアスやサンプリングバイアスといった公平性の問題に関するキーワードを覚えておきましょう。

6. D

➡ P251

AIの利活用に関連する設計思想について問う問題です。
AIの利活用時に個人情報などの機密性の高いデータを扱う場合などは、セキュリティ対策について十分に検討する必要があります。**セキュリティ・バイ・デザイン**は、不正アクセスによる攻撃などへのセキュリティ対策を企画・設計の段階から念頭に置く設計思想です（**D**）。
また、企画・設計の段階からプライバシー侵害の予防を指向する**プライバシー・バイ・デザイン**と呼ばれる設計思想も提唱されています（C）。なお、プライバシー・オブ・デザインやセキュリティ・オブ・デザインと呼ばれるような設計思想は一般的ではありません（A、B）。

AIの利活用に関連する基本的な設計思想を覚えておきましょう。

7. C

➡ P252

Adversarial Example（敵対的サンプル）および**Adversarial Attack**（敵対的攻撃）に関する知識を問う問題です。
機械学習モデルの予測を意図的に誤らせる目的で作られた入力データを、Adversarial Exampleと呼びます。また、それらを利用した攻撃を総称してAdversarial Attackと呼びます。たとえば、画像分類タスクでは、入力となる画像データに人間には知覚できない程度のノイズを付加し、元の画像を入力した場合のモデルの予測と異なる予測結果を出力させることができる場合があります。
このように、Adversarial Exampleによって機械学習モデルの予測を想定しない結果に改変させる攻撃が行われることがあります（**C**）。
なお、Atrous Example、Attention Example、Annotation Exampleという用語は一般的に使用されません（A、B、D）。

Adversarial ExampleおよびAdversarial Attackの概要を理解しておきましょう。

8. B

➡ P252

AIを標的にした、またはAIを利用した代表的な攻撃手法について問う問題です。

AIを利活用する際は、セキュリティ上の脅威への対策を十分に検討する必要があります。AIを標的にした、またはAIを利用した攻撃にはさまざまな種類があり、**データ窃取**（Data Theft）や**モデル窃取**（Model Theft）、**データ汚染**（Data Poisoning）、**モデル汚染**（Model Poisoning）などがあげられます。

データ窃取は、学習済みモデルにデータの入力を行い、その出力を観察してモデルの学習データを推測する攻撃です（A）。

また、モデル窃取は、学習済みモデルにデータの入力を行い、その出力を観察してモデルのパラメータを推測する攻撃です（**B**）。

一方、データ汚染は、学習データに不適切なデータを混入させ、モデルに誤った学習をさせる攻撃です（C）。

また、モデル汚染は、攻撃者が細工をした事前学習済みモデルを配布して利用させることにより、モデルの出力を操作したり、悪意のあるプログラムを実行させたりする攻撃です（D）。

試験対策

AIに関連する代表的な攻撃手法を理解しておきましょう。

9. D

➡ P252

AIの利活用における**透明性**を確保するために考慮すべき事項を問う問題です。

透明性は、AIに関連するさまざまな事項に関する情報開示の度合いを表す概念です。AIを利活用する際には、利用者や生活者が安心・納得してAIを利用または受容できるように、透明性を確保することが重要になります。

ディープラーニングを活用したAIは、モデルによる判断理由を明確に示すことが難しく、ブラックボックスであるといわれます。説明可能AI（XAI：eXplainable AI）の技術を利用してAIの予測の根拠を示し、説明可能性を確保することは、透明性を向上させるうえで重要です（A）。XAIの技術として、SHAP（SHapley Additive exPlanations）やCAM（Class Activation Map）[第6章 解答48を参照] といった手法があります。SHAPとは、協力ゲーム理論で広く使われているShapley値を用いて、各特徴量が予測値に対してどれだけ貢献しているかを計算することによって、予測を説明する手法です。

AIの利用目的や利用方法、AI倫理に対する指針をまとめた文書を**AIポリシー**

などと呼びます。AIポリシーを定めて公表することで、利用者や生活者がAIの利用目的などを把握することができ、透明性の確保につながります（B)。また、学習データの取得方法や加工方法といったデータの来歴を公表することも、透明性を確保するうえで重要です（C)。AIを開発する際にある企業から入手した機密情報を、当該企業の許可を得ずに公表することは、適切な行動ではありません（**D**)。

AIを利活用する際に透明性を確保することは重要です。そのために考慮すべき事項を整理しておきましょう。

外部に情報を公開する際には、プライバシー保護の観点などから、学習データそのものは公開すべきではない場合が多くあります。また、学習データや学習済みモデルは営業秘密などの知的財産として保護され得るもので、通常はこれらの公開までは求められないことが多いでしょう。

10. B

➡ P253

インターネットを介した情報収集とAIとの関連についてのキーワードを問う問題です。
近年では、ニュースなどの情報発信サービスで、AIを利用したレコメンデーション［第3章 解答15を参照］などによって、パーソナライズされた情報が個々のユーザーに表示されることが当たり前になっています。そうしたサービスにより情報収集の利便性が高まる一方、AIによる情報提供を無条件で受け入れることで、人間の自律性が失われるという指摘や、AIによる情報選択が民主主義を侵害する可能性があるといった指摘があります。
フィルタバブルとは、アルゴリズムがユーザーの行動履歴を分析または学習し、ユーザーの価値観に沿う情報のみを優先的に表示することで、ユーザーが自身の価値観の中に孤立してしまうような情報環境のことです。
このような環境では、ユーザー自身の価値観に沿わない情報が遮断されるため、他の多様な考え方や価値観の存在に気づけなくなる傾向があります。その結果、個人の価値観が偏向したり排他的になることを助長し、社会を分断する危険性があることが指摘されています（**B**)。
このほかにも、情報発信の場でフィルターバブルと同様に社会の分断を助長し得る現象として、**エコーチェンバー**が知られています。エコーチェンバーとは、ソーシャルメディアなどを利用する際に、ユーザーが意見を発信すると同じような思考や興味関心を持つ人からの意見が集まる傾向にある状況を、閉鎖空間で音が反響する物理現象に例えたものです（A）。

また他方では、AIを悪用した情報操作やフェイクニュースの拡散なども、民主主義に対する脅威として認識されています。**ディープフェイク**は、AIを用いて動画の人物の顔を別人に変更し、要人の発言を捏造するような技術です。たとえば、ディープフェイクによって政治家の発言を捏造し、拡散するといった悪用方法が考えられますが、一方ではディープフェイクを見破るAIの研究も進んでいます（C）。

なお、レコメンデーションは、パーソナライズされた情報を提供するために使用される技術です（D）［第3章 解答15を参照］。

個人が情報収集を行う際の、AIの影響に関連するキーワードを覚えておきましょう。

11. B ➡ P253

AIの利活用と環境への影響について問う問題です。

近年のディープラーニングの研究では、大規模言語モデルをはじめとした巨大なネットワークが数多く提案されています。このようなネットワークは、学習時や推論時にGPU（Graphics Processing Unit）［第4章 解答7を参照］やTPU（Tensor Processing Unit）［第4章 解答8を参照］といった計算リソースを大量に使用するため、その電力消費も膨大であり、気候変動など環境への影響が懸念されています。

このような状況に警鐘を鳴らす研究もいくつか発表されています。エマらは2020年に発表した論文※4において、いくつかのネットワークと演算処理装置を使用して、学習時の計算コストやエネルギー消費量を比較しました。その結果、行列処理演算に特化したTPU用に設計したいくつかのネットワークでは、GPUよりも低コストで学習できることを示しました。エマらはこの結果を受け、電力消費を削減するひとつの手段として、AIの学習に特化したハードウェアの開発を支持しています。

なお、CPUはコンピュータ全般の作業を順に処理するための演算処理装置であり、行列演算には特化していません（A）。また、**QPU**（Quantum Processing Unit）は、量子コンピュータで使用される演算処理装置です（C）。

なお、API（Application Programming Interface）は、システム間で情報

【参考文献】

※4 Strubell, Emma, Ananya Ganesh, and Andrew McCallum. "Energy and policy considerations for modern deep learning research." Proceedings of the AAAI conference on artificial intelligence. Vol. 34. No. 09. 2020.

の受け渡しを行うためのインターフェースです（D）［第7章 解答5を参照］。
以上のことから、（ア）にはTPUが入ります（**B**）。

環境保護とAIについて、どのようなことが議論されているかを理解しておきましょう。

12. C

➡ P254

AIの利活用が雇用に及ぼす影響についての理解を問う問題です。
昨今のAIの普及に伴い、人間とAIがどのように協働すべきかが議論されています。AIが代替し得る仕事やタスクは多岐にわたります。たとえば、自動車の自動運転などのように、その場の状況を判断しながら複雑なタスクを遂行するAIについても、着実に開発が進んでいます（A）。
また、AIによって仕事を代替することで労働力不足の解消が期待され、AIを普及させるための仕事や、AIを活用した新たな仕事の雇用が創出されることも考えられます（B）。
一方、AIに代替された仕事では、従来はその仕事を行うのに必要なスキルを持つ人材が失われることが考えられます。このことは、何らかの不具合によってAIが利用できなくなった場合などに問題になり得ます。たとえば、自動運転では、AIによって完全に自動化された場合でも人間の免許制度は必要か、などといったことが議論されています（**C**）。
さらに、AIが予期せぬ挙動をしないということは、少なくとも現在の技術では完全に保証することができません。したがって、多くの場合にはAIの出力や挙動をモニタリングしたり、最終的な意思決定に人間が関与するなどの運用が必要になります（D）。

AIが雇用に与える影響や、人間とAIとの協働について議論されている内容を整理しておきましょう。

13. B

➡ P254

故人に関連するデータを活用する際に法的および倫理的に配慮すべき事項について問う問題です。
近年では、故人に関連するデータを学習し、その行動を模倣したり、新しい作品を生み出すAIが開発されるようになっています。たとえば、2019年には

「AI美空ひばり」が新曲を歌ったことが話題となりました。

故人に関連するデータを扱う際には、法的および倫理的な観点の双方から配慮が必要になる場合があります。たとえば、**パブリシティ権**は、氏名や肖像の知名度を第三者に勝手に利用されない権利のことであり、死後にも存続する可能性があるとされています。故人に関連するAIを開発する際には、故人のパブリシティ権やプライバシーの侵害がないことや、死者に対する一般的な宗教的崇敬感情などにも配慮が必要です。

なお、パウシティ権、ダイバーシティ権、ユニバーシティ権という用語は一般的に使用されません（A、C、D）。

以上のことから、（ア）にはパブリシティが入ります（**B**）。

故人に関連するデータを扱う際には、法的および倫理的な観点からの配慮が必要となることを理解しておきましょう。

14. A

➡ P254

AIの**軍事利用**に関する知識を問う問題です。

昨今では、AIの軍事利用に関連する研究が進んでいます。たとえば、敵の行動や戦況の変化を認識できるAIを自律型無人機に搭載することで、情報収集や偵察といった任務が人命のリスクを負うことなく実施できるようになります。

一方で、自律型無人機の研究開発は、自律型致死兵器システム（LAWS：Lethal Autonomous Weapons Systems）の開発に発展していく可能性が指摘されています[※5]。LAWSは明確に定義されてはいませんが、「人間の関与なしに自律的に攻撃目標を設定することができ、致死性を有する完全自律型兵器」を指すとされています（C）。LAWSを含む特定の兵器は、特定通常兵器使用禁止制限条約（CCW：Convention on Certain Conventional Weapons）の枠組みで、その規制の在り方などが国際的に議論されています（**A**）。

なお、倫理的・法的・社会的な課題（ELSI：Ethical, Legal and Social Implications）は、倫理的・法的・社会的影響を一体のものとして検討しようという試みです（B）。また、一般データ保護規則（GDPR：General Data Protection Regulation）は、欧州連合（EU：European Union）域内の個人データやプライバシーの保護に関する規則です（D）［第9章 解答4を参照］。

【参考文献】

※5 「令和3年版防衛白書」https://www.mod.go.jp/j/publication/wp/wp2021/html/n130101000.html

AIの軍事利用に関連する問題を整理しておきましょう。

15. C

➡ P255

AIに関連する倫理的な課題を解決するための方策や組織体制について問う問題です。

倫理的なAIを開発、運用するためには、公平性［解答4を参照］や透明性［解答9を参照］、プライバシー保護といった観点のほかにも、**追跡可能性**や**監査可能性**、**ダイバーシティ**（多様性）、**インクルージョン**（包摂性）などへの配慮が必要になります。

AIに倫理上の問題がないか調査するために行うアセスメントを、**AI倫理アセスメント**などと呼びます。AI倫理アセスメントを外部に委託することは、公平性などの観点で多様な視点を取り入れることにつながります（A）。

また、AIの予測について、同じ入力に対して同じ出力が得られることを**再現性**と呼びます。AIの出力に再現性をもたせ、入出力の履歴を適切に管理することは、追跡可能性や監査可能性を担保することにつながります。追跡可能性はAIの挙動に関する説明可能性につながります（B）。このほか、AIに対する監査やモニタリングを行うことは、AIが倫理的に不適切な挙動を起こすことを防止するうえで重要です。

さらに、AI開発者自身がダイバーシティやインクルージョンについて理解することは重要です。また、AI開発者の国籍や性別、経歴といった属性が可能な限り多様になるようなチームを構成することで、公平性を確保しやすくなることが期待されます（C）。これらに加えて、センシティブ情報やその代理変数［解答4を参照］が特徴量に含まれていないかを検証することは、公平性を確保するうえで重要です（D）。

倫理的なAIを開発、運用するために必要となる考え方や方策を整理しておきましょう。

G検定では追跡可能性のことを**トレーサビリティ**と表現する可能性があるため、注意しましょう。

第11章

総仕上げ問題

■ G検定（ジェネラリスト）

■ 試験時間：120分

■ 出題数：200問程度

☐ **1.** 以下の記述を読み、空欄（ア）に入る語句として最も適切なものを選べ。

人工知能は、人間のような知的な処理能力をもつ情報処理システムである。近年では、人工知能を実現する技術として機械学習が注目され、特に機械学習の一分野である（　ア　）が盛んに研究されている。

A.　エキスパートシステム
B.　RPA（Robotic Process Automation）
C.　ディープラーニング
D.　人工無脳

➡ P338

☐ **2.** 以下の図は、探索木を一定のアルゴリズムによって探索したものである。探索木中のノードに示された数値は、その探索木において探索を行った順番を示す。深さ優先探索によって探索を行ったものとして、最も不適切なものを選べ。

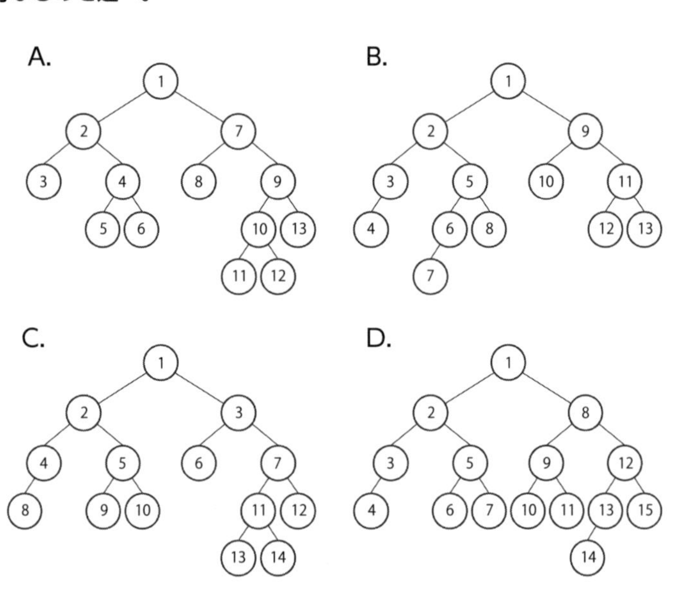

➡ P338

□ **3.** オントロジーとは、コンピュータによって処理することを目的として、ある分野で使われる用語や概念の関係を体系的に整理したものである。正確性よりも実用性を優先する考え方にもとづいて構築するオントロジーを指す用語として、最も適切なものを選べ。

A. ヘビーウェイトオントロジー
B. ライトウェイトオントロジー
C. ラージウェイトオントロジー
D. スモールウェイトオントロジー

➡ P338

□ **4.** 教師あり学習に分類される手法として、最も不適切なものを選べ。

A. サポートベクターマシン（SVM）
B. ランダムフォレスト
C. AdaBoost
D. k-means

➡ P339

□ **5.** 決定木は、特徴量の値に応じた分岐路を学習によって作っていくアルゴリズムである。弱学習器として必ず決定木を利用する機械学習手法として、最も適切なものを選べ。

A. AdaBoost
B. XGBoost
C. サポートベクターマシン（SVM）
D. ランダムフォレスト

➡ P339

□ **6.** 特徴量の次元削減を行うことのできる手法として、最も不適切なものを選べ。

A. t-SNE（t-Distributed Stochastic Neighbor Embedding）
B. k-means
C. 特異値分解（SVD）
D. 多次元尺度構成法（MDS）

➡ P339

□ **7.** 行動価値関数は、ある行動によって得られる将来の累積報酬を表す関数である。行動価値関数を最適化する強化学習手法として、最も適切なものを選べ。

A. R学習
B. Q学習
C. 方策勾配法
D. 状態勾配法

➡ P340

□ **8.** 分類タスクに用いられる機械学習モデルの評価指標に関する記述として、最も不適切なものを選べ。

A. 正解率は、予測結果全体に対して、陽性、陰性が正しく予測された割合を表す指標である
B. 適合率は、陽性と予測されたもののうち、実際に陽性であった割合を表す指標である
C. 再現率は、実際に陽性であるもののうち、陽性と予測された割合を表す指標である
D. F値は、適合率と正解率の調和平均で表される指標である

➡ P340

□ **9.** ディープラーニングとそれ以外の機械学習の差異に関する以下の記述を読み、空欄（ア）（イ）に入る語句として、最も適切な組み合わせを選べ。

ディープラーニング以外の一般的な機械学習では、データからの（　ア　）の抽出を人間が行い、その結果をもとにモデルが学習を行う。一方、ディープラーニングでは、あるデータに対する最適な（　ア　）を学習している。これは（　イ　）と呼ばれる。

A. （ア）特徴量　（イ）能動学習
B. （ア）特徴量　（イ）特徴表現学習
C. （ア）教師データ　（イ）能動学習
D. （ア）教師データ　（イ）特徴表現学習

➡ P340

☐ **10.** 主に分類タスクに用いられる誤差関数として、最も適切なものを選べ。

A. AUC（Area Under the Curve）
B. MAE（Mean Absolute Error）
C. 交差エントロピー
D. F値

➡ P340

☐ **11.** 勾配降下法は、ニューラルネットワークのパラメータの学習に用いられる最適化法である。勾配降下法の手法として、最も不適切なものを選べ。

A. モーメンタム
B. AdaBoost
C. AdaBound
D. Adam

➡ P341

☐ **12.** 畳み込みニューラルネットワーク（CNN）における畳み込み操作に関する記述として、最も不適切なものを選べ。

A. フィルタは、畳み込みを適用するために入力データに重ねるパラメータの集合である
B. ストライドは、畳み込みを適用する際にフィルタを移動させる間隔である
C. パディングは、入力データの周囲を定数で補完するテクニックである
D. カーネルは、画像におけるRGBの次元を表す概念である

➡ P341

☐ **13.** 代表的な畳み込みニューラルネットワーク（CNN）であるResNet（Residual Network）に関する記述として、最も不適切なものを選べ。

A. ResNet は、ILSVRC（ImageNet Large Scale Visual Recognition Challenge）で2015年に優勝したネットワークである
B. ResNetは、スキップ結合をもつネットワークである
C. ResNetは、Inceptionモジュールを導入したネットワークである
D. ResNetは、ボトルネック構造をもつネットワークである

➡ P341

☐ **14.** Transformerは、主に自然言語処理に用いられるニューラルネットワークである。Transformerに用いられているAttentionに関する記述として、最も不適切なものを選べ。

A. Source-Target Attentionは、文章内の単語の順番に関する情報を保持するための機構である
B. Encoder-Decoder Attentionは、デコーダに入力文の情報を伝達するための機構である
C. Self-Attentionは、文章内の単語間の関連性を捉えるための機構である
D. Multi-Head Attentionは、Self-Attentionを並列に複数配置したものである

➡ P342

☐ **15.** 以下の記述を読み、空欄（ア）に入る語句として最も適切なものを選べ。

（　ア　）は、1998年にヤン・ルカンによって提案された初期の畳み込みニューラルネットワーク（CNN）である。

A. LeNet
B. ネオコグニトロン
C. AlexNet
D. GoogLeNet

➡ P342

☐ **16.** **画像分類タスクに用いられるネットワークとして、最も不適切なものを選べ。**

A. MnasNet
B. BERT (Bidirectional Encoder Representations from Transformers)
C. Vision Transformer
D. Swin Transformer

➡ P342

☐ **17.** **自然言語処理に用いられる形態素解析に関する記述として、最も適切なものを選べ。**

A. 形態素解析は、主語や目的語といった文章の構造を解析する手法である
B. 形態素解析は、単語を多次元ベクトルで表現する手法である
C. 形態素解析は、文章や単語を意味のある最小単位に分割したり、品詞を付与したりする手法である
D. 形態素解析は、単語間の意味関係をグラフ構造で表す手法である

➡ P343

☐ **18.** **WaveNetに関する記述として、最も適切なものを選べ。**

A. WaveNetは、主に文書要約タスクに用いられるネットワークである
B. WaveNetは、主に話者識別タスクに用いられるネットワークである
C. WaveNetは、主に文章生成タスクに用いられるネットワークである
D. WaveNetは、主に音声生成タスクに用いられるネットワークである

➡ P343

□ **19.** **コンピュータ上のシミュレータで学習したモデルを実世界へ適用することをsim2realという。sim2realの考え方を用いて学習を行う際、環境のパラメータをランダムに決め、複数のシミュレータを生成する手法がある。この手法の名称として、最も適切なものを選べ。**

A. ドメインミニマイゼーション
B. ランダムサーチ
C. ドメインランダマイゼーション
D. グリッドサーチ

➡ P343

□ **20.** **畳み込みニューラルネットワーク（CNN）において、特徴マップの値を利用することで、学習済みモデルが入力データのどの部分に注目したかを可視化する手法がある。この手法の名称として、最も適切なものを選べ。**

A. CAM（Class Activation Map）
B. PI（Permutation Importance）
C. LIME（Local Interpretable Model-agnostic Explanations）
D. SHAP（SHapley Additive exPlanations）

➡ P344

□ **21.** **AIの開発プロセスにおけるPoC（Proof of Concept）フェーズに関する記述として、最も適切なものを選べ。**

A. PoCは、データ分析や実験的なモデル構築などを行い、プロジェクトの実現可能性を判断するフェーズである
B. PoCは、システムの設計などが完了した後に、システムに組み込むモデルの本格的な学習を行うフェーズである
C. PoCは、システムの設計などが完了した後に、学習済みモデルをシステムに組み込むフェーズである
D. PoCは、運用中の学習済みモデルの挙動をモニタリングするフェーズである

➡ P344

22. システム開発を行う際に用いられるDockerに関する記述として、最も適切なものを選べ。

A. Dockerは、ディープニューラルネットワークを実装するためのライブラリである
B. Dockerは、AI開発に広く用いられているプログラミング言語である
C. Dockerは、システムを動かすための仮想環境を構築するためのツールである
D. Dockerは、ブラウザ上でコードの編集や実行を手軽に行うためのツールである

➡ P344

23. 以下の表は、あるくじ引きにおける賞金とその当選確率を示したものである。このくじを1回引いたときの賞金の期待値として、最も適切なものを選べ。

	1等	2等	はずれ
当選確率	$\frac{1}{10}$	$\frac{3}{10}$	$\frac{6}{10}$
賞金(円)	1000	500	0

A. 250円
B. 500円
C. 750円
D. 1000円

➡ P345

24. 個人情報にはさまざまなものがあるが、特に人種や社会的身分といった情報については、本人に対する不当な差別や偏見が生じないように特別な配慮が必要となる場合がある。このような個人情報を指す用語として、最も適切なものを選べ。

A. 仮名加工情報
B. 要配慮個人情報
C. 個人識別符号
D. 保有個人データ

➡ P345

□ **25.** 経済産業省が公表している「AI・データの利用に関する契約ガイドライン」では、AIの開発プロセスを4つの段階に分け、それぞれの段階で個別に契約を結ぶことを提唱している。本ガイドラインにおいてアセスメントの段階で契約することが推奨されている契約として、最も適切なものを選べ。

A. GDPR（General Data Protection Regulation）
B. ELSI（Ethical, Legal and Social Implications）
C. PoC（Proof of Concept）
D. NDA（Non-Disclosure Agreement）

➡ P345

□ **26.** 国家等によって明確に規定された法律によるものではなく、私的な取り決めなどによって自主的に行われる規制を指す用語として、最も適切なものを選べ。

A. ハードロー
B. ソフトロー
C. ロングロー
D. ショートロー

➡ P346

□ **27.** 攻撃者が細工をした事前学習済みモデルを配布し、モデルの出力を操作したり、悪意のあるプログラムを実行させたりする攻撃が存在する。この攻撃を指す用語として、最も適切なものを選べ。

A. Adversarial Attack
B. Attention Attack
C. データ汚染
D. モデル汚染

➡ P346

☐ **28.** 人間はAIに対し、「AIが実現しているのは自動化などの単純な処理であり、知能をもつものではない」と考える傾向がある。このような心理効果を指す用語として、最も適切なものを選べ。

A.　イライザ効果
B.　AI効果
C.　シンギュラリティ
D.　不気味の谷

➡ P346

☐ **29.** ウェブサイトにおけるページの文字情報や、ウェブサイトへのアクセス履歴などのデータをウェブデータと呼ぶ。ウェブデータを解析して知識を取り出すことを指す用語として、最も適切なものを選べ。

A.　ウェブマイニング
B.　セマンティックウェブ
C.　オントロジー
D.　意味ネットワーク

➡ P346

☐ **30.** 半教師あり学習に関する記述として、最も適切なものを選べ。

A.　半教師あり学習は、教師データが付与されたデータのみを用いて行う学習である
B.　半教師あり学習は、教師データが付与されたデータと付与されていないデータの両方を用いて行う学習である
C.　半教師あり学習は、教師データが付与されていないデータのみを用いて行う学習である
D.　半教師あり学習は、エージェントが環境と相互作用しながら試行錯誤を通じて行う学習である

➡ P347

☐ **31.** 以下の（ア）～（エ）のうち、教師あり学習の手法であるランダムフォレストに関する記述として、適切なものの組み合わせを選べ。

（ア）ランダムフォレストは、学習時に複数の決定木を構築する
（イ）ランダムフォレストは、ブースティングを行う手法である
（ウ）ランダムフォレストは、回帰タスクに用いることができる
（エ）ランダムフォレストは、分類タスクに用いることができる

A. （ア）（イ）（ウ）
B. （イ）（ウ）（エ）
C. （ア）（ウ）（エ）
D. （ア）（イ）（エ）

➡ P347

☐ **32.** 教師なし学習の手法を具体的な課題に応用した例に関する記述として、最も不適切なものを選べ。

A. ウェブニュースにいくつかのタグを付けるために、トピックモデルを用いた
B. 顧客を属性の似たいくつかのグループに分割するために、k-meansを用いた
C. 需要予測モデルの学習に時間がかかっていたため、ウォード法を用いて特徴量の数を削減した
D. 自社サイトでユーザーごとにおすすめのサービスを表示するために、協調フィルタリングを用いた

➡ P348

☐ **33.** Actor-Criticは、行動を決めるActorと行動を評価するCriticから構成される強化学習手法である。Actor-Criticの考え方を取り入れた手法として、最も適切なものを選べ。

A. UCB方策
B. REINFORCE
C. A3C
D. SARSA

➡ P348

☐ **34.** 分類タスクを解く機械学習モデルを用いて、ダイレクトメッセージに返信する確率が高い顧客を抽出し、送付対象を絞ることを考える。返信してくれる顧客をもれなく見つけるよりも、返信してくれる確度が高い顧客のみにダイレクトメッセージを送ることを優先する。この場合、用いるべき評価指標として、最も適切なものを選べ。

A. 平均絶対誤差
B. 平均二乗誤差
C. 適合率
D. 正解率

➡ P349

☐ **35.** 以下の記述を読み、空欄（ア）に入る語句として最も適切なものを選べ。

（　ア　）パーセプトロンは、入力層、複数の隠れ層、および出力層から構成されるニューラルネットワークである。

A. 多層
B. 単純
C. 複雑
D. 複層

➡ P349

☐ **36.** 正則化は、パラメータの取りうる値を制限することで、過学習を抑えるテクニックである。パラメータの大きさの絶対値の総和を誤差関数に加えることで正則化を行う手法として、最も適切なものを選べ。

A. L0正則化
B. L1正則化
C. L2正則化
D. L3正則化

➡ P349

37. ニューラルネットワークにおける学習では、ネットワークへの訓練データの与え方がいくつかある。それらの学習方法に関する記述として、最も不適切なものを選べ。

A. バッチ学習は、訓練データをいくつかのブロックに分割し、順にパラメータの更新を行う手法である
B. ミニバッチ学習は、訓練データから一部のデータをランダムに抽出し、パラメータの更新を繰り返す手法である
C. オンライン学習は、訓練データから一度に1つのデータのみを抽出し、パラメータの更新を繰り返す手法である
D. オンライン学習は、ミニバッチ学習に含まれる手法である

➡ P349

38. ある入力画像に畳み込み操作を行う。パディングは行わないものとし、入力画像のサイズが4×4、フィルタのサイズが2×2、ストライドが2の場合の出力画像のサイズとして、最も適切なものを選べ。

A. 4×4
B. 3×3
C. 2×2
D. 1×1

➡ P350

39. 回帰結合層は、時間ステップに応じた再帰的な結合をもつ層である。回帰結合層をもつニューラルネットワークの総称として、最も適切なものを選べ。

A. リカレントニューラルネットワーク（RNN）
B. 畳み込みニューラルネットワーク（CNN）
C. オートエンコーダ
D. 意味ネットワーク

➡ P350

□ **40.** Transformerは、主に自然言語処理に用いられるネットワークである。以下の（ア）～（エ）のうち、TransformerにおけるAttentionの計算時に、パラメータを区別するために用いられている記号として、適切なものの組み合わせを選べ。

（ア）key
（イ）item
（ウ）query
（エ）value

A.　（ア）（イ）（ウ）
B.　（イ）（ウ）（エ）
C.　（ア）（ウ）（エ）
D.　（ア）（イ）（エ）

➡ P350

□ **41.** 以下の記述を読み、空欄（ア）に入る語句として最も適切なものを選べ。

（　ア　）は、1970年頃にテリー・ウィノグラードによって開発されたシステムである。（　ア　）はプランニングの技術を活用しており、コンピュータ上の「積み木の世界」の中で、英語による指示によって物体を動かすことができる。

A.　マイシン
B.　SHRDLU
C.　イライザ
D.　DENDRAL

➡ P351

☐ 42. **MobileNetは、Depthwise Separable Convolutionを導入したネットワークである。Depthwise Separable Convolutionは、Depthwise ConvolutionとPointwise Convolutionから構成される。Depthwise ConvolutionおよびPointwise Convolutionに関する記述として、最も不適切なものを選べ。**

A. Depthwise Convolutionは、入力データの空間方向のみに対して畳み込みを行う
B. Depthwise Convolutionは、すべてのチャンネルをまとめて畳み込みを行う
C. Pointwise Convolutionは、入力データのチャンネル方向のみに対して畳み込みを行う
D. Pointwise Convolutionは、1×1のフィルタを用いて畳み込みを行う

➡ P351

☐ 43. **物体検出は、画像内に存在する物体の位置を特定し、その物体のクラスを識別するタスクである。それ単体で物体検出に用いられるネットワークとして、最も不適切なものを選べ。**

A. FPN（Feature Pyramid Networks）
B. SSD（Single Shot MultiBox Detector）
C. YOLO（You Only Look Once）
D. VGG（Visual Geometry Group）

➡ P351

□ **44. 単語や文章をベクトルで表現する手法に関する記述として、最も不適切なものを選べ。**

A. One-Hot Encodingは、単語のIDに対応する要素のみが1、他の要素が0となるようなベクトルを用いて、単語をベクトル化する手法である
B. BoW（Bag-of-Words）は、文章内の各単語の出現頻度をもとに、文章をベクトル化する手法である
C. TF-IDF（Term Frequency - Inverse Document Frequency）は、データセット全体での単語の出現頻度を加味して、文章をベクトル化する手法である
D. CBOW（Continuous Bag-of-Words）は、NSP（Next Sentence Prediction）と呼ばれるタスクによって事前学習を行い、文章をベクトル化する手法である

➡ P352

□ **45. 言語によらず、人間が発声する区別可能な音を指す用語として、最も適切なものを選べ。**

A. 音素
B. 音子
C. 音韻
D. 音母

➡ P352

□ **46. オープンAIが開発したChatGPTに取り入れられているネットワークとして、最も適切なものを選べ。**

A. WaveNet
B. Transformer
C. 拡散モデル（diffusion model）
D. Flowベース生成モデル（Flow-based generative models）

➡ P352

□ **47.** **学習済みモデルを用いた予測における個々の特徴量の重要度を求める手法として、Permutation Importanceがある。Permutation Importanceに関する記述として、最も適切なものを選べ。**

A. Permutation Importanceは、検証データ全体を用いて、個々の特徴量がどの程度重要であったかを求める手法である
B. Permutation Importanceは、訓練データ全体を用いて、個々の特徴量がどの程度重要であったかを求める手法である
C. Permutation Importanceは、ニューラルネットワークの特徴マップを用いて、個々の特徴量がどの程度重要であったかを求める手法である
D. Permutation Importanceは、ある1つの入力データにおける予測について、個々の特徴量がどの程度重要であったかを求める手法である

➡ P352

□ **48.** **AIを業務プロセスに取り入れる際には、AIによって代替可能な業務を抽出し、業務プロセスそのものを設計しなおすことが求められる場合がある。このように、業務プロセスを再設計することを指す用語として、最も適切なものを選べ。**

A. IoT（Internet of Things）
B. BPR（Business Process Re-engineering）
C. PoC（Proof of Concept）
D. CRISP-DM（CRoss-Industry Standard Process for Data Mining）

➡ P353

□ **49.** **機械学習におけるアノテーションに関する記述として、最も適切なものを選べ。**

A. アノテーションは、学習データを収集する作業である
B. アノテーションは、学習データに教師データを付与する作業である
C. アノテーションは、学習データから特徴量を抽出する作業である
D. アノテーションは、学習データの前処理を行う作業である

➡ P353

☐ **50.** 基本的な統計量に関する記述として、最も不適切なものを選べ。

A. 分散は、データの散らばり度合いを表現する値である
B. 標準偏差は、相関係数の平方根をとったものである
C. 中央値は、データを大きさの順に並べたときに中央に位置する値である
D. 期待値は、ある確率分布に従って何度も値を取り出すことを考えたときの、取り出された値の平均値を意味する

➡ P353

☐ **51.** 個人情報保護法における個人データに関する記述として、最も適切なものを選べ。

A. 個人データは、個人情報に含まれる記述等の一部を削除することなどにより、他の情報と照合しない限り、特定の個人を識別することができないように加工した個人に関する情報である
B. 個人データは、個人情報に含まれる記述等の一部を削除することなどにより、特定の個人を識別することができないように加工した個人に関する情報である
C. 個人データは、本人に対する不当な差別や偏見が生じないように特別な配慮を要する個人情報である
D. 個人データは、特定の個人情報を容易に検索できるよう整備された「個人情報データベース等」を構成する個人情報である

➡ P354

☐ **52.** システム開発において、開発の段階からプライバシー侵害の予防を指向する設計思想として、最も適切なものを選べ。

A. プライバシー・バイ・デザイン
B. プライバシー・フロム・デザイン
C. プライバシー・オブ・デザイン
D. プライバシー・アット・デザイン

➡ P354

☐ **53.** 1990年にスティーブン・ハルナッドによって議論されたシンボルグラウンディング問題に関する記述として、最も適切なものを選べ。

A. シンボルグラウンディング問題は、ある問題を解く際に、人工知能に対処させるべき事柄を決めることは難しいという問題である

B. シンボルグラウンディング問題は、人間と同様に心や自意識をもつ人工知能を実現することは難しいという問題である

C. シンボルグラウンディング問題は、データの次元の増加に伴い、計算量などが指数的に増える問題である

D. シンボルグラウンディング問題は、ある記号を実世界における意味と結び付けることは難しいという問題である

➡ P354

☐ **54.** オセロなどのボードゲームにおいて、次の手をアルゴリズムによって探索することを考える。このときに用いられる手法またはアルゴリズムとして、最も不適切なものを選べ。

A. Mini-Max法

B. $\alpha\beta$法

C. ウォード法

D. モンテカルロ法

➡ P354

☐ **55.** エキスパートシステムは、主に1970年代～1980年代に開発されたコンピュータシステムである。エキスパートシステムとして、最も適切なものを選べ。

A. SHRDLU

B. STRIPS

C. イライザ

D. DENDRAL

➡ P355

☐ **56.** 複数の特徴量を用いた線形回帰による分析を重回帰分析と呼ぶ。重回帰分析を適用できる例に関する記述として、最も不適切なものを選べ。

A.　店舗の面積、商品単価、店員数のデータから、新店舗における売上を予測し、どの特徴量が有効かを分析する
B.　店舗における品揃え、営業時間のデータから、その店舗の顧客の総合満足度を予測し、どの特徴量が有効かを分析する
C.　ある県における住宅の築年数、立地のデータから、その住宅の価格を予測し、どの特徴量が有効かを分析する
D.　ある県における住宅の価格、築年数のデータから、その住宅が属する市を予測し、どの特徴量が有効かを分析する

➡ P355

☐ **57.** サポートベクターマシン（SVM）によるクラス分類において、線形分離不可能なタスクを扱う際、計算が複雑にならないようにある数学的なテクニックが用いられる。このテクニックを指す用語として、最も適切なものを選べ。

A.　ブートストラップサンプリング
B.　カーネルトリック
C.　ブルートフォース
D.　ソフトマックス

➡ P355

☐ **58.** ユーザーに商品やサービスなどを推薦することをレコメンデーションと呼ぶ。レコメンデーションに用いられる機械学習手法として、最も適切なものを選べ。

A.　スパムフィルタ
B.　オートフィルタ
C.　協調フィルタリング
D.　調合フィルタリング

➡ P356

□ **59.** 以下の記述を読み、空欄（ア）に入る語句として最も適切なものを選べ。

（　ア　）は、方策勾配法の計算を行う際に用いられる強化学習のアルゴリズムであり、AlphaGoなどに活用されている。

A. REINFORCE
B. SARSA（State-Action-Reward-State-Action）
C. RLHF（Reinforcement Learning from Human Feedback）
D. UCB方策

➡ P356

□ **60.** 機械学習では、過学習と呼ばれる現象が発生することがある。過学習に関する記述として、最も適切なものを選べ。

A. 訓練データに対する予測精度は高いが、テストデータに対する予測精度が低い場合、過学習が疑われる
B. 訓練データに対する予測精度は低いが、テストデータに対する予測精度が高い場合、過学習が疑われる
C. 訓練データ、テストデータに対する予測精度が共に高い場合、過学習が疑われる
D. 訓練データ、テストデータに対する予測精度が共に低い場合、過学習が疑われる

➡ P357

□ **61.** 以下の（ア）～（エ）のうち、ディープラーニングにおける大規模な並列演算を高速に行うための演算処理装置として、適切なものの組み合わせを選べ。

（ア）GPU（Graphics Processing Unit）
（イ）TPU（Tensor Processing Unit）
（ウ）QPU（Quantum Processing Unit）
（エ）CPU（Central Processing Unit）

A. （ア）（イ）
B. （ウ）（エ）
C. （ア）（ウ）
D. （イ）（エ）

➡ P357

☐ **62.** ニューラルネットワークの訓練時に、ランダムにニューロンを除外することで、汎化性能の向上を図る手法が存在する。この手法の名称として、最も適切なものを選べ。

A. サンプリング
B. プーリング
C. ホールドアウト
D. ドロップアウト

➡ P357

☐ **63.** 以下の記述を読み、空欄（ア）（イ）に入る語句として最も適切な組み合わせを選べ。

ミニバッチ学習において、抽出したデータを用いてパラメータの更新を行う一連の操作の単位を（　ア　）と呼ぶ。複数回の（　ア　）によりパラメータを更新し、すべての訓練データを一巡したとき、1（　イ　）と数える。ニューラルネットワークの学習では、（　イ　）数を1より大きい値に設定し、複数回にわたって訓練データを学習させることが多い。

A. （ア）イテレーション　（イ）バッチ
B. （ア）イテレーション　（イ）エポック
C. （ア）エポック　（イ）イテレーション
D. （ア）エポック　（イ）バッチ

➡ P358

☐ **64.** Dilated Convolution（Atrous Convolution）に関する記述として、最も適切なものを選べ。

A. Dilated Convolutionは、特徴マップにフィルタを重ねる際に、フィルタの各要素に間隔を設けることで、同じ要素数でより広い範囲を畳み込む手法である
B. Dilated Convolutionは、通常の畳み込みを空間方向とチャンネル方向に分解し、それぞれ独立に畳み込み処理を行う手法である
C. Dilated Convolutionは、ある畳み込み層を、それより小さいフィルタサイズをもつ畳み込み層で挟み込む手法である
D. Dilated Convolutionは、入力データを拡大する畳み込みの手法である

➡ P358

☐ **65**. LSTM（Long Short-Term Memory）は、ゲート機構をもつリカレントニューラルネットワーク（RNN）である。LSTMのゲート機構を構成する要素として、最も不適切なものを選べ。

A. 入力ゲート
B. 出力ゲート
C. 忘却ゲート
D. 更新ゲート

➡ P358

☐ **66**. 自然言語処理に用いられるネットワークであるTransformerでは、位置エンコーディングと呼ばれる計算が行われる。位置エンコーディングに関する記述として、最も適切なものを選べ。

A. 位置エンコーディングは、訓練データにおける文章の順番に関する情報を保持するための計算である
B. 位置エンコーディングは、ネットワークへの入力文における単語の順番に関する情報を保持するための計算である
C. 位置エンコーディングは、ネットワークの出力文における単語の順番に関する情報を保持するための計算である
D. 位置エンコーディングは、ネットワークの層の位置に関する情報を保持するための計算である

➡ P358

☐ **67**. Inceptionモジュールは、複数の異なるフィルタサイズをもつ畳み込み層を組み合わせた構造である。Inceptionモジュールを積層した構造をもつ畳み込みニューラルネットワーク（CNN）として、最も適切なものを選べ。

A. VGG（Visual Geometry Group）
B. AlexNet
C. LeNet
D. GoogLeNet

➡ P359

□ **68.** 物体検出を行う手法として、画像中の物体の位置の特定を行った後、その物体のクラスを識別するアプローチと、物体位置の特定およびクラス識別を同時に行うアプローチがある。前者のアプローチで物体検出を行うネットワークを2段階モデルと呼び、後者のアプローチで物体検出を行うネットワークを1段階モデルと呼ぶ。これらに関する記述として、最も不適切なものを選べ。

A. YOLO（You Only Look Once）は、1段階モデルである
B. SSD（Single Shot MultiBox Detector）は、1段階モデルである
C. U-Netは、2段階モデルである
D. R-CNN（Regions with CNN features）は、2段階モデルである

➡ P359

□ **69.** 以下の記述を読み、空欄（ア）に入る語句として最も適切なものを選べ。

（　ア　）は、単語の分散表現を学習できるライブラリであり、2016年に当時のフェイスブックによって提案された。（　ア　）は、単語をさらに細かい単位に分割することによって、訓練データにない語彙に対しても埋め込みを計算できるという特徴がある。

A. fastText
B. word2vec
C. CBOW（Continuous Bag-of-Words）
D. TF-IDF（Term Frequency - Inverse Document Frequency）

➡ P359

□ **70.** 深層強化学習は、強化学習とディープラーニングを組み合わせた学習手法である。ディープラーニングを用いた強化学習の手法として、最も不適切なものを選べ。

A. REINFORCE
B. DQN（Deep Q-Network）
C. Ape-X
D. ノイジーネットワーク

➡ P359

□ **71.** 敵対的生成ネットワーク（GAN）に関する記述として、最も適切なものを選べ。

A. GANは、エンコーダおよびデコーダから構成され、主に次元削減に用いられる
B. GANは、エンコーダおよびデコーダから構成され、主に機械翻訳に用いられる
C. GANは、ジェネレータとディスクリミネータから構成され、主に画像分類に用いられる
D. GANは、ジェネレータとディスクリミネータから構成され、主に画像生成に用いられる

➡ P360

□ **72.** AI開発におけるMLOpsに関する記述として、最も適切なものを選べ。

A. MLOpsは、AI開発における透明性を確保するためのガイドラインである
B. MLOpsは、AIの開発からその運用までの工程全体を統合することに関連する概念である
C. MLOpsは、AI開発における各種契約を適切に締結するためのガイドラインである
D. MLOpsは、AIを活用するために業務プロセスを再設計することに関連する概念である

➡ P360

□ **73.** 確率変数Xと確率変数Yがともに別の確率変数Zと強く相関しているとき、Zに起因するXとYの相関を指す用語として、最も適切なものを選べ。

A. 偏相関
B. 偽相関
C. 擬似相関
D. 全相関

➡ P360

□ **74.** 個人識別符号は、それそのものから特定の個人を識別することができるものである。個人識別符号に該当しうるものとして、最も不適切なものを選べ。

A. 郵便番号
B. 旅券番号
C. 顔写真データ
D. 指紋データ

➡ P361

□ **75.** 人種や国籍などのように、差別や偏見が生じないように注意すべき情報を指す用語として、最も適切なものを選べ。

A. 仮名加工情報
B. 匿名加工情報
C. イニシアティブ情報
D. センシティブ情報

➡ P361

□ **76.** Mini-Max法は、ボードゲームにおいて、手の有利さを表すスコアを用いて次の手を探索するアルゴリズムである。Mini-Max法に関する記述として、最も適切なものを選べ。

A. Mini-Max法では、自分の手番では自分のスコアが最大となる手を選択し、相手の手番では自分のスコアが最小となる手が選択されると仮定する
B. Mini-Max法では、自分の手番では自分のスコアが最大となる手を選択し、相手の手番でも自分のスコアが最大となる手が選択されると仮定する
C. Mini-Max法では、自分の手番では自分のスコアが最小となる手を選択し、相手の手番では自分のスコアが最大となる手が選択されると仮定する
D. Mini-Max法では、自分の手番では自分のスコアが最小となる手を選択し、相手の手番でも自分のスコアが最小となる手が選択されると仮定する

➡ P361

□ **77.** 以下の記述を読み、空欄（ア）に入る語句として最も適切なものを選べ。

人間は、五感や経験などを通して「リンゴ」など文字で表された概念を認識する。高度な人工知能を実現するためには、このような（　ア　）によるアプローチで、環境との相互作用を行う必要があるという考え方がある。

A.　身体性
B.　感覚性
C.　本能性
D.　五感性

➡ P361

□ **78.** 代表的なエキスパートシステムのひとつであるマイシン（MYCIN）に関する記述として、最も適切なものを選べ。

A.　マイシンは、囲碁などのボードゲームをプレイできるエキスパートシステムである
B.　マイシンは、自然言語を用いて質問に回答できるエキスパートシステムである
C.　マイシンは、血液中のバクテリアの診断支援を行うエキスパートシステムである
D.　マイシンは、未知の有機化合物を特定するエキスパートシステムである

➡ P362

□ **79.** 線形回帰やロジスティック回帰に関する記述として、最も不適切なものを選べ。

A.　ロジスティック回帰は、主に回帰タスクに用いられる手法である
B.　線形回帰は、主に回帰タスクに用いられる手法である
C.　ラッソ回帰は、線形回帰に正則化を加えた手法である
D.　リッジ回帰は、線形回帰に正則化を加えた手法である

➡ P362

80. 以下の記述を読み、空欄（ア）（イ）に入る語句として最も適切な組み合わせを選べ。

（　ア　）は、次元の増加に伴い、計算量などが指数的に増える現象である。機械学習では、特徴量の数（次元）が非常に多い場合に、（　ア　）が問題となりうる。（　ア　）を回避するために、次元削減などが行われる。次元削減を行う教師なし学習の代表的な手法として、（　イ　）が挙げられる。

A.　（ア）オッカムの剃刀　（イ）主成分分析（PCA）
B.　（ア）オッカムの剃刀　（イ）重回帰分析
C.　（ア）次元の呪い　（イ）主成分分析（PCA）
D.　（ア）次元の呪い　（イ）重回帰分析

➡ P362

81. ユーザーに商品を推薦するレコメンデーションでは、購入された頻度が少ない商品が推薦の候補に上がらない場合がある。このことを指す用語として、最も適切なものを選べ。

A.　ワームエンド問題
B.　コールドエンド問題
C.　ワームスタート問題
D.　コールドスタート問題

➡ P363

82. 機械学習では、学習用データセットを訓練データ、検証データ、テストデータの3つに分け、モデルの学習および評価を行うことがある。これらのデータは、訓練データ、検証データ、テストデータの順に用いられる。この場合の汎化誤差の評価に関する記述として、最も適切なものを選べ。

A.　汎化誤差は、検証データよりも、テストデータを用いて推定するのが望ましい
B.　汎化誤差は、テストデータよりも、検証データを用いて推定するのが望ましい
C.　汎化誤差は、検証データよりも、訓練データを用いて推定するのが望ましい
D.　汎化誤差は、テストデータよりも、訓練データを用いて推定するのが望ましい

➡ P363

□ **83.** **機械学習では、過学習と呼ばれる現象が発生することがある。過学習を防ぐための手段に関する記述として、最も不適切なものを選べ。**

A. モデルのパラメータに対して正則化を行い、モデルの複雑さを制限する
B. 検証データに対する予測精度をモニタリングし、早期に学習を終了する
C. 訓練データの量を減らすことで、学習時間を短縮する
D. よりパラメータ数の少ない単純なモデルを利用する

➡ P363

□ **84.** **(a, b) という表記は、aより大きく、bより小さい値の範囲を示す。また [a, b] という表記は、a以上b以下の値の範囲を示す。ニューラルネットワークにおける活性化関数の出力がとりうる値に関する記述として、最も不適切なものを選べ。**

A. シグモイド関数は、(0, 1) の値をとる活性化関数である
B. tanh関数は、(-1, 1) の値をとる活性化関数である
C. ReLU (Rectified Linear Unit) は、[0, ∞) の値をとる活性化関数である
D. Leaky ReLU (Leaky Rectified Linear Unit) は、(-∞, 0] の値をとる活性化関数である

➡ P364

□ **85.** **ニューラルネットワークの学習時に発生することのある、勾配消失問題や勾配爆発問題に関する記述として、最も不適切なものを選べ。**

A. 勾配消失問題は、出力層における勾配が、出力層から遠ざかるにつれて小さくなり、入力層付近まで伝わらない現象である
B. 勾配爆発問題は、学習の途中で勾配が大きくなりすぎる現象である
C. 勾配消失問題が発生すると、過学習が起こりやすくなる
D. 勾配爆発問題が発生すると、学習が安定しにくくなる

➡ P364

☐ **86.** あらゆる問題で優れた性能をもつアルゴリズムは理論上存在しないことを示す定理として、最も適切なものを選べ。

A. オッカムの定理
B. マハラノビスの定理
C. ノーフリーランチ定理
D. フィルタバブル定理

➡ P364

☐ **87.** 画像データを扱うニューラルネットワークにおけるバッチ正規化に関する記述として、最も適切なものを選べ。

A. バッチ正規化は、ある層のすべてのチャンネルを用いて、ミニバッチ内のすべてのデータについて正規化を行う手法である
B. バッチ正規化は、ミニバッチ内のすべてのデータを用いて、ある層のチャンネルごとに正規化を行う手法である
C. バッチ正規化は、ある層のすべてのチャンネルを用いて、ミニバッチ内のデータごとに正規化を行う手法である
D. バッチ正規化は、ミニバッチ内のデータごと、チャンネルごとに正規化を行う手法である

➡ P364

☐ **88.** リカレントニューラルネットワーク（RNN）のひとつであるLSTM（Long Short-Term Memory）に採用されている、長期的な情報を蓄えておくための機構の名称として、最も適切なものを選べ。

A. BPTT（BackPropagation Through Time）
B. CEC（Constant Error Carousel）
C. GRU（Gated Recurrent Unit）
D. BERT（Bidirectional Encoder Representations from Transformers）

➡ P365

□ **89.** 以下の記述を読み、空欄（ア）に入る語句として最も適切なものを選べ。

（　ア　）は、エンコーダとデコーダで構成されるニューラルネットワークのアーキテクチャである。（　ア　）を用いることで、特徴量の次元削減などを行うことができる。

A.　オートエンコーダ
B.　オートデコーダ
C.　エンコードネットワーク
D.　デコードネットワーク

➡ P365

□ **90.** セグメンテーションは、画像を画素の単位で識別するタスクの総称である。画像中のすべての画素に対して、そのクラスを識別し、物体ごとにIDを付与するタスクの名称として、最も適切なものを選べ。

A.　セマンティックセグメンテーション
B.　パノプティックセグメンテーション
C.　クラスセグメンテーション
D.　インスタンスセグメンテーション

➡ P365

□ **91.** word2vecの学習に用いられるskip-gramに関する記述として、最も適切なものを選べ。

A.　skip-gramは、文章中のある単語に対して、その周辺の単語を予測するネットワークである
B.　skip-gramは、文章中の周囲の単語から、対象の単語を予測するネットワークである
C.　skip-gramは、2つの入力文が連続する文かどうかを判別するネットワークである
D.　skip-gramは、文章中の一部の単語を隠し、その単語が何かを予測するネットワークである

➡ P366

□ **92.** 以下の（ア）～（エ）のうち、深層強化学習の手法であるRainbowに関する記述として、適切なものの組み合わせを選べ。

（ア）Rainbowは、DQN（Deep Q-Network）の派生手法など、7つの手法を組み合わせたものである
（イ）Rainbowは、残差強化学習を行う手法である
（ウ）Rainbowは、Atari2600をプレイすることができる
（エ）Rainbowは、複数のエージェントを用意し、それらの相互作用を加味しながら学習を行う

A.　（ア）（イ）
B.　（ウ）（エ）
C.　（ア）（ウ）
D.　（イ）（エ）

➡ P366

□ **93.** 敵対的生成ネットワークの考え方を取り入れたネットワークとして、最も不適切なものを選べ。

A.　DCGAN（Deep Convolutional GAN）
B.　Pix2Pix
C.　sim2real
D.　Cycle GAN

➡ P366

□ **94**. 以下の記述を読み、空欄（ア）に入る語句として最も適切なものを選べ。

（　ア　）は、CRISP-DMを拡張したフレームワークとして、2021年に提案された。（　ア　）では、AIを活用したプロジェクトにおいて特有な運用時のモニタリングなどが加味されている。

A. CRISP-IT（CRoss-Industry Standard Process for Information Technology）
B. CRISP-WM（CRoss-Industry Standard Process for Web Mining）
C. CRISP-AI（CRoss-Industry Standard Process for Artificial Intelligence）
D. CRISP-ML（CRoss-Industry Standard Process for Machine Learning）

➡ P367

□ **95**. 以下の記述を読み、空欄（ア）に入る語句として最も適切なものを選べ。

（　ア　）関数は、気温や湿度といった連続的な確率変数の確率分布を表現する関数の総称である。（　ア　）関数を用いることで、確率変数がある範囲内の値をとる確率を求めることができる。

A. 確率密度
B. 情報量
C. 正規分布
D. 累積分布

➡ P367

96. 著作権法第三十条の四に関する記述として、最も適切なものを選べ。

A. 情報解析のために著作物を著作権者の許可なく用いた場合、それが営利目的であれば著作権侵害となる
B. 情報解析のために著作物を著作権者の許可なく用いた場合、それが非営利目的であれば著作権侵害となる
C. 情報解析のために著作物を著作権者の許可なく用いた場合、それが営利、非営利いずれの目的であっても著作権侵害とはならない
D. 情報解析のために著作物を著作権者の許可なく用いた場合、それが営利、非営利いずれの目的であっても著作権侵害となる

➡ P367

97. 代理変数は、AI開発における公平性に関連する用語である。代理変数に関する記述として、最も適切なものを選べ。

A. 代理変数とは、センシティブ情報との相関が高いことなどにより、センシティブ情報を代替しうるデータである
B. 代理変数とは、センシティブ情報との相関が低いことなどにより、センシティブ情報を代替しうるデータである
C. 代理変数とは、個人情報に含まれる記述等の一部を削除し、特定の個人を識別することができないように加工したデータである
D. 代理変数とは、個人情報を加工したデータであり、他の情報と組み合わせることで特定の個人を識別することができるデータである

➡ P367

98. 迷路や簡単なゲームなど、第一次AIブームにおいて解くことのできた問題を指す用語として、最も適切なものを選べ。

A. フレーム問題
B. シンボルグラウンディング問題
C. トイ・プロブレム
D. 中国語の部屋

➡ P368

□ **99.** 知識ベースに関する以下の記述を読み、空欄（ア）（イ）に入る語句として最も適切な組み合わせを選べ。

主に1970年代～1980年代にかけて研究された（　ア　）は、ある専門知識に関するデータである知識ベースを用いて構築される。ただし、知識ベースを構築するのは一般に容易ではなく、専門家から知識をうまく引き出すための知的な（　イ　）に関する研究が行われた。

A.　（ア）エクセレントシステム　（イ）ナレッジシステム
B.　（ア）エクセレントシステム　（イ）インタビューシステム
C.　（ア）エキスパートシステム　（イ）ナレッジシステム
D.　（ア）エキスパートシステム　（イ）インタビューシステム

➡ P368

□ **100.** 今日では、インターネットの普及に伴い、大量のデータが日々蓄積されるようになっている。インターネットの成長とともに蓄積された大量のデータを総称する用語として、最も適切なものを選べ。

A.　構造化データ
B.　非構造化データ
C.　ビッグデータ
D.　ラージデータ

➡ P368

□ **101.** 以下の記述を読み、空欄（ア）に入る語句として最も適切なものを選べ。

（　ア　）は、自己回帰モデルを拡張した手法である。（　ア　）は、複数の時系列データを入力として受け取り、時系列予測を行うことができる。

A.　VAE（Variational AutoEncoder）
B.　VGG（Visual Geometry Group）
C.　OCR（Optical Character Recognition）
D.　VAR（Vector AutoRegressive model）

➡ P369

□102. 機械学習の一手法であるトピックモデルに関する記述として、最も適切なものを選べ。

A. トピックモデルは、1つのデータを複数のクラスタに割り当てる教師なし学習の手法である
B. トピックモデルは、1つのデータを1つのクラスタに割り当てる教師なし学習の手法である
C. トピックモデルは、1つのデータを複数のクラスタに割り当てる教師あり学習の手法である
D. トピックモデルは、1つのデータを1つのクラスタに割り当てる教師あり学習の手法である

➡ P369

□103. コンテンツベースフィルタリングに関する記述として、最も適切なものを選べ。

A. コンテンツベースフィルタリングは、次元削減に用いられる手法である
B. コンテンツベースフィルタリングは、レコメンデーションに用いられる手法である
C. コンテンツベースフィルタリングは、階層なしクラスタリングに用いられる手法である
D. コンテンツベースフィルタリングは、階層ありクラスタリングに用いられる手法である

➡ P369

□104. 主に分類タスクに用いられる機械学習モデルの評価指標として、最も不適切なものを選べ。

A. AUC（Area Under the Curve）
B. RMSE（Root Mean Squared Error）
C. 再現率
D. F値

➡ P370

□**105.** 機械学習における過学習や未学習に関する記述として、最も不適切なものを選べ。

A.　訓練データの量に対してモデルのパラメータ数が少ない場合、未学習が発生しやすい
B.　訓練データの量に対して特徴量の数が多い場合、過学習が発生しやすい
C.　訓練データの量が少ない場合、過学習が発生しやすい
D.　学習時に正則化を行うと、未学習が発生しにくくなる

➡ P370

□**106.** ディープニューラルネットワークにおいて、活性化関数にシグモイド関数を利用した場合に発生しやすい問題として、最も適切なものを選べ。

A.　勾配消失問題
B.　勾配爆発問題
C.　信用割当問題
D.　信用消失問題

➡ P370

□**107.** 以下の記述を読み、空欄（ア）に入る語句として最も適切なものを選べ。

ニューラルネットワークにおいて、信用割当問題とは「各ニューロンが出力を改善するために、予測結果からどのようにフィードバックを受ければよいか」という問題である。（　ア　）は、出力層から勾配を順にフィードバックすることで、ニューラルネットワークにおける信用割当問題を解決していると考えることができる。

A.　方策勾配法
B.　誤差逆伝播法
C.　k-means
D.　モンテカルロ法

➡ P371

□**108.** ニューラルネットワークのある層への入力を正規化する手法として、最も不適切なものを選べ。

A. グループ正規化
B. エポック正規化
C. インスタンス正規化
D. レイヤー正規化

➡ P371

□**109.** GRU (Gated Recurrent Unit) は、代表的なリカレントニューラルネットワーク（RNN）のひとつである。GRUの構造に関する記述として、最も適切なものを選べ。

A. GRUは、Attentionを導入したネットワークである
B. GRUは、時間方向に関する畳み込み層を導入したネットワークである
C. GRUは、入力ゲート、出力ゲート、忘却ゲートからなるゲート機構をもつネットワークである
D. GRUは、リセットゲート、更新ゲートからなるゲート機構をもつネットワークである

➡ P371

□**110.** 積層オートエンコーダに関する記述として、最も適切なものを選べ。

A. 積層オートエンコーダは、主に特徴量の次元削減に用いられる手法である
B. 積層オートエンコーダは、主に階層ありクラスタリングに用いられる手法である
C. 積層オートエンコーダは、主にニューラルネットワークの事前学習に用いられる手法である
D. 積層オートエンコーダは、主にニューラルネットワークの構造探索に用いられる手法である

➡ P371

☐**111.** WideResNetは、ResNet（Residual Network）を改善したネットワークである。WideResNetに関する記述として、最も適切なものを選べ。

A. WideResNetは、ResNetにおける層の数を増やしたネットワークである

B. WideResNetは、ResNetにおけるプーリングの窓を大きくしたネットワークである

C. WideResNetは、ResNetにおける畳み込みのチャンネル数を増やしたネットワークである

D. WideResNetは、ResNetにおける畳み込みのフィルタの縦横サイズを大きくしたネットワークである

➡ P372

☐**112.** インスタンスセグメンテーションに用いられるネットワークとして、最も適切なものを選べ。

A. R-CNN（Regions with CNN features）

B. Fast R-CNN（Fast Regions with CNN features）

C. Faster R-CNN（Faster Regions with CNN features）

D. Mask R-CNN（Mask Regions with CNN features）

➡ P372

□**113.** 以下の記述を読み、空欄（ア）～（ウ）に入る語句として最も適切な組み合わせを選べ。

（　ア　）は、エンコーダ、デコーダと呼ばれる2つのリカレントニューラルネットワーク（RNN）で構成されるネットワークである。（　ア　）では、入力と出力の長さが（　イ　）を扱うことができ、たとえば（　ウ　）のようなタスクを解くことができる。

A.　（ア）Seq2Seq（Sequence-to-Sequence）
（イ）異なりうるタスク
（ウ）文書要約

B.　（ア）Seq2Seq（Sequence-to-Sequence）
（イ）同じタスクのみ
（ウ）文書要約

C.　（ア）LSTM（Long Short-Term Memory）
（イ）異なりうるタスク
（ウ）情報検索

D.　（ア）LSTM（Long Short-Term Memory）
（イ）同じタスクのみ
（ウ）情報検索

➡ P372

□**114.** Flamingoは、ディープマインドによって開発されたネットワークである。Flamingoが行うタスクとして、最も不適切なものを選べ。

A.　Visual Question Answering
B.　Optical Character Recognition
C.　Image Captioning
D.　Text-to-Image

➡ P373

□**115.** 代表的な確率分布に関する記述として、最も不適切なものを選べ。

A. ベルヌーイ分布は、2つのいずれかの事象が一定の確率で起こるような確率変数が従う確率分布である
B. 二項分布は、すべての事象が等確率で起こるような確率変数が従う確率分布である
C. ポアソン分布は、ある確率で起こる事象が一定の時間内に起きる回数Xを考えたとき、Xが従う確率分布である
D. 正規分布は、期待値μと分散σをもつ連続的な確率変数Xが従う確率分布である

➡ P373

□**116.** 機械学習における学習用データセットや学習用プログラムと知的財産権に関する記述として、最も不適切なものを選べ。

A. 学習用データセットは、特許法における発明として認められることがある
B. 学習用プログラムは、特許法における発明として認められることがある
C. 学習用データセットは、著作権法における著作物として認められることがある
D. 学習用プログラムは、著作権法における著作物として認められることがある

➡ P374

□**117.** 以下の記述を読み、空欄（ア）に入る語句として最も適切なものを選べ。

学習済みモデルを用いて予測を行う際、その予測値が入力データにおける人種や性別といった特定の属性に対して偏ってしまうことがある。このようなバイアスを（　ア　）バイアスと呼ぶ。

A. プライバシー
B. アルゴリズム
C. センシティブ
D. サンプリング

➡ P374

□118. 人工知能が自身よりも賢い人工知能を作ることができるようになった時点で、さらに高い知能をもつ存在を作り続けるようになり、人間の想像力が及ばない超越的な知性が誕生するという仮説がある。この仮説の名称として、最も適切なものを選べ。

A. 知識獲得のボトルネック
B. オープンイノベーション
C. 強いAI
D. シンギュラリティ

➡ P374

□119. エキスパートシステムに関する記述として、最も不適切なものを選べ。

A. エキスパートシステムは、ある分野における専門家のように振る舞うことができる
B. エキスパートシステムは、第一次AIブームにおける主要な研究対象である
C. エキスパートシステムは、知識ベースと呼ばれるデータを用いて推論を行う
D. エキスパートシステムの代表例として、マイシン（MYCIN）が挙げられる

➡ P375

□**120.** 以下の記述を読み、空欄（ア）～（ウ）に入る語句として最も適切な組み合わせを選べ。

機械学習は、第（　ア　）次AIブームにおける主要な研究対象のひとつである。機械学習によって、大量のデータからパターンを自動的に抽出し、予測や分類を行うことができる。たとえば、メールの内容からそのメールが不適切かどうかを判定する（　イ　）フィルタや、ユーザーの購買履歴などにもとづいて商品などを推薦する（　ウ　）エンジンに、機械学習を応用することができる。

A. （ア）二
（イ）レコメンデーション
（ウ）スパム

B. （ア）二
（イ）スパム
（ウ）レコメンデーション

C. （ア）三
（イ）レコメンデーション
（ウ）スパム

D. （ア）三
（イ）スパム
（ウ）レコメンデーション

➡ P375

□**121.** 機械学習では、特徴量に対する前処理を行うことがある。標準化は、前処理を行う手法のひとつである。標準化に関する記述として、最も適切なものを選べ。

A. 標準化は、特徴量の平均が1、標準偏差が0となるように変換する手法である
B. 標準化は、特徴量の平均が0、標準偏差が1となるように変換する手法である
C. 標準化は、特徴量を最小値0、最大値1の範囲に変換する手法である
D. 標準化は、特徴量を最小値-1、最大値1の範囲に変換する手法である

➡ P375

□**122.** 強化学習では、将来にわたって得られる累積報酬を最大化する行動の取り方を学習する。累積報酬を求める際には、より近い将来における報酬が相対的に大きくなるように、計算を工夫することがある。このときに用いられるハイパーパラメータの名称として、最も適切なものを選べ。

A. 行動率
B. 状態率
C. 割引率
D. 環境率

➡ P376

□**123.** ROC曲線（Receiver Operating Characteristic curve）は、分類タスクにおける予測性能を評価するための曲線である。ROC曲線を用いて算出される評価指標として、最も適切なものを選べ。

A. AIC（Akaike's Information Criterion）
B. AUC（Area Under the Curve）
C. MAE（Mean Absolute Error）
D. MSE（Mean Squared Error）

➡ P376

□**124.** ニューラルネットワークにおける活性化関数のひとつであるReLU（Rectified Linear Unit）に関する記述として、最も適切なものを選べ。

A.　ReLUは、入力が0以上の領域では必ず0を出力する関数である
B.　ReLUは、入力が0以上の領域では必ず1を出力する関数である
C.　ReLUは、入力が0未満の領域では必ず0を出力する関数である
D.　ReLUは、入力が0未満の領域では必ず-1を出力する関数である

➡ P376

□**125.** ニューラルネットワークの学習に用いられる確率的勾配降下法（SGD）に関する記述として、最も適切なものを選べ。

A.　確率的勾配降下法は、ネットワークのパラメータをランダムに抽出し、それらのパラメータを更新する手法である
B.　確率的勾配降下法は、ハイパーパラメータをランダムに変更し、ネットワークのパラメータを更新する手法である
C.　確率的勾配降下法は、訓練データの一部をランダムに抽出し、ネットワークのパラメータを更新する手法である
D.　確率的勾配降下法は、誤差関数をランダムに変更し、ネットワークのパラメータを更新する手法である

➡ P376

□**126.** 畳み込みニューラルネットワーク（CNN）に関する以下の記述を読み、空欄（ア）に入る語句として最も適切なものを選べ。

（　ア　）は、窓を移動させながら、その窓内の平均値や最大値を出力することで、ある層への入力データから特徴を取り出す処理である。

A.　畳み込み
B.　ドロップアウト
C.　パディング
D.　プーリング

➡ P377

□127. さまざまなリカレントニューラルネットワーク（RNN）に関する記述として、最も不適切なものを選べ。

A. 双方向RNNは、過去から未来の方向だけでなく、未来から過去の方向についても考慮して出力を行うことができるRNNである
B. Seq2Seq（Sequence-to-Sequence）は、エンコーダ、デコーダと呼ばれる2つのRNNで構成され、入力と出力の長さが異なるタスクを扱うことができるネットワークである
C. Transformerは、ゲート機構とCEC（Constant Error Carousel）をもつRNNである
D. エルマンネットワークは、1990年に発表された初期のRNNである

➡ P377

□128. 変分オートエンコーダ（VAE）が行う主要なタスクに関する記述として、最も適切なものを選べ。

A. VAEは、主に文章要約に用いられるネットワークである
B. VAEは、主に質問応答に用いられるネットワークである
C. VAEは、主に画像分類に用いられるネットワークである
D. VAEは、主に画像生成に用いられるネットワークである

➡ P377

□129. 以下の記述を読み、空欄（ア）に入る語句として最も適切なものを選べ。

（　ア　）は、2017年に提案された畳み込みニューラルネットワーク（CNN）である。（　ア　）は、ニューラルネットワークの構造を探索する技術を活用した結果得られたネットワークである。

A. ResNet
B. NASNet
C. GoogLeNet
D. DenseNet

➡ P378

□130. セグメンテーションタスクに用いられるネットワークに関する記述として、最も不適切なものを選べ。

A. PSPNet (Pyramid Scene Parsing Network) は、セマンティックセグメンテーションに用いられるネットワークである
B. U-Netは、セマンティックセグメンテーションに用いられるネットワークである
C. Mask R-CNN（Mask Regions with CNN features）は、インスタンスセグメンテーションに用いられるネットワークである
D. SegNetは、インスタンスセグメンテーションに用いられるネットワークである

➡ P378

□131. RLHF（Reinforcement Learning from Human Feedback）は、人間のユーザーが好む回答がどのようなものであるかをネットワークにフィードバックすることで、望ましい回答を生成できるようにする手法である。学習にRLHFを用いている文章生成AIとして、最も適切なものを選べ。

A. ChatGPT
B. BERT（Bidirectional Encoder Representations from Transformers)
C. NeRF（Neural Radiance Fields)
D. CycleGAN

➡ P378

□**132.** 強化学習におけるさまざまな手法に関する記述として、最も不適切なものを選べ。

A.　オフライン強化学習は、環境との相互作用を必要とせず、固定のデータセットをエージェントに与えて学習を行う手法である
B.　残差強化学習は、ロボット制御などにおける、既存の制御手法と強化学習を組み合わせた手法である
C.　マルチエージェント強化学習は、複数のエージェントを用いて、それらの相互作用を加味しながら学習を行う手法である
D.　状態表現学習は、方策をあるパラメータを用いた関数で表し、そのパラメータを学習することで、方策そのものを学習する手法である

➡ P379

□**133.** NeRF（Neural Radiance Fields）は、ニューラルネットワークを活用した画像生成技術である。NeRFに関する記述として、最も適切なものを選べ。

A.　NeRFは、ある物体が写った画像に対し、背景のみが異なる画像を生成する技術である
B.　NeRFは、ある物体が写った画像に対し、物体の色のみが異なる画像を生成する技術である
C.　NeRFは、ある物体が写った画像に対し、別の角度から見た物体の画像を生成する技術である
D.　NeRFは、ある物体が写った画像に対し、似た物体の画像を生成する技術である

➡ P379

□**134.** インターネットを通じて、コンピュータの計算リソースなどを必要な量、必要な時間だけ利用できるコンピュータ環境を指す用語として、最も適切なものを選べ。

A.　Web API（Application Programming Interface）
B.　IoT（Internet of Things）
C.　エッジ
D.　クラウド

➡ P379

□**135.** 毎日一定の時刻に、明日の売上を予測するAIシステムを構築することを考える。予測を行う時刻において、当日の来店者数の実績データが利用可能であるとする。データリーケージが発生しない特徴量の作成方法として、最も適切なものを選べ。

A. ある売上に対応する特徴量として、その売上日の前日の来店者数を用いる
B. ある売上に対応する特徴量として、その売上日の来店者数を用いる
C. ある売上に対応する特徴量として、その売上日の翌日の来店者数を用いる
D. ある売上に対応する特徴量として、その売上日以前の来店者数の移動平均を用いる

➡ P379

□**136.** 特許法において、「使用者等における従業者等の職務に属する発明」を指す用語として、最も適切なものを選べ。

A. 企業発明
B. 職務発明
C. 従業発明
D. 従属発明

➡ P380

□**137.** 以下の記述を読み、空欄（ア）（イ）に入る語句として最も適切な組み合わせを選べ。

（　ア　）は、学習データに不適切なデータを混入させ、モデルに誤った学習をさせる攻撃である。また、（　イ　）Attackは、入力データに細工を施し、学習済みモデルの推論結果を操作する攻撃である。

A. （ア）データ汚染　（イ）AdaBound
B. （ア）モデル汚染　（イ）AdaBound
C. （ア）データ汚染　（イ）Adversarial
D. （ア）モデル汚染　（イ）Adversarial

➡ P380

□**138.** 人間と同様に心や自意識をもつAIを強いAIと呼ぶ。アメリカの哲学者であるジョン・サールが、強いAIは実現不可能であるという自らの立場を示すために行った思考実験として、最も適切なものを選べ。

A. 中国語の部屋
B. ハノイの塔
C. チューリングテスト
D. トイ・プロブレム

➡ P380

□**139.** 意味ネットワークにおける関係の例に関する記述として、最も不適切なものを選べ。

A. 「彼は水泳部の一員である」という関係は、part-ofの関係である
B. 「手は人間の一部である」という関係は、part-ofの関係である
C. 「足が4本ある」という関係は、is-aの関係である
D. 「動物は生物である」という関係は、is-aの関係である

➡ P381

□**140.** 以下の記述を読み、空欄（ア）に入る語句として、最も適切なものを選べ。

（　ア　）は、視覚野の神経細胞を模した初期の画像認識ネットワークであり、1979年に福島邦彦によって提案された。

A. ネオコグニトロン
B. 意味ネットワーク
C. ワトソン
D. 東ロボくん

➡ P381

□**141**. 以下の（ア）～（エ）のうち、アンサンブル学習を行う方法として、適切なものの組み合わせを選べ。

（ア）バギング
（イ）パディング
（ウ）ブースティング
（エ）プーリング

A.　（ア）（イ）
B.　（ウ）（エ）
C.　（ア）（ウ）
D.　（イ）（エ）

➡ P382

□**142**. ウォード法は、階層ありクラスタリングの一手法である。ウォード法では、データ間の距離を階層的に表現することができる。この表現を図示したものの名称として、最も適切なものを選べ。

A.　決定木
B.　探索木
C.　ヒストグラム
D.　デンドログラム

➡ P382

□**143**. 強化学習におけるマルコフ決定過程の考え方に関する記述として、最も適切なものを選べ。

A.　マルコフ決定過程では、現在の状態から一時刻先の状態に遷移する確率が、現在の状態と取った行動のみに依存すると仮定する
B.　マルコフ決定過程では、現在の状態から数時刻先の状態に遷移する確率が、現在の状態と取った行動のみに依存すると仮定する
C.　マルコフ決定過程では、現在の状態から一時刻先の状態に遷移する確率が、過去のすべての状態と行動に依存すると仮定する
D.　マルコフ決定過程では、現在の状態から数時刻先の状態に遷移する確率が、過去のすべての状態と行動に依存すると仮定する

➡ P382

144. 以下の混合行列の空欄（ア）～（エ）に入る語句として最も適切な組み合わせを選べ。

		予測	
		陽性（Positive）	陰性（Negative）
正解	陽性	（ア）	（イ）
	陰性	（ウ）	（エ）

A.　（ア）偽陽性　（イ）真陽性　（ウ）真陰性　（エ）偽陰性
B.　（ア）偽陽性　（イ）真陰性　（ウ）真陽性　（エ）偽陰性
C.　（ア）真陽性　（イ）偽陽性　（ウ）偽陰性　（エ）真陰性
D.　（ア）真陽性　（イ）偽陰性　（ウ）偽陽性　（エ）真陰性

➡ P383

145. 機械学習におけるモデルの性能評価を行う手法のひとつとして、k-分割交差検証が挙げられる。k-分割交差検証に関する記述として、最も適切なものを選べ。

A.　k-分割交差検証は、すべての訓練データを用いて一度に評価を行うため、計算コストが低い
B.　k-分割交差検証は、すべての訓練データを用いて一度に評価を行うため、汎化性能を正確に見積もりやすい
C.　k-分割交差検証は、訓練データ内の小さな部分データセットによる評価を繰り返すため、計算コストが低い
D.　k-分割交差検証は、訓練データ内の小さな部分データセットによる評価を繰り返すため、汎化性能を正確に見積もりやすい

➡ P383

146. ソフトマックス関数は、ニューラルネットワークにおける活性化関数のひとつである。ソフトマックス関数に関する記述として、最も適切なものを選べ。

A. ソフトマックス関数は、主に回帰タスクを解くネットワークの出力層に用いられる活性化関数である
B. ソフトマックス関数は、主に分類タスクを解くネットワークの出力層に用いられる活性化関数である
C. ソフトマックス関数は、主に隠れ層で用いられる活性化関数である
D. ソフトマックス関数は、主に入力層で用いられる活性化関数である

➡ P383

147. 機械学習の誤差関数における鞍点に関する記述として、最も適切なものを選べ。

A. 鞍点は、その周辺における最小値（極小）であるが、定義域全体における最小値ではない点である
B. 鞍点は、定義域全体における最小値となる点である
C. 鞍点は、定義域において最も勾配が大きくなる点である
D. 鞍点は、ある次元では極小であるが、ほかのある次元では極大となるような点である

➡ P384

148. 以下の記述を読み、空欄（ア）に入る語句として最も適切なものを選べ。

（　ア　）パラメータは、機械学習モデルの構造などを決定する定数であり、モデルのパラメータを最適化する前に設定するものである。

A. ハイパー
B. グリッド
C. ランダム
D. ノーマル

➡ P384

149. 畳み込み層やプーリング層の特徴に関する以下の記述を読み、空欄（ア）（イ）に入る語句として最も適切な組み合わせを選べ。

畳み込み層は、同じノード数間の全結合層と比較して（　ア　）であり、特徴量の次元が大きい画像データを効率的に扱うことができる。また、画像データを扱うネットワークでは、画像に写る物体の位置移動に頑健であることが好ましい。畳み込みニューラルネットワーク(CNN)では、畳み込み層とプーリング層を組み合わせることで、ネットワークへの入力データに対する位置（　イ　）を獲得できる。

A.　（ア）疎結合　（イ）多様性
B.　（ア）疎結合　（イ）不変性
C.　（ア）密結合　（イ）多様性
D.　（ア）密結合　（イ）不変性

➡ P384

150. スキップ結合が導入されているネットワークとして、最も不適切なものを選べ。

A.　GoogLeNet
B.　DenseNet
C.　ResNet（Residual Network）
D.　Transformer

➡ P384

151. リカレントニューラルネットワーク（RNN）の学習時に、前の時刻の出力に対応する教師データを現在時刻の入力として用いることがある。この手法の名称として、最も適切なものを選べ。

A.　教師代入
B.　教師強制
C.　教師抽出
D.　教師反芻

➡ P385

152. 機械学習では、汎化性能の向上を目的として、訓練データを加工することによって訓練データの量を増やすことがある。これをデータ拡張と呼ぶ。画像データに用いられるデータ拡張の手法に関する記述として、最も不適切なものを選べ。

A. Random Cropは、画像の一部の画素値を0またはランダムな値にする手法である
B. Random Flipは、画像をランダムに反転する手法である
C. Random Rotationは、画像をランダムに回転する手法である
D. Mixupは、2つの画像を合成する手法である

➡ P385

153. ILSVRC（ImageNet Large Scale Visual Recognition Challenge）は、画像認識の精度を競う競技会である。ILSVRCに関する記述として、最も不適切なものを選べ。

A. EfficientNetは、ILSVRC 2015で優勝したネットワークである
B. GoogLeNetは、ILSVRC 2014で優勝したネットワークである
C. SENet（Squeeze-and-Excitation Networks）は、ILSVRC 2017で優勝したネットワークである
D. AlexNetは、ILSVRC 2012で優勝したネットワークである

➡ P385

154. セマンティックセグメンテーションに用いられるFCN（Fully Convolutional Network）に関する記述として、最も適切なものを選べ。

A. FCNは、プーリング層をもたないネットワークである
B. FCNは、畳み込み層をもたないネットワークである
C. FCNは、全結合層をもたないネットワークである
D. FCNは、出力層をもたないネットワークである

➡ P386

□**155.** 以下の記述を読み、空欄（ア）に入る語句として最も適切なものを選べ。

（　ア　）は、自然言語処理に用いられる事前学習モデルであり、2018年にオープンAIによって発表された。（　ア　）は、Transformerのデコーダの構造を取り入れたネットワークである。

A. ELMo（Embeddings from Language Models）
B. GPT（Generative Pre-Training）
C. BERT（Bidirectional Encoder Representations from Transformers）
D. GLUE（General Language Understanding Evaluation）

➡ P386

□**156.** AlphaStarは、深層強化学習を活用したゲームAIである。AlphaStarに関する記述として、最も適切なものを選べ。

A. AlphaStarは、Atari2600というゲームをプレイするためのゲームAIである
B. AlphaStarは、スタークラフト2という対戦型のゲームをプレイするためのゲームAIである
C. AlphaStarは、囲碁をプレイするためのゲームAIである
D. AlphaStarは、将棋をプレイするためのゲームAIである

➡ P386

□**157.** 事前学習済みモデルを異なるタスクに転用することを指す用語として、最も適切なものを選べ。

A. 能動学習
B. 教師強制
C. マルチタスク学習
D. 転移学習

➡ P387

□**158.** 学習済みモデルにおいて、ある特徴量が予測値に与えた影響の度合いを求める手法として、最も適切なものを選べ。

A. GLUE（General Language Understanding Evaluation）
B. SHAP（SHapley Additive exPlanations）
C. YOLO（You Only Look Once）
D. PCA（Principal Component Analysis）

➡ P387

□**159.** Web API（Application Programming Interface）に関する記述として、最も適切なものを選べ。

A. Web APIは、Webサイトの情報リソースに意味を付与し、コンピュータに高度な意味処理を行わせるための技術である
B. Web APIは、インターネットを介してコンピュータの計算リソースを利用できるコンピュータ環境である
C. Web APIは、インターネットを介してシステム間でデータの受け渡しを行う仕組みである
D. Web APIは、あらゆるものがインターネットに繋がり、情報のやりとりを行うという概念である

➡ P387

□**160.** コンピュータで処理しやすいように整理された自然言語に関するデータセットの総称として、最も適切なものを選べ。

A. ビッグデータ
B. オープンデータセット
C. ImageNet
D. コーパス

➡ P387

□**161.** ユークリッド距離に関する記述として、最も適切なものを選べ。

A. ユークリッド距離は、2点間の対応する各成分の差の絶対値を足し合わせた距離である
B. ユークリッド距離は、変数間の相関関係を考慮した距離である
C. ユークリッド距離は、ユークリッド空間における2点間を結ぶ線分の長さで定義される距離である
D. ユークリッド距離は、2つのベクトルのなす角度から求められる距離である

➡ P388

□**162.** 不正競争防止法における営業秘密の三要件として、最も不適切なものを選べ。

A. 非公知性
B. 有用性
C. 新規性
D. 秘密管理性

➡ P388

□**163.** 民法における履行割合型の準委任契約に関する記述として、最も適切なものを選べ。

A. 準委任契約は、検証や開発といった役務の提供を目的とした契約である
B. 準委任契約は、具体的な仕事の完成を目的とした契約である
C. 準委任契約は、他人の物を保管するという役務の提供のみを目的とした契約である
D. 準委任契約は、提供するデータ等の秘密情報の取扱を定めることを目的とした契約である

➡ P388

☐**164.** AIの悪用に関連するデータ窃取に関する記述として、最も適切なものを選べ。

A.　データ窃取とは、学習済みモデルの提供者が、モデルへの入力データを不正に取得することである
B.　データ窃取とは、学習済みモデルの利用者が、ほかの利用者のモデルへの入力データを不正に取得することである
C.　データ窃取とは、学習済みモデルにデータを入力し、その出力を観察してモデルの学習データを推測することである
D.　データ窃取とは、学習済みモデルにデータを入力し、その出力を観察してモデルのパラメータを推測することである

➡ P389

☐**165.** 以下の記述を読み、空欄（ア）に入る語句として最も適切なものを選べ。

人工知能（AI：Artificial Intelligence）は、1956年にアメリカで開催された（　ア　）会議において、ジョン・マッカーシーによって初めて提言されたといわれている。

A.　アートマス
B.　ゲートマス
C.　ノートマス
D.　ダートマス

➡ P389

☐**166.** 人工知能に関連する競技会であるILSVRC（ImageNet Large Scale Visual Recognition Challenge）に関する記述として、最も適切なものを選べ。

A.　ILSVRCは、画像認識の精度を競う競技会である
B.　ILSVRCは、音声認識の精度を競う競技会である
C.　ILSVRCは、質問応答の精度を競う競技会である
D.　ILSVRCは、チューリングテストによる評価を競う競技会である

➡ P389

☐**167.** 代表的な教師なし学習の手法に関する記述として、最も不適切なものを選べ。

A. k-meansは、階層ありクラスタリングの手法である
B. ウォード法は、階層ありクラスタリングの手法である
C. 主成分分析（PCA）は、次元削減を行う手法である
D. 特異値分解（SVD）は、次元削減を行う手法である

➡ P390

☐**168.** 以下の記述を読み、空欄（ア）（イ）に入る語句として最も適切な組み合わせを選べ。

ε-greedy方策は、多腕バンディット問題を解く際などに用いられるアルゴリズムである。ε-greedy方策では、一定の確率で（　ア　）と（　イ　）のどちらかを行う。（　ア　）では、すべてのスロットマシンからランダムに選択を行い、（　イ　）では、過去の試行結果から最も当たりの多かったスロットマシンを選択する。

A. （ア）探索　（イ）活用
B. （ア）探索　（イ）推論
C. （ア）活用　（イ）探索
D. （ア）活用　（イ）推論

➡ P390

☐**169.** ある商品における不良品の検出を行う機械学習モデルについて考える。モデルが不良品（陽性）と判定したものの、実際には正常（陰性）であるような商品データを指す用語として、最も適切なものを選べ。

A. 真陽性
B. 偽陽性
C. 真陰性
D. 偽陰性

➡ P390

□**170.** 以下の記述を読み、空欄（ア）（イ）に入る語句として最も適切な組み合わせを選べ。

（　ア　）は、「ある事柄を説明するためには、必要以上に多くを仮定するべきでない」という機械学習モデルの構築の指針である。（　ア　）に従い、モデルの複雑さを考慮して評価を行う際には、（　イ　）が用いられることがある。（　イ　）は、モデルの予測精度と複雑さのトレードオフを考慮した評価指標である。

A.　（ア）オッカムの剃刀
　　（イ）AUC（Area Under the Curve）
B.　（ア）オッカムの剃刀
　　（イ）赤池情報量基準（AIC）
C.　（ア）ノーフリーランチ定理
　　（イ）AUC（Area Under the Curve）
D.　（ア）ノーフリーランチ定理
　　（イ）赤池情報量基準（AIC）

➡ P391

□**171.** 機械学習における誤差関数に関する記述として、最も不適切なものを選べ。

A.　Triplet Lossは、主に深層距離学習において用いられる誤差関数である
B.　Contrastive Lossは、主に深層距離学習において用いられる誤差関数である
C.　MSE（Mean Squared Error）は、主に回帰タスクにおいて用いられる誤差関数である
D.　MAE（Mean Absolute Error）は、主に分類タスクにおいて用いられる誤差関数である

➡ P391

□**172.** 学習率は､ニューラルネットワークにおけるハイパーパラメータである。学習率に関する記述として、最も適切なものを選べ。

A. 学習率は、ネットワークのパラメータを更新する度合いを決定するハイパーパラメータである
B. 学習率は、訓練データ全体に対する学習の反復回数を決定するハイパーパラメータである
C. 学習率は、正則化の強さを決定するハイパーパラメータである
D. 学習率は、ミニバッチ学習において、抽出する訓練データの数を決定するハイパーパラメータである

➡ P391

□**173.** 機械学習モデルの予測精度が、ハイパーパラメータの違いによってどのように変化するかについて､検証データを用いて探索することを考える。ハイパーパラメータをその候補領域からランダムに選択し、探索を行う手法として、最も適切なものを選べ。

A. モーメントサーチ
B. グリッドサーチ
C. ミニバッチサーチ
D. ランダムサーチ

➡ P391

□**174.** ニューラルネットワークでは、層を飛び越えた結合を行うことで、出力層で計算された誤差を入力層側まで伝播しやすくすることができる。この手法の名称として、最も適切なものを選べ。

A. 回帰結合
B. スキップ結合
C. 疎結合
D. 全結合

➡ P392

□**175.** 系列データにおいて、各時刻の状態に重み付けを行い、どのデータに注目すればよいかを計算する機構を指す名称として、最も適切なものを選べ。

A. Adam
B. Attention
C. Atrous Convolution
D. CEC（Constant Error Carousel）

➡ P392

□**176.** 畳み込みニューラルネットワーク（CNN）であるSENet（Squeeze-and-Excitation Networks）に関する記述として、最も適切なものを選べ。

A. SENetでは、回帰結合層が導入されている
B. SENetでは、Attentionが導入されている
C. SENetでは、Atrous Convolutionが導入されている
D. SENetでは、Depthwise Separable Convolutionが導入されている

➡ P392

□**177.** 隣り合ういくつかの単語や文字をひとまとまりとして扱う概念を指す用語として、最も適切なものを選べ。

A. skip-gram
B. n-gram
C. 形態素
D. 分散表現

➡ P393

☐**178.** 自己教師あり学習とは、教師データが付与されていないデータに対して、入力データに関連する何らかの教師情報を機械的に付与して行う学習である。MLM（Masked Language Model）、NSP（Next Sentence Prediction）と呼ばれる2つの自己教師あり学習のタスクを解くことで事前学習を行うネットワークとして、最も適切なものを選べ。

A. Swin Transformer
B. BERT（Bidirectional Encoder Representations from Transformers）
C. word2vec
D. Vision Transformer

➡ P393

☐**179.** 以下の記述を読み、空欄（ア）に入る語句として最も適切なものを選べ。

（　ア　）は、多人数対戦型ゲームであるDota2において、2018年に当時の世界トップレベルのプレイヤーで構成されたチームに勝利したゲームAIである。（　ア　）では、マルチエージェント強化学習の手法が用いられている。

A. PPO（Proximal Policy Optimization）
B. AlphaStar
C. OpenAI Five
D. Agent57

➡ P393

□**180.** 以下の記述を読み、空欄（ア）（イ）に入る語句として最も適切な組み合わせを選べ。

転移学習とは、事前学習済みモデルを異なるタスクに転用することを指す言葉である。転移学習において、転移先のタスクにおける学習データを全く用いないことを（　ア　）と呼ぶ。また、ごく少量の学習データだけを用い、新たなタスクを解くネットワークを学習することを（　イ　）と呼ぶ。

A.　(ア) Zero-shot Learning　(イ) Some-shot Learning
B.　(ア) Zero-shot Learning　(イ) Few-shot Learning
C.　(ア) No-shot Learning　(イ) Some-shot Learning
D.　(ア) No-shot Learning　(イ) Few-shot Learning

➡ P394

□**181.** 設計からリリースまでのサイクルを小規模に繰り返しながら行うシステム開発の手法として、最も適切なものを選べ。

A.　ウォーターフォール開発
B.　エッジ開発
C.　アジャイル開発
D.　アンサンブル開発

➡ P394

□**182.** 統計的仮説検定は、帰無仮説と対立仮説の2つを用いて、仮説の検証を行う枠組みである。統計的仮説検定に関する記述として、最も適切なものを選べ。

A.　統計的仮説検定では、帰無仮説と対立仮説の双方が正しいことを検証する
B.　統計的仮説検定では、帰無仮説と対立仮説の双方が誤っていることを検証する
C.　統計的仮説検定では、対立仮説を棄却できる場合に、帰無仮説が正しいことを主張する
D.　統計的仮説検定では、帰無仮説を棄却できる場合に、対立仮説が正しいことを主張する

➡ P394

183. 不正競争防止法に関する以下の記述を読み、空欄（ア）（イ）に入る語句として最も適切な組み合わせを選べ。

組織間での共有を前提としたデータは、（　ア　）の要件をすべて満たさないため、（ア）としては保護することができない。（　イ　）は、不正競争防止法においてこのようなデータを保護するための概念である。

A.　（ア）職務発明　（イ）限定提供データ
B.　（ア）営業秘密　（イ）限定提供データ
C.　（ア）営業秘密　（イ）保有個人データ
D.　（ア）職務発明　（イ）保有個人データ

➡ P394

184. AI開発における透明性や公平性を確保するための方策に関する記述として、最も不適切なものを選べ。

A.　センシティブ情報を含めず、その代理変数を特徴量として用いる
B.　取得方法や取得元といった学習データの来歴をまとめ、公表する
C.　学習済みモデルの入出力の履歴を管理し、必要に応じて特定の出力を追跡できるようにする
D.　開発者の性別、国籍といった属性が多様なチームを構成する

➡ P395

185. 機械学習では、汎化性能の向上を目的として、訓練データを加工することによって訓練データの量を増やすことがある。これをデータ拡張と呼ぶ。テキストデータにおいて、単語の入れ替え、削除、挿入、置換などをランダムに行うことでデータを増やす手法として、最も適切なものを選べ。

A.　Paraphrasing
B.　CutMix
C.　Sampling
D.　Noising

➡ P395

□**186.** アナログな音声データをデジタル化する処理をA-D変換と呼ぶ。A-D変換を行う手法として、最も適切なものを選べ。

A. パルス符号変調（PCM）
B. 高速フーリエ変換（FFT）
C. フォルマント
D. CTC（Connectionist Temporal Classification）

➡ P395

□**187.** モデル圧縮は、機械学習モデルの精度をできるだけ保ちながらモデルのサイズを小さくする技術である。ニューラルネットワークにおけるモデル圧縮に用いられるプルーニングに関する記述として、最も適切なものを選べ。

A. プルーニングは、一度学習を行ったモデルのパラメータの一部を削除することで、パラメータ数を削減する手法である
B. プルーニングは、学習済みモデルと同じ出力を行うようにより小さなモデルを学習し、元のモデルと同等な精度を得ることを目指す手法である
C. プルーニングは、モデルのパラメータの数値計算の精度を下げることで、モデルの容量を小さくする手法である
D. プルーニングは、一部の特徴量を削除することによって、パラメータ数を削減する手法である

➡ P396

□**188.** 機械学習におけるサンプリングバイアスに関する記述として、最も適切なものを選べ。

A. サンプリングバイアスは、学習済みモデルの予測値がある範囲に偏ることを指す
B. サンプリングバイアスは、新しく観測されるデータの分布が、訓練データの分布とずれることを指す
C. サンプリングバイアスは、学習済みモデルのパラメータがある領域に偏ることを指す
D. サンプリングバイアスは、収集したデータがある範囲に偏ることを指す

➡ P396

□**189.** インターネット経由でアプリケーション機能を提供するサービスの形態を指す用語として、最も適切なものを選べ。

A. IaaS（Infrastructure as a Service）
B. PaaS（Platform as a Service）
C. FaaS（Function as a Service）
D. SaaS（Software as a Service）

➡ P396

□**190.** 近年では、AIの技術を用いて動画中の人物の顔を別人のものに変更し、特定の人物の発言を捏造するなどといったことが可能になってきている。このような悪用技術を指す用語として、最も適切なものを選べ。

A. エコーチェンバー
B. フィルタバブル
C. スパムフィルタ
D. ディープフェイク

➡ P397

□**191.** 以下の記述を読み、空欄（ア）に入る語句として最も適切なものを選べ。

（　ア　）は、学習時に適用するデータ拡張手法を決定する戦略であり、2019年にグーグルによって発表された。

A. Cutout
B. Random Erasing
C. RandAugment
D. RandExpand

➡ P397

第11章　総仕上げ問題
解　答

1. C ➜ P270

人工知能（**AI**：Artificial Intelligence）に関する基礎的な知識を問う問題です。
機械学習は、大量のデータからパターンを自動的に抽出し、予測や分類を行う人工知能分野の技術です。
ディープラーニングは機械学習の一分野であり、画像処理や自然言語処理などへの応用が盛んに研究されています（**C**）。
エキスパートシステムは、専門家が持つような知識にもとづいた推論で、複雑な問題を解くようなコンピュータシステムです。第二次AIブームの技術として知られていますが、機械学習の一分野ではありません（A）。
RPA（Robotic Process Automation）は、人間が行う作業をソフトウェアによって代行する技術であり、機械学習の一分野ではありません（B）。
人工無脳は、あらかじめ人間が設定したパターンによって機械的に応答するプログラムであり、機械学習の一分野ではありません（D）。

【第1章、第2章、第3章】

2. C ➜ P270

探索木の探索手法に関する知識を問う問題です。
深さ優先探索は、最も深いノードに達するまで、可能な限り深く探索する探索方法です。1つの経路を進み、これ以上進めなくなったところで引き返し、次の候補の経路を進みます（A、B、D）。
Cは、スタート地点に近いノードから順に探索していく**幅優先探索**による探索です。

【第2章】

3. B ➜ P271

オントロジーに関連するキーワードを問う問題です。
ライトウェイトオントロジーは、正確性よりも実用性を優先する考え方にもとづいて構築するオントロジーです（**B**）。
ヘビーウェイトオントロジーは、知識をどのように記述すべきかを哲学的に考察し、正確性を重視して構築するオントロジーです（A）。
ラージウェイトオントロジー、スモールウェイトオントロジーという用語は一般的ではありません（C、D）。

【第2章】

4. D

➡ P271

教師あり学習に分類される代表的な手法について問う問題です。
サポートベクターマシン（SVM）、ランダムフォレスト、AdaBoostは、教師あり学習に分類される代表的な手法です（A、B、C）。
k-meansは、階層なしクラスタリングの代表的な手法であり、教師なし学習に分類されます（**D**）。

【第3章】

5. D

➡ P271

決定木を用いる**アンサンブル学習**の手法について問う問題です。
ランダムフォレストは、弱学習器に決定木を用い、バギングによってアンサンブル学習を行う手法です（**D**）。
AdaBoostやXGBoostは、ブースティングによるアンサンブル学習を行う手法です。その弱学習器として、決定木や線形回帰が用いられます（A、B）。
サポートベクターマシン（SVM）では、決定木は用いられません（C）。

【第3章】

6. B

➡ P271

特徴量の**次元削減**を行う代表的な手法について問う問題です。
与えられたデータを何らかの方法で圧縮し、その次元数を減らすことを次元削減と呼びます。機械学習では、特徴量の個数（次元）が非常に大きくなることがあり、計算量などの観点から次元削減を行うことが有効な場合があります。
次元削減を行う代表的な手法として、**主成分分析**（PCA：Principal Component Analysis）、**特異値分解**（SVD：Singular Value Decomposition）、**多次元尺度構成法**（MDS：Multi-Dimensional Scaling）、**t-SNE**（t-Distributed Stochastic Neighbor Embedding）があげられます（A、C、D）。
k-meansは階層なしクラスタリングの手法であり、次元削減を行う手法ではありません（**B**）。

試験対策

次元削減を行う代表的な手法名を覚えておきましょう。

【第3章】

7. B

➡ P272

Q学習に関する知識を問う問題です。

ある行動や状態によって得られる将来の累積報酬を価値といい、行動に関する価値を表す関数を**行動価値関数**（**Q値**）といいます。行動価値関数を最適化する手法として、Q学習や**SARSA**があげられます（**B**）。

方策勾配法は、方策をあるパラメータを用いた関数で表し、累積報酬を最大化するようにそのパラメータを学習することで、方策そのものを学習する手法です（C）。

R学習や状態勾配法という用語は強化学習において一般的ではありません(A、D)。

【第3章】

8. D

➡ P272

分類タスクにおける代表的な評価指標について問う問題です。

正解率は、予測結果全体に対して、陽性、陰性が正しく予測された割合を表す指標です（A）。

適合率は、陽性と予測されたもののうち、実際に陽性であった割合を表す指標です（B）。

再現率は、実際に陽性であるもののうち、陽性と予測された割合を表す指標です（C）。

F値は、適合率と再現率の調和平均で表される指標です（**D**）。

【第3章】

9. B

➡ P272

ディープラーニングの特徴に関する知識を問う問題です。

ディープラーニングでは、それ以外の一般的な機械学習手法とは異なり、あるデータに対する最適な特徴量を学習します。これを**特徴表現学習**と呼びます。

したがって、（ア）には特徴量、（イ）には特徴表現学習が入ります（**B**）。

能動学習は、正解ラベルが付いていない大量のデータに対し、適応的にラベルを付与するデータを選択する手法です。

【第4章】

10. C

➡ P273

分類タスクに用いられる**誤差関数**について問う問題です。

分類タスクに用いられる代表的な誤差関数として、交差エントロピーがあげられます（**C**）。

AUCやF値は、分類タスクに用いられる評価指標であり、誤差関数ではありません（A、D）。
MAEは、回帰タスクに用いられる誤差関数です（B）。

誤差関数と評価指標を混同しないように注意しましょう。誤差関数は機械学習モデルのパラメータを最適化するために用いられ、評価指標は学習済みモデルの精度評価に用いられます。
なお、ここで用いられている誤差関数という単語は、一般的には損失関数と呼ばれます。G検定では、損失関数のことを誤差関数と呼ぶ傾向があるので、試験ではこの点に注意しましょう。

【第4章】

11. B

➡ P273

勾配降下法の代表的な手法について問う問題です。
勾配降下法は、学習を効率的に進めるために工夫された手法が数多く提案されています。代表的なものとして、発表の古い順にモーメンタム、AdaGrad、AdaDelta、RMSprop、Adam、AdaBound、AMSBoundなどがあげられます（A、C、D）。
AdaBoostは、ブースティングによるアンサンブル学習を行う教師あり学習の手法です（**B**）。

【第3章、第4章】

12. D

➡ P273

畳み込みに関連するキーワードについて問う問題です。
フィルタは、畳み込みを適用するために入力データに重ねるパラメータの集合です（A）。なお、フィルタのことをカーネルと呼ぶ場合があります。
ストライドは、畳み込みを適用する際にフィルタを移動させる間隔です（B）。
パディングは、入力データの周囲を0などの定数で補完するテクニックです（C）。
画像におけるRGBの次元を表す概念は、**チャンネル**と呼ばれます（**D**）。

【第5章】

13. C

➡ P274

ResNetの概要や構造に関する知識を問う問題です。
ResNetは、ILSVRC 2015で優勝した畳み込みニューラルネットワーク（CNN）です。スキップ結合とボトルネック構造を採用し、非常に深いネットワーク構造の学習を可能にしました（A、B、D）。

Inceptionモジュールを導入したネットワークは、GoogLeNetです（**C**）。GoogLeNetは、ILSVRC 2014で優勝しています。

【第2章、第5章】

14. A ➡ P274

Transformerに用いられている**Attention**の特徴について問う問題です。
Source-Target Attentionは、デコーダに入力文の情報を伝達するための機構です。**Encoder-Decoder Attention**と呼ばれることもあります（**A**、B）。なお、Transformerでは、文章内の単語の順番に関する情報を保持するために**位置エンコーディング**と呼ばれる計算が用いられます。
Self-Attentionは、文章内の単語間の関連性を捉えるための機構です（C）。
Multi-Head Attentionは、Self-Attentionを並列に複数配置したものです（D）。

【第5章】

15. A ➡ P274

LeNetに関する知識を問う問題です。
LeNetは、1998年にヤン・ルカンによって提案された初期のCNNです。畳み込み層とプーリング層を交互に複数回重ねた後、全結合層を配置した構造をもっています（**A**）。
ネオコグニトロンは、1979年に福島邦彦によって提案された初期の画像認識ネットワークです（B）。
AlexNetは、ILSVRC 2012で優勝したCNNです（C）。
GoogLeNetは、ILSVRC 2014で優勝したCNNです（D）。

【第6章】

16. B ➡ P275

画像分類タスクに用いられるさまざまなネットワークについて問う問題です。
MnasNetは、NAS（Neural Architecture Search）の技術を用い、計算量を抑えられるように工夫して構造探索を行うことで得られたネットワークです。MnasNetはCNNであり、画像分類タスクに用いられます（A）。
Vision TransformerやSwin Transformerは、自然言語処理に用いられるネットワークであるTransformerを画像認識に応用したネットワークです（C、D）。
BERTは、Transformerのエンコーダの構造を取り入れた事前学習モデルであり、自然言語処理に用いられます（**B**）。

【第6章】

17. C

➡ P275

代表的な文章の解析手法に関する知識を問う問題です。
形態素解析は、文章や単語を意味のある最小単位に分割したり、品詞を付与したりする手法です。たとえば “players” という単語を “play”、“er”、“s” というように分割します（**C**）。
主語や目的語といった文章の構造を解析する手法は、**構文解析**と呼ばれます（A）。
形態素解析は、単語をベクトルで表現する手法ではありません（B）。
形態素解析は、単語間の意味関係をグラフ構造で表す手法ではありません（D）。

形態素解析や構文解析の具体的な内容を理解しておきましょう。

【第6章】

18. D

➡ P275

WaveNetに関する知識を問う問題です。
WaveNetは、音声生成タスクを解くために設計されたネットワークです（**D**）。
WaveNetは、文章要約や文章生成を解くために設計されたネットワークではありません（A、C）。
また、話者識別を解くために設計されたネットワークではありません（B）。

WaveNetは、音声生成のほかに音楽生成を行うこともできます。

【第6章】

19. C

➡ P276

ドメインランダマイゼーションに関する知識を問う問題です。
sim2realの考え方を用いて学習を行う場合、シミュレータと実世界の環境に差が生じ、モデルを実世界に適用する際に性能が低下することがあります。そこで、摩擦や光源といった環境のパラメータをランダムに決め、複数のシミュレータを生成して学習を行うことで、この課題を解決できることがあります。この手法を**ドメインランダマイゼーション**と呼びます（**C**）。
ドメインミニマイゼーションという用語は一般的ではありません（A）。
ランダムサーチやグリッドサーチは、機械学習モデルのハイパーパラメータを探索する際などに用いられる手法です（B、D）。

【第6章】

20. A

➡ P276

CAMに関する知識を問う問題です。
CAMは、学習済みモデルにおける特徴マップの値を利用し、モデルが入力データのどの部分に注目したかを可視化する手法です（**A**）。
Permutation Importanceは、検証データに対する予測において、個々の特徴量がどの程度重要であったかを求める手法です。重要度を求める際には、学習済みモデルにおける特徴マップの値は利用されません（B）。
LIMEは、ある入力データに対する予測において重要であった特徴量を求める手法ですが、学習済みモデルにおける特徴マップの値を利用するものではありません（C）。
SHAPは、ある特徴量が予測値に与えた影響の度合いを、Shapley値と呼ばれる値によって求める手法です。Shapley値の計算には、学習済みモデルにおける特徴マップの値は利用されません（D）。

【第6章】

21. A

➡ P276

AIの開発プロセスの流れに関する知識を問う問題です。
AI開発では、本格的な開発を行う前にデータ分析や実験的なモデル構築などを行い、プロジェクトの実現可能性を見積もるアプローチが取られることがあります。これを**PoC**（Proof of Concept）と呼びます（**A**）。選択肢B、C、Dは不適切な記述です。

【第7章】

22. C

➡ P277

AIシステムの開発や実装に関連するキーワードを問う問題です。
Dockerは、システムを動かすための仮想環境を構築するためのツールです（**C**）。
なお、AI開発に広く用いられているプログラミング言語としてPythonがあげられ（B）、ブラウザ上でPythonなどのコードの編集や実行を手軽に行えるツールとしてJupyter Notebookがあげられます（D）。
Pythonでディープニューラルネットワークを実装するための代表的なライブ

ラリとして、PyTorchやTensorFlowがあげられます（A）。

【第7章】

23. A ➡ P277

期待値の計算方法について問う問題です。
離散的な確率変数における期待値は、確率変数がとる値と、その確率の積の総和によって求めることができます。本問では、くじ引きの賞金が確率変数に該当し、それらに対する当選確率が離散的な確率分布として表で与えられています。したがって、このくじ引きにおける期待値は、1000×1/10＋500×3/10＋0×6/10＝250(円) です（**A**）。

【第8章】

24. B ➡ P277

要配慮個人情報に関する知識を問う問題です。
人種や社会的身分などのように、本人に対する不当な差別や偏見が生じないように特別な配慮を要する個人情報は、要配慮個人情報と呼ばれます（**B**）。
仮名加工情報とは、個人情報に含まれる記述等の一部を削除することなどにより、他の情報と照合しない限り特定の個人を識別することができないように加工した個人に関する情報のことです（A）。
個人識別符号とは、それそのものから特定の個人を識別することができるものです（C）。**保有個人データ**とは、個人データのうち、個人情報取扱事業者が、開示や第三者への提供の停止などを行う権限を有するものです（D）。

【第9章】

25. D ➡ P278

NDA（秘密保持契約）に関する知識を問う問題です。
「AI・データの利用に関する契約ガイドライン」では、AIの開発プロセスをアセスメント、PoC（Proof of Concept）、開発、追加学習の4つの段階に分類し、それぞれにおいて個別に契約を結ぶことを提唱しています。
NDAは、モデルの学習のために提供するデータ等の秘密情報の取扱いについて規定したもので、本ガイドラインではアセスメントの段階で締結することを提唱しています（**D**）。
GDPRは、EU域内の個人データやプライバシーの保護に関する規則であり、契約を表すものではありません（A）。
ELSIは、倫理的・法的・社会的影響を一体のものとして検討しようという試みであり、契約を表すものではありません（B）。
PoCは、AIの開発プロセスのひとつであり、契約を表すものではありません（C）。

【第9章】

26. B

➡ P278

AIガバナンスに関連する概念について問う問題です。
国家等によって明確に規定された法律による規制を**ハードロー**と呼びます。一方、私的な取り決めなどによって自主的に行われる規制を**ソフトロー**と呼びます（A、**B**）。
ロングロー、ショートローという用語は一般的ではありません（C、D）。

【第10章】

27. D

➡ P278

モデル汚染に関する知識を問う問題です。
モデル汚染は、攻撃者が細工をした事前学習済みモデルを配布して利用させることで、モデルの出力を操作したり、悪意のあるプログラムを実行させたりする攻撃です（**D**）。
Adversarial Attackは、機械学習モデルの予測を意図的に誤らせる目的で作られた入力データ（Adversarial Example）を利用した攻撃の総称です（A）。
Attention Attackという用語は一般的ではありません（B）。
データ汚染は、学習データに不適切なデータを混入させ、モデルに誤った学習をさせる攻撃です（C）。

【第10章】

28. B

➡ P279

AI効果に関する知識を問う問題です。
AI効果は、「AIが実現しているのは自動化などの単純な処理であり、知能をもつものではない」と人間が考える心理効果です（**B**）。
イライザ効果は、イライザ（ELIZA）のようなルールベースの処理を行う会話型コンピュータなどに対し、知性があるのではないかと人間が錯覚する心理効果です（A）。
シンギュラリティは、人工知能が自身よりも賢い人工知能を作ることができるようになった時点で、さらに高い知能をもつ存在を作り続けるようになり、人間の想像力が及ばない超越的な知性が誕生するという仮説です（C）。
不気味の谷は、ロボットなどが人間に似てくると、あるレベルの類似度までは共感度や親近感が上昇していくものの、その類似度が一定を超えると不気味に感じるようになるという現象です（D）。

【第1章、第2章】

29. A

➡ P279

ウェブマイニングに関する理解を問う問題です。

ウェブマイニングは、ウェブデータを解析して知識を取り出す技術です（**A**)。
セマンティックウェブは、ウェブサイトの情報リソースに意味を付与することで、コンピュータによってより高度な意味処理を行うための技術のことです（B)。
オントロジーは、コンピュータによって処理することを目的として、ある分野で使われる用語や概念の関係を体系的に整理したものです（C)。
意味ネットワークは、概念を1つのノードとし、それらを意味関係で関連づけたネットワークです（D)。

【第2章】

30. B ➡ P279

半教師あり学習に関する知識を問う問題です。
半教師あり学習は、教師データが付与されたデータと付与されていないデータの両方を用いて行う学習です（**B**)。教師あり学習では、教師データを付与する作業（アノテーション）に多くの時間を要することがありますが、半教師あり学習ではそのコストを削減することができます。
教師データが付与されたデータのみを用いて行う学習は、教師あり学習です（A)。
教師データが付与されていないデータのみを用いて行う学習は、教師なし学習です（C)。
エージェントが環境と相互作用しながら試行錯誤を通じて行う学習は、強化学習です（D)。

半教師あり学習の特徴や目的を理解しておきましょう。

【第3章】

31. C ➡ P280

ランダムフォレストに関する知識を問う問題です。
ランダムフォレストは、弱学習器に決定木を用い、バギングによってアンサンブル学習を行う教師あり学習の手法です。各決定木の予測の平均を取ることで回帰タスクに、多数決を取ることで分類タスクに用いることができます。よって（ア）（ウ）（エ）は適切です（**C**)。
ランダムフォレストは、ブースティングを行う手法ではありません。よって（イ）は不適切です。

【第3章】

32. C

➡ P280

教師なし学習の具体的な応用例について問う問題です。
トピックモデルは、クラスタリングの手法のひとつであり、1つのデータを複数のクラスタに振り分けることができます。たとえば、ウェブニュースのデータにトピックモデルを適用し、それぞれのニュースが属するクラスタのタグを付与することができます（A）。
k-meansは、階層なしクラスタリングの代表的な手法です。たとえば、顧客データをその属性によっていくつかのグループに分割し、マーケティングなどに活かすことができます（B）。
協調フィルタリングは、レコメンデーションに用いられる手法です。たとえば、自社サイトで扱っているサービスを、ユーザーごとにパーソナライズして推薦することができます（D）。
特徴量数が多く、モデルの学習が進まない場合には、主成分分析（PCA）などを用いて次元削減を行うことができます。ただし、ウォード法は階層ありクラスタリングの手法であり、次元削減には用いられません（**C**）。

教師なし学習の各手法が、実際にどのような課題に応用できるかを整理しておきましょう。

【第3章】

33. C

➡ P280

Actor-Criticに関連する手法について問う問題です。
A3C（Asynchronous Advantage Actor-Critic）は、Actor-Criticの考え方を取り入れた手法です（**C**）。
UCB（Upper Confidence Bound）方策は、多腕バンディット問題を解く際などに用いられるアルゴリズムであり、Actor-Criticの考え方を取り入れたものではありません（A）。
REINFORCEは、方策勾配法の計算を行うアルゴリズムですが、Actor-Criticの考え方を取り入れたものではありません（B）。
SARSAは、行動価値関数（Q値）を最適化する手法であり、Actor-Criticの考え方を取り入れたものではありません（D）。

【第3章】

34. C

➡ P281

実際のビジネス課題において、適切な評価指標を選択できるかを問う問題です。

本問における課題例では、モデルが陽性（返信する）と予測した顧客にダイレクトメッセージを送付するため、それらの顧客に対する予測精度が重要となります。このような場合には、陽性と予測されたもののうち、実際に陽性であった割合を表す指標である適合率を用いるのが望ましいと考えられます（**C**）。
平均絶対誤差や平均二乗誤差は、回帰タスクに用いられる評価指標です（A、B）。
正解率では、モデルが陰性と判定したデータも評価対象となります。もし、ダイレクトメッセージに反応した顧客のデータが少ない場合、すべて陰性と判定するモデルでも、正解率が高くなってしまうことがあります。このような観点から、本問の例では適合率の方が評価指標としてより適していると考えられます（D）。

【第3章】

35. A ➡ P281

多層パーセプトロンに関する知識を問う問題です。
多層パーセプトロンは、入力層、1層以上の隠れ層、および出力層から構成されるニューラルネットワークです（**A**）。
単純パーセプトロンは、入力層と出力層のみをもち、隠れ層をもたないニューラルネットワークです（B）。
複雑パーセプトロン、複層パーセプトロンという用語は一般的ではありません（C、D）。

【第4章】

36. B ➡ P281

機械学習モデルにおけるパラメータの**正則化**を行う具体的な手法について問う問題です。
L0正則化は、0でない大きさをもつパラメータの総数を誤差関数に加える手法です（A）。
L1正則化は、パラメータの大きさの絶対値の総和を誤差関数に加える手法です（**B**）。
L2正則化は、パラメータの大きさの2乗和を誤差関数に加える手法です（C）。
L3正則化という手法は一般的ではありません（D）。

【第4章】

37. A ➡ P282

ニューラルネットワークの学習における**訓練データ**の取り出し方について問う問題です。

バッチ学習は、すべての訓練データを用いてパラメータの更新を行う手法です（**A**）。
ミニバッチ学習は、訓練データから一部のデータをランダムに抽出し、パラメータの更新を繰り返す手法です（B）。
オンライン学習は、訓練データから一度に1つのデータのみを抽出し、パラメータの更新を繰り返す手法です。また、オンライン学習はミニバッチ学習に含まれます（C、D）。

【第4章】

38. C

➡ P282

畳み込みの具体的な計算方法について問う問題です。
畳み込みでは、入力画像にフィルタを適用した回数によって出力画像のサイズが決まります。本問の例では4×4の画像内で2×2のフィルタを動かしますが、畳み込みの適用ごとに動かす幅（ストライド）が2であるため、縦横で2回ずつ畳み込みを適用することになります。したがって、出力画像のサイズは2×2です（**C**）。

【第5章】

39. A

➡ P282

RNNに関する知識を問う問題です。
回帰結合層をもつニューラルネットワークを総称して**リカレントニューラルネットワーク**（**RNN**）と呼びます。回帰結合層とは、時間ステップに応じた再帰的な結合をもつ層です（**A**）。
畳み込みニューラルネットワーク（CNN）は、畳み込み層やプーリング層などによって構成されるニューラルネットワークです（B）。
オートエンコーダは、エンコーダとデコーダで構成されるニューラルネットワークです（C）。
意味ネットワークは、概念を1つのノードとし、それらを意味関係で関連づけたネットワークです（D）。

【第2章、第5章】

40. C

➡ P283

Transformerにおける**Attention**の計算に関連するキーワードを問う問題です。
Transformerでは、query、key、valueという3つの記号を用いてAttentionの計算を行います。よって（ア）（ウ）（エ）が適切な組み合わせです（**C**）。
itemという記号はAttentionの計算には用いられません。

【第5章】

41. B ➡ P283

SHRDLUに関する知識を問う問題です。
SHRDLUはプランニングの技術を活用したシステムであり、1970年頃にテリー・ウィノグラードによって開発されたものです。コンピュータ上の「積み木の世界」の中で、英語による指示によって物体を動かすことができます(**B**)。
マイシン(MYCIN)は、血液中のバクテリアの診断支援を行うエキスパートシステムです(A)。イライザ(ELIZA)は、あらかじめ用意されたパターンに応じて応答を行う会話プログラムであり、人口無脳と呼ばれるもののひとつです(C)。DENDRALは、未知の有機化合物を特定するために開発されたエキスパートシステムです(D)。

【第2章】

42. B ➡ P284

MobileNetの構造に関する知識を問う問題です。
MobileNetは、**Depthwise Separable Convolution**を導入することで、通常の畳み込みと比較して、非常に少ない計算量で出力を求めることができるネットワークです。Depthwise Separable Convolutionでは、通常の畳み込みを空間方向とチャンネル方向に分解し、それぞれ独立に畳み込み処理を行います。空間方向の畳み込みは**Depthwise Convolution**、チャンネル方向の畳み込みは**Pointwise Convolution**と呼ばれます(A、C)。
Depthwise Convolutionでは、入力データのチャンネルごとに畳み込みを行います(**B**)。なお、通常の畳み込みではすべてのチャンネルをまとめて畳み込みます。
Pointwise Convolutionでは、1×1のフィルタを用いてチャンネル方向に対して畳み込みを行います(D)。

【第6章】

43. D ➡ P284

物体検出に用いられる代表的なネットワークについて問う問題です。
物体検出は、画像内に存在する物体の位置を特定し、その物体のクラスを識別するタスクです。FPN、SSD、YOLOは、物体検出に用いられるネットワークです(A、B、C)。
VGGは、画像分類を行うCNNであり、単体で物体検出には用いられません(**D**)。

【第6章】

44. D

➡ P285

文章をベクトル化する代表的な手法について問う問題です。

One-Hot Encodingは、**ワンホットベクトル**（単語のIDに対応する要素のみが1、他の要素が0となるようなベクトル）を用いて単語をベクトル化する手法です（A）。

BoWは、文章内の各単語の出現頻度をもとに、文章をベクトル化する手法です（B）。

TF-IDFは、ある文章内の単語の出現頻度に加え、データセット全体での単語の出現頻度を加味して文章をベクトル化する手法です（C）。

CBOWは、単語の分散表現を得る手法であるword2vecの学習に用いられるネットワークです。CBOWの学習には、NSPは用いられません（**D**）。なお、NSPによって事前学習を行うネットワークとして、BERT（Bidirectional Encoder Representations from Transformers）があげられます。

【第6章】

45. C

➡ P285

音声認識における**音韻**や**音素**に関する知識を問う問題です。

言語によらず、人間が発声する区別可能な音を音韻と呼びます（**C**）。一方、言語ごとに区別される音の最小単位を音素と呼びます（A）。

音子、音母という用語は、音声認識において一般的ではありません（B、D）。

【第6章】

46. B

➡ P285

ChatGPTに取り入れられているネットワークについて問う問題です。

ChatGPTにはGPT-n（GPT-3やGPT-4など）が用いられており、GPT（初代のGPT）～GPT-4では、Transformerの構造が取り入れられています（**B**）。

ChatGPTには、WaveNet、拡散モデル、Flowベース生成モデルは取り入れられていません（A、C、D）。

【第6章】

47. A

➡ P286

Permutation Importanceに関する知識を問う問題です。

Permutation Importanceは、検証データ全体を用いて、個々の特徴量がどの程度重要であったかを求める手法です。ある特徴量を検証データ全体でシャッフルしてから予測を行い、シャッフル前の予測からどの程度精度が落ちるかを観測することで、その特徴量の重要度を求めます（**A**、B）。

Permutation Importanceの計算には、ニューラルネットワークの特徴マップは用いられません（C）。
なお、特徴マップの値を利用し、モデルが入力データのどの部分に注目したかを可視化する手法としては、CAMがあげられます。また、ある入力データにおいて予測値を計算するのに重要であった特徴量を求める手法としては、LIMEやSHAPがあげられます（D）。

【第6章】

48. B ➡ P286

AI開発における**BPR**に関する知識を問う問題です。
AIを業務プロセスに取り入れる際には、AIによって代替可能な業務を抽出し、業務プロセス自体を設計しなおすBPRが求められることがあります（**B**）。
IoTは、あらゆるものがインターネットに繋がり、情報のやりとりを行うという概念です（A）。
PoCは、本格的な開発を行う前にデータ分析や実験的なモデル構築などを行い、プロジェクトの実現可能性を見積もるプロセスです（C）。
CRISP-DMは、データ分析を活用したプロジェクトを推進するための標準的なフレームワークです（D）。

【第7章】

49. B ➡ P286

アノテーションに関する知識を問う問題です。
アノテーションは、教師データのついていない学習データに対し、教師データを付与する作業のことです。実務で機械学習を活用する際には、利用可能なデータに対して、解きたいタスクに関する教師データが付与されていないことが多くあります。そのような場合には、一般に人手によるアノテーションが必要になります（**B**）。選択肢A、C、Dの記述は不適切です。

【第7章】

50. B ➡ P287

基本的な統計量に関する知識を問う問題です。
分散は、データの散らばり度合いを表現する値です（A）。
標準偏差は、分散の平方根をとったものです（**B**）。
中央値は、データを大きさの順に並べたときに中央に位置する値です（C）。
期待値は、ある確率分布に従って何度も値を取り出すことを考えたときの、取り出された値の平均値を意味します（D）。

【第8章】

51. D

➡ P287

個人情報保護法における**個人データ**について問う問題です。
個人データは、特定の個人情報を容易に検索できるよう整備された「個人情報データベース等」を構成する個人情報です（**D**）。
選択肢Aは仮名加工情報に関する記述、Bは匿名加工情報に関する記述、Cは要配慮個人情報に関する記述です。

【第9章】

52. A

➡ P287

プライバシー・バイ・デザインに関する知識を問う問題です。
AI開発において学習時や予測時に個人情報などを扱う場合には、プライバシー上の問題に配慮する必要があります。プライバシー・バイ・デザインは、開発の段階からプライバシー侵害の予防を指向する設計思想です（**A**）。
プライバシー・フロム・デザイン、プライバシー・オブ・デザイン、プライバシー・アット・デザインという用語は一般的ではありません（B、C、D）。

【第10章】

53. D

➡ P288

シンボルグラウンディング問題について問う問題です。
シンボルグラウンディング問題は、コンピュータはある記号を実世界における意味と結び付けることは難しいという問題です（**D**）。
選択肢Aはフレーム問題、Bは強いAIの実現性、Cは次元の呪いに関する記述であり、いずれも不適切です。

【第1章】

54. C

➡ P288

ボードゲームにおいて次の手を探索する手法について問う問題です。
Mini-Max法は、自分の手番でスコア最大の手を選び、相手の手番でスコア最小の手が選ばれることを仮定して、次の手を網羅的に探索するアルゴリズムです（A）。
αβ法はMini-Max法を改善した手法であり、不必要な探索を途中で打ち切ることで探索を効率化したものです（B）。
モンテカルロ法は、仮想的なプレイヤーを通じてプレイアウトを繰り返し、盤面の評価を行う手法です（D）。
ウォード法は、階層ありクラスタリングの一手法です（**C**）。

【第2章】

55. D ➡ P288

代表的な**エキスパートシステム**について問う問題です。
DENDRALは、知識ベースを用いて未知の有機化合物を特定するエキスパートシステムです（**D**）。
SHRDLUやSTRIPSは、第一次AIブームにおけるプランニングの技術を活用したシステムであり、エキスパートシステムではありません（A、B）。
イライザは、あらかじめ用意されたパターンに応じて応答を行う会話プログラムです。人工無脳と呼ばれるもののひとつであり、エキスパートシステムではありません（C）。

【第2章】

56. D ➡ P289

線形回帰の具体的な応用例について問う問題です。
複数の特徴量を用いて線形回帰による分析を行うことを、**重回帰分析**と呼びます。重回帰分析では、各特徴量の重要性や統計的な優位性を分析します。
線形回帰は回帰タスクを解く手法であるため、重回帰分析では回帰タスクを扱うことができます。
新店舗における売上の数値を予測するタスクは回帰タスクであり、重回帰分析を適用することができます（A）。
ある店舗の顧客の総合満足度は数値で表すことができます。したがって、それを予測するタスクは回帰タスクとして扱うことができ、重回帰分析を適用できます（B）。
ある住宅の価格を予測するタスクは回帰タスクであり、重回帰分析を適用することができます（C）。
ある住宅が属する市を予測するタスクは多クラス分類タスクであり、重回帰分析を適用することはできません（**D**）。

試験対策

具体的なビジネス課題の特徴や性質を見極めて、適切な教師あり学習の手法を選択できるようにしておきましょう。

【第3章】

57. B ➡ P289

サポートベクターマシン（SVM）のアルゴリズムに関する知識を問う問題です。
SVMにおけるクラス分類では、データを最もよく分割する線形な（直線的な）境界を求めます。線形分離不可能な（線形な境界で分割できない）タスクにおいては、データをあえて高次元に写像する**カーネルトリック**と呼ばれる数学的なテクニックを用いて計算を行います（**B**）。
ブートストラップサンプリングは、バギングを行う際などに、全体から抽出した一部のデータを用いて弱学習器を学習する方法です（A）。
ブルートフォースは、アルゴリズムによる探索を計算機による力任せで行うことを指す用語です（C）。
ソフトマックス（関数）は、多クラス分類タスクを解くニューラルネットワークの出力層に用いられる活性化関数です（D）。

【第3章】

58. C

➡ P289

レコメンデーションに用いられる手法について問う問題です。
ユーザーに商品やサービスなどを推薦すること、またはその技術をレコメンデーションと呼びます。代表的な手法として、**協調フィルタリング**があげられます。協調フィルタリングは、複数のユーザーの過去の購買情報や評価情報を利用して、ユーザーの嗜好や関心にもとづいた予測や推薦を行う手法です（**C**）。
スパムフィルタは、メールの内容からそのメールが不適切かどうかを判定するものです（A）。
オートフィルタや調合フィルタリングという用語は、機械学習において一般的ではありません（B、D）。

【第3章】

59. A

➡ P290

REINFORCEについて問う問題です。
REINFORCEは、方策勾配法の計算を行う際に用いられる強化学習のアルゴリズムであり、AlphaGoなどに活用されています（**A**）。
SARSA（State-Action-Reward-State-Action）は、行動価値関数（Q値）を最適化する手法です（B）。
RLHF（Reinforcement Learning from Human Feedback）は、ChatGPTに活用されている手法であり、人間のユーザーが好む回答がどのようなものであるかをネットワークにフィードバックするものです（C）。
UCB方策は、多腕バンディット問題などを解く際に用いられるアルゴリズムです（D）。

【第3章】

60. A

➡ P290

過学習に関する知識を問う問題です。
過学習とは、訓練データに対しては予測精度が高い一方で、未知のデータに対する予測精度（汎化性能）が低い状態を指します。したがって、訓練データに対する予測精度と比較して、学習に用いていないテストデータに対する予測精度が低い場合、過学習が疑われます（**A**、B）。
なお、訓練データ、テストデータにおける予測精度が共に低い場合は、**未学習**が疑われます（D）。訓練データ、テストデータにおける予測精度が共に高い場合は、うまく学習が行われたということになります（C）。

【第3章】

61. A

➡ P290

ディープラーニングに用いられる演算処理装置について問う問題です。
GPUは、画像や映像などの並列処理に特化した演算処理装置であり、ディープラーニングにおける並列演算に用いられます（ア）。
TPUは、テンソル（行列やベクトル）の計算処理に最適化された演算処理装置であり、ディープラーニングにおける並列演算に用いられます（イ）。
QPUは、量子コンピュータにおける演算処理装置であり、ディープラーニングにおける並列演算を高速に行うものではありません（ウ）。
CPUはコンピュータ全般の作業を順に処理するための演算処理装置であり、ディープラーニングにおける並列演算を高速に行うものではありません（エ）。
したがって、（ア）と（イ）が適切な組み合わせです（**A**）。

【第4章、第10章】

62. D

➡ P291

ニューラルネットワークにおける**ドロップアウト**について問う問題です。
ドロップアウトは、ニューラルネットワークの訓練時に、ランダムにニューロンを除外するテクニックです。ドロップアウトを用いることで、汎化性能が向上する場合があります（**D**）。
あるデータ集合からいくつかのデータを抽出することをサンプリングなどと呼びます（A）。
プーリングは、ニューラルネットワークのある層への入力データを領域ごとに平均したり最大値を取ったりする処理です（B）。
ホールドアウト（検証）は、データを訓練用とテスト用に分割し、訓練データでモデルを学習させ、テストデータでモデルの性能を評価する方法です（C）。

【第3章、第4章、第6章】

63. B

➡ P291

イテレーションや**エポック**に関する知識を問う問題です。
ミニバッチ学習において、抽出したデータを用いてパラメータの更新を行うという一回の操作をイテレーションと呼びます(ア)。また、複数回のイテレーションによって、すべての訓練データを用いてパラメータを更新したとき、その繰り返しの単位をエポックと呼びます(イ)。
したがって、(ア)にはイテレーション、(イ)にはエポックが入ります(**B**)。

【第4章】

64. A

➡ P291

Dilated Convolution (Atrous Convolution)に関する知識を問う問題です。
Dilated Convolutionは、特徴マップにフィルタを重ねる際に、フィルタの各要素に間隔を設ける畳み込みの手法です。これにより、同じフィルタの要素数でより広い範囲を畳み込むことが可能になります(**A**)。
選択肢Bは、MobileNetに用いられているDepthwise Separable Convolutionに関する記述です。Cは、ResNetに用いられているボトルネック構造に関する記述です。Dは、U-Netのデコーダなどに用いられている畳み込み処理に関する記述です。

【第6章】

65. D

➡ P292

LSTMの構造に関する知識を問う問題です。
LSTMは、入力ゲート、出力ゲート、忘却ゲートからなるゲート機構をもつRNNです(A、B、C)。
更新ゲートは、GRUのゲート機構を構成する要素です(**D**)。

【第5章】

66. B

➡ P292

Transformerにおける**位置エンコーディング**に関する知識を問う問題です。
TransformerにおけるAttentionの計算では、その構造上、単語の順番に関する情報を保持することができません。そこで、単語の位置に固有な情報を入力に加えることで、この問題を回避することができます。このような計算を位置エンコーディングと呼びます(**B**)。その他の選択肢は不適切です(A、C、D)。

【第5章】

67. D

➡ P292

GoogLeNetの構造に関する知識を問う問題です。
GoogLeNetは、**Inceptionモジュール**を積層した構造をもつCNNです。Inceptionモジュールとは、複数の異なるフィルタサイズをもつ畳み込み層を組み合わせた構造のことです（**D**）。
VGG、AlexNet、LeNetはInceptionモジュールを導入したCNNではありません（A、B、C）。

【第6章】

68. C

➡ P293

物体検出を行う代表的なネットワークの分類について問う問題です。
物体検出を行うネットワークには、画像中の物体の位置の特定を行った後、その物体のクラスを識別する2段階モデルと、物体位置の特定およびクラス識別を同時に行う1段階モデルがあります。代表的な2段階モデルとして**R-CNN**などがあげられます（D）。また、代表的な1段階モデルとして**YOLO**や**SSD**があげられます（A、B）。
U-Netは、1段階でセマンティックセグメンテーションを行うネットワークです（**C**）。

【第6章】

69. A

➡ P293

fastTextに関する知識を問う問題です。
fastTextは、2016年に当時のフェイスブック（現メタ）によって提案された自然言語処理のライブラリです。単語を部分文字列に分割することで、訓練データにない語彙に対しても埋め込みを計算できるのが特徴です（**A**）。
word2vecは、単語の分散表現を獲得する手法ですが、2013年にグーグルによって提案されたものです（B）。
CBOWは、word2vecの学習に用いられるネットワークです（C）。
TF-IDFは、ある文章内の単語の出現回数と、データセット全体での単語の出現頻度を考慮して文章をベクトル化する手法です（D）。

【第6章】

70. A

➡ P293

深層強化学習の代表的な手法について問う問題です。
深層強化学習は、強化学習とディープラーニングを組み合わせた学習手法です。**REINFORCE**は、方策勾配法の計算を行う際に用いられる強化学習のアルゴリズムであり、強化学習とディープラーニングを組み合わせた学習手法ではありません（**A**）。
DQNは、Q学習とディープラーニングを組み合わせた深層強化学習の手法です。また、DQNを取り入れた手法として、Ape-X、ノイジーネットワークなどがあげられます（B、C、D）。

【第3章、第6章】

71. D

➡ P294

敵対的生成ネットワーク（GAN）に関する知識を問う問題です。
GANは、ジェネレータ（生成器）とディスクリミネータ（識別器）から成るネットワークアーキテクチャであり、主に画像生成に用いられます（C、**D**）。
なお、エンコーダ、デコーダから成り、次元削減を行うネットワークアーキテクチャとして、オートエンコーダがあげられます（A）。また、エンコーダ、デコーダから成り、機械翻訳などを行うネットワークアーキテクチャとして、Seq2Seqがあげられます（B）。

【第5章、第6章】

72. B

➡ P294

MLOpsに関する知識を問う問題です。
MLOpsは、AIを用いたシステムを開発、運用する際の工程全体を統合することに関連する概念や方法論を指す用語です（**B**）。
MLOpsは、AI開発における透明性や契約に関連するガイドラインではありません（A、C）。
業務プロセスを再設計することをBPR（Business Process Re-engineering）と呼びます。MLOpsは、業務プロセスの再設計に関連する概念ではありません（D）。

【第7章】

73. C

➡ P294

擬似相関に関する知識を問う問題です。
擬似相関とは、確率変数Xと確率変数Yの間に何ら因果関係が想定されないにもかかわらず、確率変数Xと確率変数Yが相関している状態のことです（**C**）。
この擬似相関の背景には、確率変数X、確率変数Yのそれぞれと相関する確率変数Zが存在していると考えられます。このZの影響を取り除いたXとYの相関係数を求めることができ、この相関係数を偏相関係数と呼びます（A）。
偽相関、全相関という用語は一般的ではありません（B、D）。

【第8章】

74. A

➡ P295

個人識別符号に該当するものを判断できるかを問う問題です。
個人識別符号とは、それそのものから特定の個人を識別することができるものです。旅券番号や顔写真データ、指紋データといったものは、個人識別符号に該当します（B、C、D）。
郵便番号は、それそのものから特定の個人を識別できるものではなく、個人識別符号には該当しません（**A**）。

【第9章】

75. D

➡ P295

センシティブ情報に関する知識を問う問題です。
人種や国籍などのように、差別や偏見が生じないように注意すべき情報を、センシティブ情報と呼びます（**D**）。
仮名加工情報や匿名加工情報は個人情報保護法における概念であり、差別や偏見といった内容とは関連しません（A、B）。
イニシアティブ情報という用語は一般的ではありません（C）。

試験対策

G検定では、センシティブ情報をセンシティブ属性と呼ぶ可能性が高いため、注意しましょう。

【第10章】

76. A

➡ P295

ボードゲームにおける**Mini-Max法**に関する知識を問う問題です。
Mini-Max法は、自分の手番でスコア最大の手を選び、相手の手番でスコア最小の手が選ばれることを仮定して、次の手を網羅的に探索するアルゴリズムです（**A**）。
その他の選択肢は不適切です（B、C、D）。

【第2章】

77. A

➡ P296

身体性に関する知識を問う問題です。
人工知能を実現するには、身体性が重要であるという考え方があります。人間は、文字などの記号で表された概念を、五感や経験などを通じて認識します。身体性に着目したアプローチでは、人工知能にも人間と同じように環境との相互作用を行う身体が必要であると考えます（**A**）。
感覚性、本能性、五感性という用語は一般的ではありません（B、C、D）。

人工知能を実現するための考え方のひとつとして、身体性に着目したアプローチを覚えておきましょう。

78. C

➡ P296

代表的なエキスパートシステムである**マイシン**に関する知識を問う問題です。
マイシンは、血液中のバクテリアの診断支援を行うエキスパートシステムです（**C**）。
その他の選択肢は不適切です（A、B、D）。
なお、未知の有機化合物を特定するエキスパートシステムとしては、DENDRALがあげられます（D）。

【第2章】

79. A

➡ P296

線形回帰に関連するキーワードを問う問題です。
線形回帰は、特徴量と教師データの直線的な数値関係をモデル化する手法であり、回帰タスクに用いられます（B）。一方、**ロジスティック回帰**は、線形回帰を応用した手法であり、主に分類タスクを解くために用いられます（**A**）。
ラッソ回帰は、線形回帰にL1正則化を加えた手法です（C）。また、**リッジ回帰**は、線形回帰にL2正則化を加えた手法です（D）。

【第3章】

80. C

➡ P297

次元の呪いの概念や、次元削減の手法について問う問題です。
次元の呪いは、次元の増加に伴い計算量などが指数的に増える現象です（ア）。
また、**主成分分析**（PCA）は、主に次元削減に用いられる教師なし学習手法のひとつです（イ）。主成分分析などを用いることによって、機械学習における特徴量の次元などを削減し、次元の呪いを回避することができます。
したがって、(ア)には次元の呪い、(イ)には主成分分析(PCA)が入ります(**C**)。
オッカムの剃刀は、「ある事柄を説明するためには、必要以上に多くを仮定するべきでない」というモデル構築の指針です。
重回帰分析は、複数の特徴量を用いて行う線形回帰による分析です。

【第3章】

81. D

➜ P297

レコメンデーションにおける**コールドスタート問題**について問う問題です。
レコメンデーションでは、購買履歴などの情報をもとに推薦を行うため、購入された頻度が少ない商品が推薦の候補に上がらない場合があります。このような問題はコールドスタート問題と呼ばれます（**D**）。コールドスタート問題は、協調フィルタリングなどの手法で発生することがあります。
ワームエンド問題、コールドエンド問題、ワームスタート問題という用語は、レコメンデーションにおいて一般的ではありません（A、B、C）。

【第3章】

82. A

➜ P297

機械学習における**汎化誤差**の評価方法に関する知識を問う問題です。
汎化誤差は、未知のデータに対するモデルの予測誤差の期待値です。機械学習では、汎化誤差が小さくなるように学習を行うことが重要となります。
テストデータは、モデルの学習やハイパーパラメータの調整等に使わないデータであり、汎化誤差の推定に用いられます（**A**）。
検証データは、モデルのハイパーパラメータ等を最適化する場合などに用いられるデータであり、汎化誤差の推定に用いるべきではありません（B）。
訓練データは、モデルの学習に用いられるデータであり、汎化誤差の推定に用いるべきではありません（C）。
汎化誤差は、テストデータを用いて推定されることが望ましいです（D）。

【第3章】

83. C

➜ P298

過学習を防ぐ具体的な手段について問う問題です。
モデルの複雑さを制限することで、過学習を抑制する効果があります。たとえば、モデルのパラメータに正則化を適用することで、モデルの複雑さを制限することができます。また、線形回帰などの手法を用い、より単純な構造をもつモデルを採用することも効果的です（A、D）。
検証データを用いて学習中の予測精度をモニタリングし、検証データにおける予測精度が改善しなくなった時点で学習を打ち切ることで、過学習を抑制することができます。これを**早期終了**と呼びます（B）。
過学習を抑制するためには、訓練データの量を増やすことが重要です（**C**）。

【第3章】

84. D

➡ P298

代表的な**活性化関数**の性質に関する知識を問う問題です。
シグモイド関数は、(0, 1) の値をとる活性化関数です (A)。
tanh関数は、(-1, 1) の値をとる活性化関数です (B)。
ReLUは、[0, ∞) の値をとる活性化関数です (C)。
Leaky ReLUは、0未満の入力に対してもわずかな傾きをもつよう、ReLUを改良した活性化関数です。したがって、Leaky ReLUは (-∞, ∞) の値をとります (**D**)。

【第4章】

85. C

➡ P298

勾配消失問題や**勾配爆発問題**に関する知識を問う問題です。
勾配消失問題は、出力層における勾配が入力層まで伝わらず、入力層付近のパラメータの更新が滞ってしまう現象です (A)。また、勾配消失問題が発生した場合には学習が進みづらくなるため、訓練誤差、汎化誤差が共に大きくなる傾向があります。したがって、勾配消失問題の発生時には過学習が問題になるわけではありません (**C**)。
一方、勾配爆発問題は、学習の途中で勾配が大きくなりすぎることによって、安定的に学習を進められなくなってしまう現象です (B、D)。

【第4章】

86. C

➡ P299

ノーフリーランチ定理に関する知識を問う問題です。
ノーフリーランチ定理は、あらゆる問題で優れた性能をもつアルゴリズムは理論上存在しないということを示す定理です。たとえば、ある機械学習モデルが特定の問題に対して優れた性能を示したとしても、別の問題で同様に優れた性能を発揮できるとは限りません (**C**)。
オッカムの定理、マハラノビスの定理、フィルタバブル定理という定理は一般的ではありません (A、B、D)。

【第4章】

87. B

➡ P299

バッチ正規化に関する知識を問う問題です。
バッチ正規化は、ニューラルネットワークのある層への入力に対して正規化を行う手法のひとつです。バッチ正規化では、ミニバッチ内のすべてのデータを用いて、チャンネルごとに正規化を行います (**B**)。
選択肢Aのような正規化の手法は一般的ではありません。Cはレイヤー正規化に関する記述です。Dはインスタンス正規化に関する記述です。

【第5章】

88. B ➡ P299

LSTMに採用されている**CEC**に関する知識を問う問題です。

CECは、LSTMに採用されている機構であり、長期的な情報を蓄えておくためのものです（**B**）。

BPTTは、RNNにおいて、時間軸に沿って過去に遡りながら誤差を伝播させることを指す用語です（A）。

GRUは、LSTMのゲート機構を簡略化したネットワークです（C）。

BERTは、Transformerのエンコーダの構造をもとにした自然言語処理のためのネットワークです（D）。

【第5章、第6章】

89. A ➡ P300

オートエンコーダに関する知識を問う問題です。

オートエンコーダは、エンコーダとデコーダで構成されるニューラルネットワークのアーキテクチャです。オートエンコーダでは、教師データに入力データと同じものを用い、隠れ層の次元を入力層の次元よりも小さくすることで、次元削減などを行うことができます（**A**）。

オートデコーダ、エンコードネットワーク、デコードネットワークという用語は一般的ではありません（B、C、D）。

【第5章】

90. B ➡ P300

代表的なセグメンテーションタスクの概要について問う問題です。

セマンティックセグメンテーションは、画像中のすべての画素に対して、そのクラスを識別するタスクです。同じクラスに属する物体は区別しないため、物体ごとにIDを付与することはありません（A）。

パノプティックセグメンテーションは、画像中のすべての画素に対して、そのクラスを識別し、物体ごとにIDを付与するタスクです（**B**）。

インスタンスセグメンテーションは、画像中のすべての物体に対して、そのクラスを識別し、物体ごとにIDを付与するタスクです。画像中の背景は識別しないため、すべての画素に対してクラスの識別を行うわけではありません（D）。

クラスセグメンテーションというタスクは一般的ではありません（C）。

【第6章】

91. A

➡ P300

word2vecの学習に用いられるネットワークについて問う問題です。
word2vecでは、単語の分散表現を獲得するネットワークとして、**skip-gram**と**CBOW**が提案されています。skip-gramは、文章中のある単語に対して、その周辺の単語を予測するネットワークです（**A**）。また、CBOWは、文章中の周囲の単語から対象の単語を予測するネットワークです（B）。
選択肢C、Dは、それぞれBERTの事前学習に用いられるNSP（Next Sentence Prediction）、MLM（Masked Language Model）に関する記述です。

【第6章】

92. C

➡ P301

深層強化学習の一手法である**Rainbow**に関する知識を問う問題です。
Rainbowは、ダブルDQN、ノイジーネットワーク、デュエリングネットワークなど、7つの手法を組み合わせたものです（ア）。
残差強化学習は、ロボット制御などにおいて、既存の制御手法と強化学習を組み合わせた学習手法です。Rainbow は残差強化学習を行う手法ではありません（イ）。
Atari2600は、強化学習の性能評価のベンチマークとして広く用いられているゲームです。Rainbowは、Atari2600をプレイすることができます（ウ）。
複数のエージェントを用意し、それらの相互作用を加味しながら学習を行うことをマルチエージェント強化学習と呼びます。Rainbowは、マルチエージェント強化学習を行う手法ではありません（エ）。
したがって、（ア）と（ウ）が適切な組み合わせです（**C**）。

【第6章】

93. C

➡ P301

敵対的生成ネットワーク（GAN）の派生ネットワークに関する知識を問う問題です。
DCGANは、GANで用いられるネットワークにCNNを用いたものです（A）。
Pix2PixやCycleGANは、GANのネットワーク構造を活用し、画像の変換を行う生成ネットワークです（B、D）。
sim2realは、強化学習において、コンピュータ上のシミュレータで学習したモデルを実世界へ適用することを指す用語です（**C**）。

【第6章】

94. D

➡ P302

CRISP-MLに関する知識を問う問題です。
CRISP-DMは、AIに限らず、データ分析を活用したプロジェクトを推進するための標準的なフレームワークです。また、CRISP-MLは、AIを活用する場合に特有な運用時のモニタリングなどを加味し、CRISP-DMを拡張したフレームワークです（**D**）。
CRISP-IT、CRISP-WM、CRISP-AIというフレームワークは、一般的ではありません（A、B、C）。

【第7章】

95. A

➡ P302

連続型分布の基礎的な知識を問う問題です。
確率密度関数は、連続的な確率変数の確率分布を表現する関数です。確率密度関数を用いることで、確率変数が一定の範囲内の値をとる確率を求めることができます（**A**）。情報量関数、正規分布関数という用語は一般的ではありません（B、C）。累積分布関数は、確率変数がある値x以下の値をとる確率を表す関数です（D）。

【第8章】

96. C

➡ P303

著作権法とデータ活用の関連について問う問題です。
著作権法第三十条の四では、情報解析の用に供する場合には、著作権者の許可なく著作物を利用可能であると定めています（**C**）。
著作権法第三十条の四では、情報解析の用に供する場合の著作物の利用について、営利、非営利といった目的に関する制限は設けていません（A、B、D）。

【第9章】

97. A

➡ P303

代理変数に関する知識を問う問題です。
代理変数は、センシティブ情報との相関が高いことなどにより、センシティブ情報を代替しうるデータです（**A**、B）。
代理変数は、特定の個人を識別できるかどうかに関連するものではありません（C、D）。

【第10章】

98.　C

➡ P303

第一次AIブームにおいて解くことのできた問題について問う問題です。
第一次AIブームでは、迷路や簡単なゲームを解くコンピュータが開発され、当時のコンピュータが解くことができた問題は**トイ・プロブレム**と呼ばれました（**C**）。
フレーム問題は、ある問題を解く際に、人工知能に対処させるべき事柄を決めることは難しいという問題です（A）。
シンボルグラウンディング問題は、コンピュータはある記号を実世界における意味と結び付けることが難しいという問題です（B）。
中国語の部屋［解答138を参照］は、強いAIが実現不可能であるという主張を示すために提案された思考実験です（D）。

【第1章】

99.　D

➡ P304

第二次AIブームに関連するキーワードを問う問題です。
エキスパートシステムは、ある専門知識に関するデータ（**知識ベース**）を用いて推論を行うプログラムです（ア）。
知識ベースを構築するのは、少なくとも当時の技術では容易ではありませんでした。人間の専門家の知識は多くの場合、経験的、暗黙的なものであり、これらを本人から引き出すためには、うまくヒアリングを行う必要があります。そこで、知識ベースを構築するために知的な**インタビューシステム**を開発する研究が行われました（イ）。
したがって、（ア）にはエキスパートシステム、（イ）にはインタビューシステムが入ります（**D**）。
エクセレントシステム、ナレッジシステムという用語は一般的ではありません。

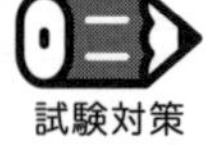

エキスパートシステム、インタビューシステムといった第二次AIブームに関連するキーワードを押さえておきましょう。

【第2章】

100.　C

➡ P304

ビッグデータに関する知識を問う問題です。
今日ではインターネットが広く普及し、大量のデータが日々生成され、蓄積されています。インターネットの成長とともに蓄積された大量のデータはビッグデータと呼ばれ、機械学習を始めとした研究領域で活用されています（**C**）。
表形式で表せるようなデータを構造化データ、画像や文章といった構造化データでないデータを非構造化データなどと呼びます。ただし、これらは蓄積された大量のデータを総称する用語ではありません（A、B）。
ラージデータという用語は一般的ではありません（D）。

【第2章】

101. D

➡ P304

ベクトル自己回帰モデル（VAR）について問う問題です。
自己回帰モデル（AR）やVARは、時系列データに関する回帰タスクを扱う手法です。ARは単一の時系列データを扱うことができ、VARは複数の時系列データを扱うことができます（**D**）。
VAE（変分オートエンコーダ）は、画像生成などを行う生成ネットワークです（A）。
VGGは、画像認識の競技会であるILSVRCで2014年に高い評価を受けた畳み込みニューラルネットワークです（B）。
OCRは、手書き文字や印刷された文字を自動で読み取り、テキストデータに変換する技術です（C）。

【第2章、第3章、第5章、第6章】

102. A

➡ P305

トピックモデルに関する知識を問う問題です。
トピックモデルは、クラスタリングを行う教師なし学習の手法です（C、D）。
k-meansでは1つのデータを単一のクラスタに割り当てますが、トピックモデルでは1つのデータを複数のクラスタに割り当てます（**A**、B）。

【第6章】

103. B

➡ P305

コンテンツベースフィルタリングに関する知識を問う問題です。
コンテンツベースフィルタリングは、レコメンデーションに用いられる手法のひとつです（**B**）。コンテンツベースフィルタリングでは、商品情報に関する特徴量を利用し、類似する商品を推薦します。その他の選択肢の記述は不適切です。

【第3章】

104. B

➡ P305

分類タスクに用いられる代表的な評価指標について問う問題です。
AUCは、ROC曲線のグラフの下部の面積で表される評価指標であり、分類タスクに用いられます（A）。
再現率やF値は、混同行列から算出される評価指標であり、分類タスクに用いられます（C、D）。
RMSEは、予測値と正解値の誤差の二乗和を平均し、平方根を取ったものであり、回帰タスクに用いられる代表的な評価指標です（**B**）。

【第3章】

105. D

➡ P306

過学習や**未学習**が発生する原因について問う問題です。
訓練データの量に対してモデルのパラメータ数が少ない場合、モデルが教師データを十分に説明できず、未学習が発生しやすくなります（A）。
訓練データの量に対して特徴量の数が多すぎる場合には、モデルが訓練データに過度に適合し、過学習が発生しやすくなります（B）。
機械学習では、学習データをできる限り多く収集することが重要となります。訓練データの量が少ない場合、過学習が発生しやすくなります（C）。学習時に正則化を行うと、過学習が発生しにくくなります（**D**）。

【第3章】

106. A

➡ P306

シグモイド関数と**勾配消失問題**の関係について問う問題です。
誤差逆伝播法では、出力層で計算した誤差を、微分の計算によって出力層から入力層にかけて伝播させます。このとき、入力層付近まで誤差がうまく伝わらないことがあります。これを勾配消失問題と呼びます。シグモイド関数は微分の最大値が小さいことから、勾配消失問題が発生しやすいことで知られています（**A**）。
勾配爆発問題は、学習の途中で勾配が大きくなりすぎることによって、安定的に学習を進められなくなってしまう現象です。活性化関数にシグモイド関数を選択しても、勾配爆発問題が発生しやすくなることはありません（B）。
信用割当問題は、各ニューロンが出力を改善するために、予測結果からどのようにフィードバックを受ければよいかという問題です。活性化関数にシグモイド関数を選択することと、信用割当問題とは無関係です（C）。
信用消失問題という用語は一般的ではありません（D）。

【第4章】

107. B

➡ P306

信用割当問題の概要や、誤差逆伝播法との関わりについて問う問題です。
誤差逆伝播法は、出力層から勾配（誤差）を順に伝えることで、各ニューロンに予測結果をフィードバックします。このことは、ニューラルネットワークにおける信用割当問題を、誤差逆伝播法が解決していると考えることができます（**B**）。
方策勾配法は、強化学習における方策を学習する手法です（A）。
k-meansは、階層なしクラスタリングの一手法です（C）。
モンテカルロ法は、ボードゲームにおいて仮想的なプレイヤーを通じてプレイアウトを繰り返し、盤面の評価を行う手法です（D）。

【第4章】

108. B

➡ P307

ニューラルネットワークにおける代表的な正規化の手法について問う問題です。
グループ正規化は、チャンネルをいくつかのグループに分割し、グループ内のチャンネルを用いてデータごとに正規化を行う手法です（A）。
インスタンス正規化は、チャンネルごと、データごとに正規化を行う手法です（C）。
レイヤー正規化は、ある層のすべてのチャンネルを用いて、ミニバッチ内のデータごとに正規化を行う手法です（D）。
エポック正規化という手法は一般的ではありません（**B**）。

【第5章】

109. D

➡ P307

GRUの構造に関する知識を問う問題です。
GRUは、LSTMのゲート機構を簡略化したネットワークです。GRUのゲート機構は、リセットゲート、更新ゲートによって構成されます（C、**D**）。
GRUは、Attentionや畳み込み層を導入したネットワークではありません（A、B）。

【第5章】

110. C

➡ P307

積層オートエンコーダに関する知識を問う問題です。
積層オートエンコーダは、ニューラルネットワークの事前学習に用いられる手法です。積層オートエンコーダでは、入力層から逐次的に層を重ね、それぞれの層を順にオートエンコーダの仕組みを用いて学習することで、深いネットワークを構築します（**C**）。

通常のオートエンコーダは次元削減に用いられますが、積層オートエンコーダは主に事前学習を行うための手法です（A)。
積層オートエンコーダは、階層ありクラスタリングやネットワークの構造探索には用いられません（B、D)。なお、選択肢DはNASに関する記述です。

【第5章】

111. C ➡ P308

WideResNetに関する知識を問う問題です。
WideResNetは、ResNetを改良したCNNです。ResNetの層を減らし、代わりに畳み込みのチャンネル数を増やすことで高速かつ高精度なネットワークを実現しました（A、**C**)。
WideResNetは、ResNetにおける畳み込みのフィルタの縦横サイズや、プーリングの窓を大きくしたネットワークではありません（B、D)。

【第6章】

112. D ➡ P308

インスタンスセグメンテーションに用いられるネットワークについて問う問題です。
Mask R-CNNは、物体検出タスクとセグメンテーションタスクを同時に解くことで、インスタンスセグメンテーションを行うネットワークです（**D**)。
R-CNN、Fast R-CNN、Faster R-CNNは物体検出に用いられるネットワークであり、インスタンスセグメンテーションには用いられません（A、B、C)。

【第6章】

113. A ➡ P309

自然言語処理における具体的なタスクについて問う問題です。
Seq2Seq（Sequence-to-Sequence）は、エンコーダ、デコーダと呼ばれる2つのRNNで構成されるネットワークであり、文書要約や機械翻訳などのような、入力と出力の長さが異なりうるタスクを扱うことができます。したがって、（ア）にはSeq2Seq、（イ）には異なりうるタスク、（ウ）には文書要約が入ります（**A**)。
LSTMは、ゲート機構をもつRNNであり、エンコーダ、デコーダからなる構造はもっていません。
情報検索は、与えられたクエリ（単語など）をもとに、類似するデータを抽出するタスクです。

自然言語処理における代表的なタスクを押さえておきましょう。機械翻訳や文書要約、情報検索のほかにも、質問応答や感情分析などのタスクがあります。

【第6章】

114. D

➜ P309

マルチモーダルタスクを解くネットワークについて問う問題です。

Flamingoはディープマインドによって開発されたネットワークであり、Visual Question AnsweringやOptical Character Recognition、Image Captioningなどを行うことができます（A、B、C）。

Visual Question Answering（VQA）は、画像と画像に関する質問文を入力として受け取り、それらの内容をもとに回答を生成するタスクです。Optical Character Recognition（OCR）は、入力された画像に写っている文字を認識し、テキストとして出力するタスクです。Image Captioningは、入力された画像に対し、その画像を説明する文章を生成するタスクです。

Text-to-Imageは、入力された文章をもとに、その内容を反映した画像を生成するタスクです。Flamingoは、画像を生成することはできません（**D**）。

【第6章】

115. B

➜ P310

代表的な**確率分布**に関する知識を問う問題です。

2つのいずれかの事象（成功か失敗）のみが一定の確率で起こる試行をベルヌーイ試行と呼びます。1回のベルヌーイ試行の結果に対応する確率変数Xが従う確率分布を**ベルヌーイ分布**と呼びます（A）。

ポアソン分布は、ある確率で起こる事象が一定の時間内に起きる回数Xを考えたとき、Xが従う確率分布です（C）。

正規分布は、期待値μと分散σをもつ連続的な確率変数Xが従う釣り鐘型の確率分布です（D）。

二項分布は、ベルヌーイ試行を複数回繰り返したとき、その時点での成功回数が従う確率分布です（**B**）。

すべての事象が等確率で起こるような離散的な確率変数が従う確率分布を離散一様分布と呼びます。

【第8章】

116. A ➡ P310

AI開発における成果物と**知的財産権**との関連を問う問題です。
特許法では、プログラム（電子計算機に対する指令であって、発明の結果を得ることができるように組み合わされたもの）やそれに準ずるものを発明の対象として認めており、学習用プログラムはその新規性や進歩性によって発明として認められる場合があります。一方、学習用データセットに関しては、情報の単なる提示に該当するとされ、一般に発明とは認められません（**A**、B）。
学習用データセットは、情報の選択または体系的な構成によって創作性を有する場合は著作物として認められます。また、学習用のプログラムについても、プログラムそのものが著作物として認められる場合があります（C、D）。

【第9章】

117. B ➡ P310

アルゴリズムバイアスに関する知識を問う問題です。
機械学習モデルなどを含むアルゴリズムが、入力データにおける特定の属性に対して偏った結果を出力してしまうことを、アルゴリズムバイアスと呼びます（**B**）。
サンプリングバイアスは、データの収集方法が適切でないことなどによって生じた、データの偏りを指す用語です（D）。
プライバシーバイアス、センシティブバイアスという用語は一般的ではありません（A、C）。

【第10章】

118. D ➡ P311

シンギュラリティに関する知識を問う問題です。
人工知能が自身よりも賢い人工知能を作ることができるようになった時点で、さらに高い知能をもつ存在を作り続けるようになり、人間の想像力が及ばない超越的な知性が誕生するという仮説があります。これをシンギュラリティと呼びます（**D**）。
知識獲得のボトルネックは、コンピュータが知識を獲得することの難しさを表した用語です（A）。
オープンイノベーションは、技術やアイデアといった自組織の資源を外部組織と積極的に共有し、イノベーションをより効率的に生み出すためのアプローチです（B）。
強いAIは、人間と同様に心や自意識をもつAIを指す用語です（C）。

【第1章、第7章】

119. B

➡ P311

エキスパートシステムに関する理解を問う問題です。
エキスパートシステムは、ある専門分野の知識（知識ベース）を用いて推論を行う構造をもち、その分野の専門家のように振る舞うことのできるプログラムです（A、C）。代表的なエキスパートシステムとして、血液中のバクテリアの診断支援を行うマイシンがあげられます（D）。
エキスパートシステムは、第二次AIブームにおける主要な研究対象として知られています（**B**）。

【第2章】

120. D

➡ P312

機械学習の概要や、代表的な応用例について問う問題です。
機械学習は、**第三次AIブーム**における主要な研究対象のひとつです（ア）。機械学習を用いることによって、大量のデータからパターンを自動的に抽出し、予測や分類を行うことができます。
機械学習はたとえば、スパムフィルタやレコメンデーションエンジンといったシステムに応用可能です。スパムフィルタは、メールの内容からそのメールが不適切かどうかを判定するものです（イ）。また、レコメンデーションエンジンは、ユーザーの過去の購買履歴などから、そのユーザーが将来購入する確率の高い商品などを予測し、推薦するシステムです（ウ）。どちらの例でも、過去に蓄積した大量のデータを、機械学習によって処理することができます。
したがって、（ア）には三、（イ）にはスパム、（ウ）にはレコメンデーションが入ります（**D**）。

機械学習がどういったシステムに応用できるかを理解し、その代表例を押さえておきましょう。

【第2章】

121. B

➡ P313

特徴量に対する具体的な前処理の手法について問う問題です。
各特徴量の取り得る値の範囲を揃える前処理として、標準化や正規化があげられます。**標準化**は、特徴量の平均が0、標準偏差が1となるように変換する手法です（A、**B**、D）。一方、**正規化**は、特徴量を最小値0、最大値1の範囲に変換する手法です（C）。

近年では、正規化は標準化を含む概念として扱われることが増えていますが、G検定では本問における定義が用いられる可能性が高いため、注意しましょう。また、本問における正規化は、サンプル正規化と呼ばれる可能性もあります。

【第3章】

122. C

➡ P313

強化学習における基本的な概念のうち、**割引率**について問う問題です。
強化学習では、累積報酬を求める際に、割引率と呼ばれるハイパーパラメータを導入することがあります。割引率を時刻に応じて乗じることで、将来得られる報酬よりも、すぐに得られる報酬の方がより価値が高いことを行動評価に組み入れることができます（**C**）。
行動率、状態率、環境率という用語は強化学習において一般的ではありません（A、B、D）。

【第3章】

123. B

➡ P313

ROC曲線と**AUC**に関する知識を問う問題です。
ROC曲線は、モデルの予測値を陰性、陽性に分ける閾値を0～1に変化させたとき、モデルの予測性能がどのように変化するかを描いた曲線です。この曲線の下部の面積はAUCと呼ばれ、分類タスクにおける評価指標として用いられます（**B**）。
AIC（赤池情報量基準）は、モデルの複雑さと予測性能のトレードオフを考慮した評価指標です（A）。
MAEやMSEは、回帰タスクに用いられる評価指標です（C、D）。

【第3章】

124. C

➡ P314

活性化関数のひとつである**ReLU**に関する知識を問う問題です。
ReLUは、入力が負のときに0、正のときに恒等写像となる関数です（**C**、D）。
よって、入力が0以上の領域ではさまざまな値をとります（A、B）。

【第4章】

125. C

➡ P314

確率的勾配降下法（SGD）の概要について問う問題です。

確率的勾配降下法は、訓練データからランダムに抽出した一部のデータを用いて勾配を推定し、パラメータの更新を繰り返す手法です（**C**）。
ニューラルネットワークにおける学習時には、一般的にすべてのパラメータを一度に更新します。また、ハイパーパラメータや誤差関数は、通常は学習中には固定されます（A、B、D）。

【第4章】

126. D

➡ P314

プーリングに関する知識を問う問題です。
プーリングは、窓を移動させながら、その窓内の平均値や最大値を出力することで、ある層への入力データの特徴を取り出す処理です。窓内で平均値を出力する場合は平均値プーリング、最大値を出力する場合は最大値プーリングと呼びます（**D**）。
畳み込みは、フィルタをある層への入力データに対して順に重ね合わせ、対応する入力データの値とフィルタの値をかけ合わせて総和を取る処理です（A）。
ドロップアウトは、ニューラルネットワークの訓練時に、ランダムにニューロンを除外するテクニックです（B）。
パディングは、画像データなどの周囲を0などの定数で補完するテクニックです（C）。

【第4章、第5章】

127. C

➡ P315

さまざまなRNNに関する基礎的な知識を問う問題です。
双方向RNNは、過去から未来の方向だけでなく、未来から過去の方向についても考慮して出力を行うことができるRNNです（A）。
Seq2Seqは、エンコーダ、デコーダと呼ばれる2つのRNNで構成されるネットワークであり、入力と出力の長さが異なるタスクを扱うことができます（B）。
エルマンネットワークは、シンプルな構造をもつ初期のRNNであり、1990年に発表されたものです（D）。
ゲート機構とCEC（Constant Error Carousel）によって構成されるRNNは、LSTMです（**C**）。

【第5章】

128. D

➡ P315

変分オートエンコーダ（VAE）に関する知識を問う問題です。
VAEは、オートエンコーダを活用した生成ネットワークの一種であり、主に画像生成に用いられます。エンコーダが入力データを確率分布上で表現し、デコーダがその確率分布からサンプリングした潜在変数を元に入力データを復元するように学習を行います(**D**)。その他の選択肢は不適切です(A、B、C)。

【第5章】

129. B ➡ P315

NASNetに関する知識を問う問題です。
ニューラルネットワークの構造を探索すること、およびそのための技術を**NAS**(Neural Architecture Search)と呼びます。NASの技術を用いて構造探索を行うことで得られたネットワークとして、2017年にNASNetが提案されました(**B**)。
ResNetは、2015年に提案されたネットワークです(A)。
GoogLeNetは、2014年に提案されたネットワークです(C)。
DenseNetは、2016年に提案されたネットワークです(D)。

【第6章】

130. D ➡ P316

各セグメンテーションタスクに用いられるネットワークについて問う問題です。
PSPNet、U-Net、SegNetは、セマンティックセグメンテーションに用いられるネットワークです(A、B、**D**)。
Mask R-CNNは、インスタンスセグメンテーションに用いられるネットワークです(C)。

【第6章】

131. A ➡ P316

RLHFや**ChatGPT**に関する知識を問う問題です。
ChatGPTは、オープンAIが開発した対話型の文章生成AIです。ChatGPTの学習には、RLHFという強化学習を用いた手法が使われています。RLHFは、人間のユーザーが好む回答がどのようなものであるかをネットワークにフィードバックすることで、望ましい回答を生成できるようにする手法です(**A**)。
BERTは、自然言語処理に用いられる事前学習モデルであり、そのまま文章生成に用いることはできません。また、事前学習においてRLHFを用いた学習は通常行われません(B)。
NeRFは、与えられた画像に対し、ほかの視点から見た画像を生成することができる画像生成の技術です(C)。
CycleGANは、画像生成を行うネットワークのひとつです(D)。

【第6章】

132. D

➡ P317

強化学習におけるさまざまな手法に関する理解を問う問題です。
オフライン強化学習は、環境との相互作用を必要とせず、固定のデータセットをエージェントに与えて学習を行う手法です（A）。
残差強化学習は、ロボット制御などにおける、既存の制御手法と強化学習を組み合わせた手法です（B）。
マルチエージェント強化学習は、複数のエージェントを用いて、それらの相互作用を加味しながら学習を行う手法です（C）。
選択肢**D**は、方策勾配法に関連する記述であり、不適切です。なお、強化学習において、入力データから状態を表現する特徴量を抽出する過程そのものが学習によって得られるとき、これを**状態表現学習**と呼びます。

【第6章】

133. C

➡ P317

NeRFに関する知識を問う問題です。
NeRFは、ニューラルネットワークを活用した画像生成技術であり、ある物体が写った画像に対し、ほかの視点から見た物体の画像を生成することができます（**C**）。選択肢A、B、Dは不適切です。

【第6章】

134. D

➡ P317

インターネットを通じたAIシステムの提供に関連するキーワードを問う問題です。
クラウドは、インターネットを通じて、コンピュータの計算リソースなどを必要な量、必要な時間だけ利用できるコンピュータ環境です（**D**）。
Web APIは、インターネットを介してシステム間でデータの受け渡しを行う仕組みです（A）。
IoTは、あらゆるものがインターネットに繋がり、情報のやりとりを行うという概念です（B）。
エッジは、AIを利用する現場に配置する機器などを指す用語です（C）。

【第7章】

135. A

➡ P318

データリーケージを考慮した特徴量の作成方法について問う問題です。
データリーケージは、実際に予測を行うときには利用できないデータが訓練データに混入する現象です。データリーケージが発生すると、モデルの評価時に得られた性能が運用時に再現できない場合があります。

本問の設定では、ある日付の売上を予測するときに利用できる来店者数の実績データは、その1日前までのデータです。よって、ある売上データに対し、その日付の前日までの来店者数データを用いた場合は、データリーケージは発生しません（**A**）。一方、ある売上データに対し、その日付以降の来店者数データを用いた場合は、データリーケージが発生します（B、C、D）。

【第7章】

136. B

➡ P318

特許法における**職務発明**に関する知識を問う問題です。
職務発明とは、企業などの使用者等における従業者等の職務に属する発明のことです。職務発明における発明者である従業員の権利を適切に保護するため、特許法では職務発明制度と呼ばれる特則が設けられています（**B**）。
特許法において、企業発明、従業発明、従属発明という用語は定義されていません（A、C、D）。

【第9章】

137. C

➡ P318

AIを標的とした攻撃手法に関する知識を問う問題です。
データ汚染は、学習データに不適切なデータを混入させ、モデルに誤った学習をさせる攻撃です（ア）。また、学習済みモデルの予測を意図的に誤らせる目的で作られた入力データをAdversarial Exampleと呼び、それらを利用した攻撃を総称してAdversarial Attackと呼びます（イ）。
したがって、（ア）にはデータ汚染が、（イ）にはAdversarialが入ります（**C**）。
モデル汚染は、攻撃者が細工をした事前学習済みモデルを配布して利用させることで、モデルの出力を操作したり、悪意のあるプログラムを実行させたりする攻撃です。また、AdaBoundは、勾配降下法の一手法です。

【第10章】

138. A

➡ P319

強いAIに関連する**中国語の部屋**について問う問題です。
ジョン・サールは、強いAIは実現不可能であるという自らの立場を示すために、中国語の部屋と呼ばれる思考実験を提案しました（**A**）。ある部屋に、英語しかわからない人が、中国語の質問に完璧に答えられるマニュアルを持って閉じ込められているとします。この人は中国語を理解していませんが、このマニュアルを使うことで、部屋の外の人と文字による中国語でのコミュニケーションを取ることができます。したがって、部屋の外の人は、部屋の中の人が中国語を理解していると誤って判断するでしょう。この思考実験は、チューリングテストに置き換えて考えることができます。すなわち、たとえチューリングテストに合格しても、本当にそのコンピュータに知能があるかはわからないということです。
ハノイの塔は、大きさの違う円盤をあるポールから別のポールに大小関係を保ったまま移動させるパズルです（B)。
チューリングテストは、コンピュータが人工知能かどうかを判定するためのテストです（C)。
トイ・プロブレムは、第一次AIブームにおいて解くことのできた迷路や簡単なゲームなどの問題を指す用語です（D)。

中国語の部屋が何を主張する思考実験であるかを理解しておきましょう。

【第1章】

139. C

➡ P319

意味ネットワークにおける関係に関する理解を問う問題です。
part-ofの関係は、「一部である」という関係、すなわち属性を表します。「彼は水泳部の一員である」、「手は人間の一部である」といった関係はpart-ofの関係です（A、B)。
is-aの関係は、「～である」という継承関係を表します。「動物は生物である」という関係はis-aの関係です（D)。
「足が4本ある」という関係は、「足」は「4本」という概念ではないため、is-aの関係ではありません（**C**)。

【第2章】

140. A

➡ P319

初期の画像認識ネットワークである**ネオコグニトロン**について問う問題です。
ネオコグニトロンは、初期の画像認識ネットワークのひとつであり、畳み込みニューラルネットワークよりも前に考案されたものです。ネオコグニトロンは、人間の視覚野の神経細胞を模倣した多層構造をもち、画像のパターンを認識することができます（**A**)。
意味ネットワークは、概念を1つのノードとし、それらを意味関係で関連づけたネットワークです（B)。
ワトソンは、IBMが開発したQuestion-Answering（質問応答）の技術をもつ人工知能です（C)。
東ロボくんは、東京大学に合格できる能力の獲得を目指して開発された人工知能です（D)。

ネオコグニトロンと畳み込みニューラルネットワークは似た構造をもつということを覚えておきましょう。

【第2章】

141. C ➡ P320

アンサンブル学習を行う方法を問う問題です。
アンサンブル学習を行う代表的な方法として、バギングとブースティングがあげられます。**バギング**は、複数の弱学習器の出力から多数決や平均によって最終的な出力を決定する方法です。一方、**ブースティング**は、1つずつ直列に弱学習器を繋いでいき、前の弱学習器における誤差を補うように学習を行う方法です。よって（ア）（ウ）は適切です（**C**）。
パディングは、画像データなどの周囲を0などの定数で補完するテクニックです（イ）。プーリングは、ニューラルネットワークのある層への入力データを領域ごとに平均したり最大値を取ったりする処理です（エ）。

【第3章、第5章】

142. D ➡ P320

ウォード法に関する知識を問う問題です。
ウォード法は、階層ありクラスタリングの一手法です。ウォード法では、データ間の距離を階層的に表した樹形図（**デンドログラム**）を生成することができます。デンドログラムを読み解くことによって、クラスタ同士がどのような関係をもっているかを解釈することができます（**D**）。
決定木は、特徴量の値に応じて分岐路を作っていき、最終的な予測値を決定する教師あり学習のアルゴリズムです（A）。
探索木は、迷路などをアルゴリズムによって探索する際に用いられる概念であり、分岐や進み方のパターンをツリー構造で表現したものです（B）。
ヒストグラムは、度数分布の階級ごとの度数を棒グラフで可視化したものです（C）。

【第3章、第8章】

143. A ➡ P320

マルコフ決定過程に関する知識を問う問題です。
強化学習では、「現在の状態から一時刻先の状態に遷移する確率は、現在の状態と取った行動のみに依存する」という仮定を置いて問題を扱うことが多くあります。このような考え方をマルコフ決定過程と呼びます（**A**）。選択肢B、C、Dは不適切です。

【第3章】

144. D

➡ P321

混同行列に関する知識を問う問題です。
分類タスクにおいて、予測値と正解ラベルの組み合わせを以下のようにまとめたものを混同行列と呼びます。

		予測	
		陽性（Positive）	陰性（Negative）
正解	陽性	真陽性 （True Positive : TP）	偽陰性 （False Negative : FN）
	陰性	偽陽性 （False Positive : FP）	真陰性 （True Negative : TN）

したがって、（ア）には真陽性、（イ）には偽陰性、（ウ）には偽陽性、（エ）には真陰性が入ります（**D**）。

【第3章】

145. D

➡ P321

k-分割交差検証の概要や利点について問う問題です。
k-分割交差検証は、データをk個のブロックに分割して、学習および評価を繰り返す手法です（A、B）。
k-分割交差検証では、分割したすべてのデータを評価に利用できるため、汎化性能を正確に見積もりやすいという特徴があります（**D**）。一方で、分割したデータの数だけ学習、評価を行う必要があるため、計算コストは高くなります（C）。

【第3章】

146. B

➡ P322

出力層に用いられる活性化関数である**ソフトマックス関数**について問う問題です。
ソフトマックス関数は、多クラス分類タスクを解くネットワークの出力層に用いられる活性化関数です（A、**B**）。ソフトマックス関数によって、予測値を各クラスが属する確率に変換することができます。
ソフトマックス関数は、主に入力層や隠れ層で用いられる活性化関数ではありません（C、D）。

147. D ➡ P322

誤差関数における**鞍点**に関する知識を問う問題です。
鞍点は、ある次元では極小となるものの、ほかのある次元では極大となるような点です（**D**）。
選択肢Aは局所最適解に関する記述であり、Bは大域最適解に関する記述です。学習時に鞍点や局所最適解に陥ると、その周辺で学習が停滞し、パラメータがほとんど更新されなくなってしまうことがあります。また、Cの記述に関する点の一般的な名称はありません。

【第4章】

148. A ➡ P322

ハイパーパラメータに関する知識を問う問題です。
ハイパーパラメータは、機械学習モデルの構造などを決定する定数であり、モデルのパラメータを最適化する前に設定するものです。たとえば、ニューラルネットワークにおける学習率や層の数などはハイパーパラメータです（**A**）。
グリッドパラメータ、ランダムパラメータ、ノーマルパラメータという用語は一般的ではありません（B、C、D）。

【第4章】

149. B ➡ P323

畳み込み層や**プーリング層**の特徴について問う問題です。
畳み込み層では、ある層への入力データ全体に対して同じフィルタを用いて畳み込み演算を行います。このため、同じノード数間の全結合層と比較すると各ニューロン同士の結合が疎であり、効率的に学習を行うことができます（ア）。
また、畳み込み層やプーリング層による処理は位置のズレに頑健であり、これらを組み合わせることで、ネットワークへの入力データに対する位置不変性を獲得できます（イ）。
したがって、（ア）には疎結合が、（イ）には不変性が入ります（**B**）。

【第5章】

150. A ➡ P323

スキップ結合が導入されている代表的なネットワークについて問う問題です。
スキップ結合は、2015年に発表されたResNetに導入されたことで知られています。ResNetの登場以降、DenseNetやTransformerなどさまざまなネットワークでスキップ結合が用いられています（B、C、D）。

GoogLeNetはResNet以前（2014年）に発表されたネットワークであり、スキップ結合は用いられていません（**A**）。

【第5章、第6章】

151. B

➡ P323

RNNの学習に用いられる教師強制について問う問題です。
教師強制は、前の時刻の出力に対応する教師データを現在時刻の入力として用いる手法です（**B**）。
教師代入、教師抽出、教師反芻という用語は、RNNの学習に関するものとして一般的ではありません（A、C、D）。

【第5章】

152. A

➡ P324

画像データにおける**データ拡張**の手法について問う問題です。
画像の一部の画素値を0またはランダムな値にする手法は、Random ErasingやCutoutと呼ばれます（**A**）。なお、Random Cropは、画像を一部切り取り、サイズの違うデータを生成する手法です。
Random Flipは、画像をランダムに反転する手法です（B）。
Random Rotationは、画像をランダムに回転する手法です（C）。
Mixupは、2つの画像を合成する手法です（D）。

【第5章】

153. A

➡ P324

ILSVRC（ImageNet Large Scale Visual Recognition Challenge）で優勝した歴代のネットワークについて問う問題です。
AlexNetは、ILSVRC 2012で優勝したネットワークです（D）。
GoogLeNetは、ILSVRC 2014で優勝したネットワークです（B）。
EfficientNetは、2019年にグーグルの研究者によって発表されたネットワークです。ILSVRC 2015で優勝したネットワークではありません。ILSVRC 2015で優勝したネットワークは、ResNetです（**A**）。
SENetは、ILSVRC 2017で優勝したネットワークです（C）。

【第6章】

154. C ➡ P324

FCNの構造に関する知識を問う問題です。
FCNは、セマンティックセグメンテーションに用いられるネットワークです。畳み込み層とプーリング層のみから構成され、全結合層をもたないのが特徴です（A、B、**C**）。
FCNに限らず、一般的なニューラルネットワークは出力層をもちます（D）。

【第6章】

155. B ➡ P325

GPTに関する知識を問う問題です。
GPTは、Transformerのデコーダの構造を取り入れた事前学習モデルであり、2018年にOpenAIによって発表されました（**B**）。
ELMoは、単語の分散表現を獲得できるネットワークです。Tansformerのデコーダの構造はもっていません（A）。
BERTは、Transformerのエンコーダの構造を取り入れた事前学習モデルです（C）。
GLUEは、複数の自然言語処理タスクにおける、機械学習モデルの精度評価を行うためのデータセットです（D）。

GPTはGenerative Pre-trained Transformerの略と説明されることが多いですが、GPTの原著論文では、Generative Pre-Trainingとなっています。本問では、こちらで表記しています。

【第6章】

156. B ➡ P325

AlphaStarに関する知識を問う問題です。
AlphaStarは、深層強化学習を活用したゲームAIであり、スタークラフト2というゲームをプレイすることができます。スタークラフト2は、RTS（Real-Time Strategy）と呼ばれるジャンルに属する対戦型ゲームです（**B**）。
Atari2600は、強化学習の性能評価のベンチマークとして広く用いられているゲームですが、AlphaStarはAtari2600をプレイするゲームAIではありません（A）。
AlphaStarは、囲碁や将棋をプレイするゲームAIではありません（C、D）。囲碁をプレイすることができるゲームAIとしては、AlphaGoがあげられます。

【第6章】

157. D ➡ P325

転移学習に関する知識を問う問題です。
事前学習済みモデルを異なるタスクに転用すること、またはそのために行う学習のことを、転移学習と呼びます（**D**）。
能動学習は、正解ラベルが付いていない大量のデータに対し、適応的にラベルを付与するデータを選択する手法です（A）。
教師強制は、RNNなどの学習において、前の時刻の出力に対応する教師データを現在時刻の入力として用いる手法です（B）。
マルチタスク学習は、1つのネットワークで複数のタスクを同時に扱う学習の総称です（C）。

【第6章】

158. B ➡ P326

SHAPに関する知識を問う問題です。
SHAPは、学習済みモデルにおいて、ある特徴量が予測値に与えた影響の度合いを求める手法です（**B**）。
GLUEは、複数の自然言語処理タスクにおける機械学習モデルの精度評価を行うためのデータセットです（A）。
YOLOは、物体検出に用いられるネットワークです（C）。
PCA（主成分分析）は、次元削減などに用いられる教師なし学習の手法です（D）。

【第6章】

159. C ➡ P326

Web APIに関する知識を問う問題です。
Web APIは、インターネットを介してシステム間でデータの受け渡しを行う代表的な仕組みです（**C**）。
選択肢Aはセマンティックウェブに関する記述、Bはクラウドに関する記述、DはIoT（Internet of Things）に関する記述です。

【第7章】

160. D ➡ P326

コーパスに関する知識を問う問題です。
コーパスは、自然言語に関するデータを大規模に収集し、コンピュータで処理しやすいように整理されたデータセットの総称です（**D**）。
ビッグデータは、インターネットの成長とともに蓄積された大量のデータを指す用語です。また、オープンデータセットは、インターネット上で公開されたデータセットです。ビッグデータやオープンデータセットは、自然言語以外のデータを含む概念です（A、B）。
ImageNetは、およそ1400万枚の画像からなるオープンデータセットです（C）。

【第7章】

161. C

➡ P327

2点間の距離や類似度を測る代表的な指標に関する知識を問う問題です。
ユークリッド距離は、ユークリッド空間における2点間を結ぶ線分の長さで定義される距離です（**C**）。
ユークリッド距離の計算では、2点間の対応する各成分の差を二乗して足し合わせ、その平方根を求めます（A）。
選択肢Bは、マハラノビス距離に関する記述であり、不適切です。
ユークリッド距離の計算には2つのベクトルのなす角度は用いられません（D）。なお、2つのベクトルのなす角度を用いて、コサイン類似度と呼ばれる2点間の類似度を表す指標を計算することができます。

2点間の対応する各成分の差の絶対値を足し合わせた距離は、マンハッタン距離と呼ばれます。

【第8章】

162. C

➡ P327

不正競争防止法における営業秘密の要件を問う問題です。
不正競争防止法においてデータなどの情報を営業秘密として保護するには、その情報が非公知性、有用性、秘密管理性の3つの要件を満たす必要があります（A、B、D）。
新規性は、特許法において発明が特許を受けるための要件のひとつです（**C**）。

【第9章】

163. A

➡ P327

民法における**準委任契約**や**請負契約**に関する知識を問う問題です。
準委任契約は、検証や開発といった役務の提供を目的とする契約です。一方、請負契約は、具体的な仕事の完成を目的とした契約です（**A**、B）。
準委任契約は、他人の物を保管するという役務の提供のみを目的とした契約ではありません（C）。準委任契約は、情報の取扱いを規定することを目的とした契約ではありません。なお、秘密情報の取扱いは、NDA（秘密保持契約）などによって規定することができます（D）。

他人の物を保管するという役務の提供を目的とした契約を寄託契約と呼びます。

【第9章】

164. C

➡ P328

データ窃取に関する知識を問う問題です。
データ窃取は、学習済みモデルにデータを入力し、その出力を観察してモデルの学習データを推測する攻撃です（**C**）。データ窃取は、学習済みモデルへの入力データの不正取得とは関連しません（A、B）。
選択肢Dは、モデル窃取に関する記述です。

【第10章】

165. D

➡ P328

人工知能研究の歴史や**ダートマス会議**について問う問題です。
人工知能（AI：Artificial Intelligence）は、1956年にアメリカで開催されたダートマス会議において、ジョン・マッカーシーによって初めて提言されたといわれています。ダートマス会議以降、人工知能は学術的な研究分野として注目されるようになっていったとされています（**D**）。
アートマス会議、ゲートマス会議、ノートマス会議は、1956年に開催された人工知能に関連する会議として一般的ではありません（A、B、C）。

【第1章】

166. A

➡ P328

ILSVRC（ImageNet Large Scale Visual Recognition Challenge）に関する知識を問う問題です。
ILSVRCは、画像認識の精度を競い合う競技会です（**A**、B、C）。2012年には、ディープラーニングを活用したチームが圧倒的な勝利を収めたことで、ディープラーニングへの注目度が飛躍的に高まりました。
チューリングテストによる評価を競う競技会はローブナーコンテストです（D）。

【第2章】

167. A

➡ P329

代表的な**教師なし学習**の手法に関する知識を問う問題です。

クラスタリングは、大量のデータから類似するデータを集めてグルーピングする手法であり、階層なしクラスタリングと階層ありクラスタリングに分類されます。階層なしクラスタリングの代表的な手法として、k-meansがあげられます（**A**）。また、階層ありクラスタリングの代表的な手法として、ウォード法があげられます（B）。

与えられたデータを何らかの方法で圧縮し、その次元数を減らすことを次元削減と呼びます。次元削減を行う教師なし学習の代表的な手法として、主成分分析（PCA）や特異値分解（SVD）などがあげられます（C、D）。

【第3章】

168. A

➡ P329

ε-greedy方策に関する知識を問う問題です。

ε-greedy方策は、あるハイパーパラメータε（0以上1以下の値）を用いて、確率εで探索を行い、確率1 - εで活用を行うアルゴリズムです。**探索**とは、未知の情報以外の情報を獲得するために行う行動であり、**活用**とは、既知の情報を利用して最大の報酬を得る行動です。多腕バンディット問題においては、探索ではすべてのスロットマシンからランダムに選択を行います（ア）。また、活用では、過去の試行結果から最も当たりの多かったスロットマシンを選択します（イ）。

したがって、（ア）には探索、（イ）には活用が入ります（**A**）。

【第3章】

169. B

➡ P329

分類タスクにおいて用いられる基本的な用語について問う問題です。

真陽性は、モデルの予測値と正解ラベルが共に陽性であるようなデータです（A）。

偽陽性は、モデルが陽性と判定したものの、正解ラベルが陰性であるようなデータです（**B**）。

真陰性は、モデルの予測値と正解ラベルが共に陰性であるようなデータです（C）。

偽陰性は、モデルが陰性と判定したものの、正解ラベルが陽性であるようなデータです（D）。

【第3章】

170. B

➡ P330

モデルの複雑さを考慮した評価に関する知識を問う問題です。
オッカムの剃刀は、「ある事柄を説明するためには、必要以上に多くを仮定するべきでない」というモデル構築の指針です（ア）。また、赤池情報量基準（AIC）は、モデルの予測精度と複雑さのトレードオフを考慮した評価指標です（イ）。AICを用いて予測精度と複雑さのバランスが良いモデルを選択することで、オッカムの剃刀に従ったモデル構築を行うことができます。
したがって、（ア）にはオッカムの剃刀、（イ）には赤池情報量基準（AIC）が入ります（**B**）。
ノーフリーランチ定理は、あらゆる問題において優れた汎化性能をもつモデルは存在しないということを示す定理です。
AUCは、ROC曲線のグラフの下部の面積で表される評価指標であり、分類タスクに用いられます。

【第3章】

171. D

➡ P330

タスクに応じた適切な誤差関数を問う問題です。
Triplet Lossや**Contrastive Loss**は、主に深層距離学習に用いられる誤差関数です。Contrastive Lossは2つのデータを用いて計算され、Triplet Lossは3つのデータを用いて計算されます（A、B）。
MSEやMAEは、主に回帰タスクに用いられる誤差関数です。MSEは、回帰タスクにおいて最も広く用いられている誤差関数のひとつです。MAEは、外れ値の影響を受けにくい特徴があります（C、**D**）。

【第4章】

172. A

➡ P331

ニューラルネットワークにおける**学習率**について問う問題です。
学習率は、勾配降下法において、求めた勾配に従ってどの程度パラメータを更新するかを決定するハイパーパラメータです（**A**）。
選択肢Bはエポックに関する記述です。Cの記述におけるハイパーパラメータは、正則化係数などと呼ばれます。Dは、バッチサイズに関する記述です。

【第4章、第5章】

173. D

➡ P331

ハイパーパラメータの探索手法に関する知識を問う問題です。
代表的なハイパーパラメータの探索手法として、**グリッドサーチ**と**ランダムサーチ**があげられます。グリッドサーチは、ハイパーパラメータの候補領域のすべての組み合わせを網羅的に探索する手法です（B）。ランダムサーチは、ハイパーパラメータの候補領域からランダムに選択して探索する手法です（**D**）。
モーメントサーチ、ミニバッチサーチは、ハイパーパラメータを探索する手法として一般的ではありません（A、C）。

【第4章】

174. B

➡ P331

スキップ結合に関する知識を問う問題です。
スキップ結合は、ネットワーク内の層間を飛び越えた結合を行うことで、出力層で計算された誤差を入力層側まで伝播しやすくする手法です（**B**）。
回帰結合は、時間ステップに応じた再帰的な結合を指す用語です（A）。
疎結合や全結合は、層を飛び越えた結合を指す用語ではありません（C、D）。

【第5章】

175. B

➡ P332

Attentionに関する知識を問う問題です。
Attentionは、各時刻の状態に重み付けを行い、どのデータに注目すればよいかを計算する機構です（**B**）。
Adamは、勾配降下法の手法のひとつです（A）。
Atrous Convolution（Dilated Convolution）は、フィルタを適用する際に、フィルタの各要素に間隔を設ける畳み込みの手法です（C）。
CECは、LSTMで用いられる長期的な情報を蓄えておくための機構です（D）。

【第4章、第5章、第6章】

176. B

➡ P332

SENet（Squeeze-and-Excitation Networks）に関する知識を問う問題です。
SENetは、畳み込み層が出力した特徴マップにAttentionを適用することで、予測性能を改善したCNNです（**B**）。
SENetには、回帰結合層、Atrous Convolution（Dilated Convolition）、Depthwise Separable Convolutionは導入されていません（A、C、D）。
なお、Atrous Convolutionを導入したネットワークとしてはDeepLabが、Depthwise Separable Convolutionを導入したネットワークとしてはMobileNetがあげられます。

【第6章】

177. B

➡ P332

n-gramに関する知識を問う問題です。
n-gramは、隣り合うn個の単語や文字をひとまとまりとして扱う概念です。たとえば、n = 2のとき、“I have a bag” という文を “I have”、“have a”、“a bag” というように分解することができます（**B**）。
skip-gramは、word2vecにおける学習に用いられるネットワークです（A）。
形態素は、文章や単語を分解していった際の、意味のある最小単位を指す用語です（C）。
分散表現は、単語の多次元ベクトルによる表現を指す用語です（D）。

【第6章】

178. B

➡ P333

BERTに関する知識を問う問題です。
BERTは、自然言語処理に用いられる事前学習モデルです。BERTでは、MLM、NSPと呼ばれる2つの自己教師あり学習のタスクを解くことによって事前学習を行います（**B**）。
Swin TtansformerやVision Transformerは画像認識に用いられるネットワークであり、MLM、NSPによる事前学習は行われません（A、D）。
word2vecは、単語の分散表現を獲得する手法であり、その学習はskip-gramとCBOWという2つのネットワークによって行われます。MLM、NSPによる事前学習は行われません（C）。

【第6章】

179. C

➡ P333

OpenAI Fiveに関する知識を問う問題です。
OpenAI Fiveは、多人数対戦型ゲームであるDota2において、2018年に当時の世界トップレベルのプレイヤーで構成されたチームに勝利したゲームAIです。OpenAI Fiveはマルチエージェント強化学習の手法を用いており、**PPO**（Proximal Policy Optimization）と呼ばれる強化学習のアルゴリズムを用いて学習を行います（A、**C**）。
AlphaStarは、スタークラフト2というゲームをプレイすることができるゲームAIです（B）。
Agent57はDQNベースの手法であり、ゲームAIとしてAtari2600をプレイすることができます（D）。

【第6章】

180. B

➡ P334

転移学習に関連するキーワードを問う問題です。
転移学習において、転移先のタスクにおける学習データを全く用いないことを、**Zero-shot Learning**と呼びます（ア）。また、ごく少量の学習データだけを用い、新たなタスクを解くネットワークを学習することを、**Few-shot Learning**と呼びます（イ）。
したがって、（ア）にはZero-shot Learning、（イ）にはFew-shot Learningが入ります（**B**）。
No-shot LearningやSome-shot Learningという用語は、転移学習において一般的ではありません。

【第6章】

181. C

➡ P334

システム開発の進め方に関する代表的な手法を問う問題です。
アジャイル開発は、設計からリリースまでのサイクルを繰り返しながら開発を行う手法です（**C**）。一方、ウォーターフォール開発は、設計から実装、テスト、リリースまでの計画をはじめにすべて策定し、計画に沿って開発を行う手法です（C）。
エッジ開発、アンサンブル開発という用語は一般的ではありません（B、D）。

【第7章】

182. D

➡ P334

統計的仮説検定の流れに関する知識を問う問題です。
統計的仮説検定では、帰無仮説と、それを否定した対立仮説を用いて仮説の検証を行います。帰無仮説のもとではほとんど起こらない現象が起きていることをデータから示すことで、帰無仮説を棄却し、対立仮説が正しいことを主張することができます（**D**）。選択肢A、B、Cは不適切です。

【第8章】

183. B

➡ P335

不正競争防止法における**限定提供データ**について問う問題です。
限定提供データは、組織間で共有することを前提としたデータのように、営業秘密として保護できない情報を不正競争防止法のもとで保護するための概念です。このようなデータは非公知性または秘密管理性を満たさないため、営業秘密として保護することはできませんが（ア）、一定の条件を満たすことで、限定提供データとして保護することができます（イ）。
したがって、（ア）には営業秘密が、（イ）には限定提供データが入ります（**B**）。

職務発明は、特許法における概念であり、使用者等における従業者等の職務に属する発明を指します。
保有個人データは、個人情報保護法における概念であり、個人データのうち、個人情報取扱事業者が開示や第三者への提供の停止などを行う権限を有するものを指します。

【第9章】

184. A ➡ P335

AI開発における透明性や公平性を確保するために留意すべき事項を問う問題です。
代理変数は、センシティブ情報との相関が高いことなどにより、センシティブ情報を代替しうるデータです。センシティブ情報やその代理変数を特徴量から除外することは、公平な学習済みモデルを得ることに繋がります（**A**）。
学習データの来歴をまとめて公表することは、透明性を確保するうえで重要です（B）。
学習済みモデルの入出力の履歴を管理し、追跡可能性を確保することで、公平性に問題があるような出力を監視し、検証を行うことができます（C）。
AI開発者の国籍や性別、経歴といった属性が可能な限り多様になるようなチームを構成することで、公平性を確保しやすくなることが期待されます（D）。

【第10章】

185. D ➡ P335

テキストデータにおける**データ拡張**の手法について問う問題です。
Noisingは、単語の入れ替え、削除、挿入、置換などをランダムに行うことでデータを増やす手法です（**D**）。
Paraphrasingは、単語を別の類似した単語で置き換える手法です（A）。
CutMixは、CutoutとMixupを組み合わせて生成を行う画像データの拡張手法です（B）。
Samplingは、テキストデータの分布を推定し、新しいデータのサンプリングを行う手法です（C）。

【第5章】

186. A ➡ P336

音声データにおける**A-D変換**の手法に関する知識を問う問題です。
パルス符号変調（PCM）は、標本化、量子化、符号化の3つのステップからなるA-D変換の手法です（**A**）。
高速フーリエ変換（FFT）は、音声などの波形データの周波数ごとの強さ（振幅）を分析するアルゴリズムです（B）。
フォルマントは、周波数スペクトルにおけるスペクトル包絡のピークを指す用語です（C）。
CTCは、空文字の利用や同じ音素の集約といった工夫により、RNNで音声認識タスクを扱えるようにした手法です（D）。

【第6章】

187. A

➡ P336

代表的な**モデル圧縮**の手法について問う問題です。
モデル圧縮は、機械学習モデルの精度をできるだけ保ちながらモデルのサイズを小さくする技術です。代表的な手法として、知識蒸留、プルーニング、量子化などがあげられます。
プルーニングは、一度学習を行ったモデルのパラメータの一部を削除することで、パラメータ数を削減する手法です（**A**）。プルーニングは、一部の特徴量を削除する手法ではありません（D）。なお、モデルに入力する特徴量を削減することを、特徴量選択と呼びます。
選択肢Bは知識蒸留に関する記述であり、不適切です。Cは量子化に関する記述であり、不適切です。

【第6章】

188. D

➡ P336

サンプリングバイアスに関する知識を問う問題です。
データの収集方法が適切でないことなどにより、収集したデータがある範囲に偏ることを、サンプリングバイアスと呼びます（**D**）。
なお、学習済みモデルの予測値がある範囲に偏ることを、アルゴリズムバイアスと呼びます（A）。新しく観測されるデータの分布が、訓練データの分布とずれることをドメインシフトと呼びます（B）。学習済みモデルのパラメータの偏りを指す一般的な用語はありません（C）。

【第7章】

189. D

➡ P337

SaaSに関する知識を問う問題です。
SaaSは、インターネット経由でアプリケーション機能を提供するサービスの形態です（**D**）。
IaaSは、仮想化したハードウェアそのものを提供するサービスの形態です（A）。
PaaSは、アプリケーションの運用や維持管理を行うためのプラットフォームを提供するサービスの形態です（B）。

FaaSは、アプリケーションの構築や起動に関するインフラを管理することなく、イベントに応じてソースコードを実行できるようにするサービスです(C)。

【第9章】

190. D

➡ P337

ディープフェイクに関する知識を問う問題です。
ディープフェイクは、AIを用いて動画の人物の顔を別人のものに変更し、要人の発言を捏造するような技術です(**D**)。
エコーチェンバーは、ソーシャルメディアを利用する際、自分と似た興味関心をもつユーザーをフォローする結果、自身が発信した意見に対して似た意見が返ってきやすくなる現象です(A)。
フィルタバブルは、アルゴリズムがユーザーの行動履歴を分析または学習し、ユーザーの価値観に沿う情報のみを優先的に表示することで、ユーザーが自身の価値観の中に孤立してしまうような情報環境を指す用語です(B)。
スパムフィルタは、メールの内容からそのメールが不適切かどうかを判定するものです(C)。

【第10章】

191. C

➡ P337

RandAugmentに関する知識を問う問題です。
RandAugmentは、学習時に適用するデータ拡張手法を決定する戦略のひとつです。あらかじめデータ拡張を行う手法の候補を決めておき、ミニバッチごとに一定数の手法を無作為に選び、一定の強さで適用します(**C**)。
CutoutやRandom Erasingは、画像の一部の画素値を0またはランダムな値にすることでデータを増やす画像のデータ拡張手法です(A、B)。
RandExpandというデータ拡張の戦略は一般的ではありません(D)。

【第5章】

索引

数字・記号

A

B

C

D

E

索引

そ

た

ち

つ

て

と

に

ね

の

は

ひ

ふ

へ

ほ

ま

み

め

も

ゆ

よ

ら

り

る

れ

ろ

わ

■著者

小縣 信也（おがた・しんや）

●株式会社スキルアップNeXt講師。株式会社スキルアップNeXt取締役CTO。大阪市立大学工学部卒業後、建材メーカー、設備設計事務所に勤務。2010年、OpenFOAM勉強会for beginner(現オープンCAE勉強会@関東)を立ち上げ3年間幹事を務める。建築環境に関する数値シミュレーション、電力量や温湿度などのセンサーデータに関する分析が専門。1級建築士、エネルギー管理士。2013年、国土交通省国土技術政策総合研究所 優秀技術者賞受賞。日本ディープラーニング協会が実施するE資格2020#1他合格、E資格2018にて優秀賞受賞、E資格2019#1にて優秀賞受賞。

斉藤 翔汰（さいとう・しょうた）

●株式会社スキルアップNeXt講師。株式会社スキルアップNeXt取締役CRO。横浜国立大学大学院 環境情報学府 情報メディア環境学専攻（現:情報環境専攻）修了。修士（情報学）。高専時代に画像認識に対して興味を持ったことがきっかけで、現在は深層学習や機械学習、進化計算などの人工知能分野におけるアルゴリズムの研究開発やコンサルティングに従事。日本ディープラーニング協会が実施するE資格2020#1ほか合格、G検定2020年#1ほか合格。

森田 大樹（もりた・だいき）

●株式会社スキルアップNeXt講師・データサイエンティスト。東京工業大学 情報理工学院 修了。修士（工学）。大学院時代は数理モデリングを用いた脳神経の研究に携わる。その後、データ基盤の開発・運用、Web サービスの受託開発やアプリケーションデータの解析業務を行う。2018年、ショウジョウバエ大規模ニューラルネットワークの数理モデリングの分野で IEEE Computational Intelligence Society Japan Chapter Young Research Award を受賞。

田澤 賢（たざわ・さとし）

●株式会社スキルアップNeXt講師・データサイエンティスト。
東京大学大学院新領域創成科学研究科情報生命科学専攻（現：メディカル情報生命専攻）修士課程卒業。日本ディープラーニング協会が実施するG検定2023年#3合格、E資格2024#1ほか合格。

小宮 寛季（こみや・ひろき）

●株式会社スキルアップNeXt 講師・データサイエンティスト。東京電機大学大学院 未来科学研究科 情報メディア学専攻 修了。修士（情報メディア学）。修士課程では、ディープラーニングを用いた特徴抽出技術を応用し、効果音を元に類似効果音を検索するシステムを開発。スキルアップNeXtでは講師として、機械学習基礎講座およびディープラーニング基礎講座を担当。ディープラーニングG検定2021年#2合格、E資格2022#1ほか合格。

山田 弦太朗（やまだ・げんたろう）

● 株式会社スキルアップNeXt講師・データサイエンティスト。東海大学大学院 工学研究科 建築土木工学専攻 修了。修士（工学）。修士課程では、コンピューテーションによる建築設計自動化技術を応用し、中世イスラーム建築の天井装飾のデザイン原理について研究。スキルアップNeXtでは講師としてAI・データ分析基礎、ノーコードAI、深層学習フレームワーク（PyTorch）等に関する講座を担当するほか、教材作成・執筆等の業務に従事。日本ディープラーニング協会が実施するG検定2020#3合格、E資格2021#2合格。

安藤 遼哉（あんどう・りょうや）

● 株式会社スキルアップNeXt 講師・データサイエンティスト。東京理科大学大学院 理工学研究科 数学専攻（現：創域理工学研究科 数理科学専攻）博士前期課程 修了。修士（理学）。社会人ドクターとして、深層学習・量子コンピュータなどの先端技術に関する人材育成プログラムの開発や、純粋数学・機械学習に関する研究に従事。学部在籍時より、数学に関するセミナーを複数主催。慶應・理科大数理オンラインセミナー2022年度世話人など。環境省認定制度 脱炭素アドバイザーベーシック。

■監修

杉山　将（すぎやま・まさし）

2001年東京工業大学大学院情報理工学研究科博士課程修了。博士（工学）。2014年より東京大学大学院新領域創成科学研究科教授、2016年より理化学研究所革新知能統合研究センター長を兼任。機械学習の理論・アルゴリズム・実世界応用に関する研究に従事。2015年に機械学習に関する国際会議Neural Information Processing Systems Conferenceの共同委員長プログラム委員長、2016年に共同実行委員長を務める。『機械学習プロフェッショナルシリーズ』（講談社）編者。

STAFF

編集	水橋 明美（株式会社ソキウス・ジャパン）
	畑中 二四
校正	株式会社トップスタジオ
制作	株式会社トップスタジオ
表紙デザイン	小口 翔平 ＋ 村上 佑佳（tobufune）
表紙制作	鈴木 薫
編集長	玉巻 秀雄

本書のご感想をぜひお寄せください

https://book.impress.co.jp/books/1123101028

読者登録サービス CLUB impress

アンケート回答者の中から、抽選で**図書カード**（1,000円分）などを毎月プレゼント。
当選者の発表は賞品の発送をもって代えさせていただきます。
※プレゼントの賞品は変更になる場合があります。

■商品に関する問い合わせ先

このたびは弊社商品をご購入いただきありがとうございます。本書の内容などに関するお問い合わせは、下記のURLまたは二次元バーコードにある問い合わせフォームからお送りください。

https://book.impress.co.jp/info/

上記フォームがご利用いただけない場合のメールでの問い合わせ先
info@impress.co.jp

※お問い合わせの際は、書名、ISBN、お名前、お電話番号、メールアドレス に加えて、「該当するページ」と「具体的なご質問内容」「お使いの動作環境」を必ずご明記ください。なお、本書の範囲を超えるご質問にはお答えできないのでご了承ください。

- ●電話やFAX でのご質問には対応しておりません。また、封書でのお問い合わせは回答までに日数をいただく場合があります。あらかじめご了承ください。
- ●インプレスブックスの本書情報ページ https://book.impress.co.jp/books/1123101028 では、本書のサポート情報や正誤表・訂正情報などを提供しています。あわせてご確認ください。
- ●本書の奥付に記載されている初版発行日から1 年が経過した場合、もしくは本書で紹介している製品やサービスについて提供会社によるサポートが終了した場合はご質問にお答えできない場合があります。

■落丁・乱丁本などの問い合わせ先
FAX 03-6837-5023
service@impress.co.jp
※古書店で購入された商品はお取り替えできません。

徹底攻略ディープラーニングG検定ジェネラリスト問題集
第3版

2024年9月21日　初版発行

著　者　株式会社スキルアップNeXt
小縣 信也、斉藤 翔汰、森田 大樹、田澤 賢、小宮 寛季、山田 弦太朗、安藤 遼哉
監　修　杉山 将
編　者　株式会社ソキウス・ジャパン
発行人　高橋隆志
編集人　藤井貴志
発行所　株式会社インプレス
〒101-0051　東京都千代田区神田神保町一丁目105番地
ホームページ　https://book.impress.co.jp/

印刷所　日経印刷株式会社

ISBN978-4-295-01898-8 C3055

Printed in Japan